سيدة
الزمالك

العشماوي، أشرف.
سيدة الزمالك: رواية / أشرف العشماوي. - ط13.-
القاهرة: الدار المصرية اللبنانية، 2019.
376 ص؛ 20 سم.
تدمك: 3 - 162 - 795 - 977 - 978
1- القصص العربية.
أ - العنوان 813
رقم الإيداع: 2091 / 2018

الدار المصرية اللبنانية

16 عبد الخالق ثروت القاهرة.
تليفون: 23910250 202 +
فاكس: 23909618 202 + ص.ب 2022
E-mail:info@almasriah.com
www.almasriah.com

الطبعة الأولى - الطبعة الثانية - الطبعة الثالثة: 2018م
الطبعة الرابعة - الطبعة الخامسة - الطبعة السادسة: 2018م
الطبعة السابعة - الطبعة الثامنة: 2018م
الطبعة التاسعة - الطبعة العاشرة - الطبعة الحادية عشرة: 2019م
الطبعة الثانية عشرة: 2019م
الطبعة الثالثة عشرة: 2019م.

أشرف العشماوي

سيدة الزمالك

رواية

الدار المصرية اللبنانية

إهداء خاص

لمن قاومت المرض الخبيث حتى اللحظات الأخيرة بصبر جميل

وإرادة حقيقية ورغبة عارمة فى الحياة..

إلى صديقتي العزيزة وقارئتي الرائعة **خديجة جودار**

التي منحتني في سنوات قليلة مشاعر عديدة متباينة..

بعضها مفعم بالبهجة، وأحيانًا بالشجن، وكثيرًا من الألم..

لكنها لم تنسَ أن تترك لي بعض الأمل أيضًا..

أهدي روايتي لروحكِ الطاهرة النقية.. وسلامًا حتى نلتقي.

أشرف العشماوي

1

«لا أعرف لماذا أجرى الغرام في عروقي وأعادني للحياة قبل أن يُميت قلبي»

ناديا

.. على أطراف أصابعي سرت حتى وصلت قرب الباب، تلفتُّ حولي للمرة الثالثة، تأكدت أن الجميع نائمون خاصة تلك الخادمة الجديدة المتلصصة، هبطت درجات السلم الخشبي المؤدي للبدروم، مرتبكة، قلقة، أدرت المفتاح بهدوء، تسللت متحسسة خطواتي في شبه عتمة اعتدت عليها مؤخرًا فلا أصطدم بالكراكيب الكثيرة المتناثرة بأركانه وطرقاته بعشوائية مثلما كان يحدث وأنا صغيرة، صناديق خشبية عليها حروف وكلمات لاتينية محاها الزمن وبدّل حالها، أدوات بناء وعلب طلاء قديمة قِدم المكان نفسه، هياكل حديدية وقوائم خشبية غريبة الشكل والحجم، ترومبيت نحاسي قديم أزراره متآكلة، دراجة بلجيكية الصنع يغطيها الصدأ..كانت بيضاء، إطارها صار مفقودًا ولا أعلم أين ذهب، فانكفأتْ على قائميها الأماميين ترثي غيابه، كدت أصطدم بالسرير الذهبي القديم، تأملته مندهشة كعادتي، يتجاوز عرضه الأمتار الثلاثة، معوجًّا يستند على ثلاث أرجل فقط والرابعة قوالب من الطوب، ابتسمت في خجل لما تذكرته وهو يحاول جذبي ناحيته بالأمس، مئات العبوات من علب

دواء قديمة قرب الجدار تعلوها الأتربة حتى كادت تخفي معالمها، تحسست مكتب أبي الخشبي القديم ومن فوقه دوسيهات ضخمة متربة وعشرات الأوراق بعضها مبعثر، أستطيع بسهولة أن أميز من بينها أظرف بيضاء بهت لونها تحمل شعار النخلة الخضراء واسم سولومون شيكوريل بالفرنسية، أشياء أخرى كثيرة صعب عليّ إحصاؤها، ظل أبي يخزنها على مدار السنين بالبدروم وينثرها بلا ترتيب، بدَت مثل كمائن ثابتة لمَن تقوده قدماه إلى هذا المكان الموحش، فتجبره على التوقف والعودة من حيث أتى.

همستُ باسمه مرتين باحثة عنه بعينين متلهفتين.. أطلق نورًا متقطعًا من بطاريته الصغيرة فساعدني على الوصول إليه بعدما غيّر مكان اختبائه، يبدو عليه الإجهاد نوعًا ما هذا الصباح، جرحه انفتح من جديد وما زال ينزف قليلًا، ربما تحرك ليلة أمس ليُسري عن نفسه من ملل رقدته بالبدروم.

كان مختلفًا هذه المرة، لم يتخلَّ عن شقاوته التي تطل من عينيه ببريق غريب منذ اختبأ هنا، لا يزال أخاذًا، ساحرًا، ظل يتحرك ويفرك في مكانه، يحاول تقبيلي خلسة واحتضاني فجأة، يبث مشاعره وأحاسيسه مدفوعة بقوة غريزته، وأنا أصده في ليونة، أمنع ضحكاتي على تعبيرات وجهه اللاهثة التي تشي بألم متقطع وحنين يمور بداخله، يلعب برأسه، ويلهب غرائزه. لكنّ عينيه تائهتان محيرتان تشيان بأن تفكيرًا طويلًا عصف برأسه الليلة الماضية فلم ينم!

عاد يجذبني من ذراعي بعنف ناحية السرير العريض، قاومته لما خفت من نظرة عينيه، شعرت أنه لا يراني، يريد اللحاق برغبته التي سبقتنا للفراش وتناديه فاتحة ذراعيها لنا، ارتطمت يدي بجرحه وأنا أحاول الفكاك من قبضته فعاد ينزف، استجمعت قواي وذاكرتي عمّا تعلمته لأوقف النزيف، لكنه ظل رافضًا علاجي في عناد غريب، عاد للوراء كأنني سأؤذيه، ظل يعاتبني ويلقي

باللوم عليّ لفتح جرحه، صبرت ساكتة مبتسمة لأطمئنه وأنا أقترب منه، بالكاد استجاب لي، بقي ساكنًا لبضع دقائق كي أعالج إصابته، استند بظهره على الجدار مبتسمًا بخبث بعدما حاول استراق قبلة خاطفة للمرة الثالثة، نجح في محاولته الأخيرة عندما انشغلت في تثبيت الضمادة على جرحه، تظاهرت بالانتباه الزائد لأبتعد عنه إذا ما حاول تقبيلي مرة رابعة، من داخلي لم أكن أنوي ذلك أبدًا، رحت أحفزه بعطري واقترابي منه لعله يفعلها، تمنيت للحظة الذوبان بين ذراعيه مثلما فعلناها صغارًا من قبل، لفحتني أنفاسه الساخنة التي تشي برجولته الزائدة، خفقان قلبي ورعشات جسدي ما زالت على حالها، متأهبة دومًا لاستقباله والترحيب الحارّ به في أي لحظة، امتلأ دلوي من بئر الماضي البعيد، وما زالت مياهه عذبة.

رغم ذلك كله هناك شيء ما قد تغير، لا أستطيع تحديده، يراودني هاجس كئيب بأنه يتصنّع مشاعره نحوي، تُحركه غريزته فقط بعدما مات قلبه، أحاول طرد الهاجس من رأسي، أقول ربما جرح غائر بقلبه كالذي كاد يودي بحياته لما أصابت رصاصة كتفه، وأتى إلى هنا تلك الليلة منذ أيام قليلة يلهث وهو ينزف بغزارة، يهمس بحروف اسمي في تناغم مثير أثير، يقدم حياته قربانًا لحبه الأول ومن المؤكد أنه الأخير، يومها خدرني مجيئه، نعم مجرد مجيئه فعل بي الكثير، لم يكن بحاجة لقول شيء بعد همسه بأنه لا يزال يحبني، اختياره لي مرة أخرى دون الناس كلها يكفيني، أنا المرأة الوحيدة في هذا العالم التي يطمئن إليها ويأمن على حياته بين يديها، أنا جذور مشاعره التي أنبتت زهور غرامه، فعاد لي.. يعيش بحبي ويتنفس أحاسيسي.

تنهدت متأملة شفتيه شغفًا، رعشة خفيفة في ذات اللحظة تسري بشفتَي فتضطربان، تتسرب الرجفة ببطء لجسدي محفّزة إياه ليلتصق بصدره العريض.. فأستجيب. اقتربت أكثر، أغمضنا كمَن يغفو من نشوة الخمر مستمتعًا، علت أنفاسنا معلنة عن شوق يحترق بداخلنا ويلهب مشاعرنا، هممنا ببعضنا في آنٍ

واحد متضامنين سرًّا على العشق الأبدي، فجأة سمعنا صوتًا أشبه بضربات منتظمة لخطوات تبدو عسكرية صارمة، أفاقني الصوت بعنف من سكرتي، لا تكتمل قُبلتي معه أبدًا، أرهفت أكثر، فأيقنت أنها دقات عصا آتية من بعيد!!

حبست أنفاسي بين ضلوعي من شدة هلعي، سرَت برودة الخوف بكل أطرافي، الخطوات ما زالت مسموعة بوضوح، صارت بطيئة الآن، لكنها تقترب من باب البدروم البعيد عن مكمنًا، بضع حبات عرق صغيرة تتدحرج متتالية من بين خصلات شعري، تنزلق بسرعة على جبهتي، وكأنها خرجت لاستطلاع الأمر تمهيدًا لأخريات وراءها تتأهب للظهور لتزيد من سخونة رأسي، فيكاد ينفجر.. تبادلتُ نظرات سريعة معه لأطمئنه لكنه بدا مطمئنًا أكثر من اللازم، تعجبت من أمره، وجدتني أشير له بأن يصمت، بل بألا يتنفس إن استطاع، وبدأت أنتبه لصوت الأقدام المصاحبة لدقات العصا.

*****

2

«مكبل بطموحاتي كتمثال وسط ميدان خالٍ من المارة، تنقر الشمس رأسه كل صباح»

عباس المحلاوي

تأرجح القارب بقوة فاستيقظت، يبدو أن أحدهم هبط للشاطئ، تأملت الفراغ بين أجساد الصبية الخمسة المتبقين لأعرف مَن الذي سرح منهم في هذا الوقت المبكر، التفتُّ ناحية المرسى، الرصيف خاوٍ على مرمى بصري، بعض القوارب بها رجال تتأهب للإبحار، الساعة تشير للسادسة صباحًا، ما زالت العتمة مهيمنة على السماء رغم خيوط النور، والبرد قاسيًا يضرب جنبات وجهي، تلفحت بالغطاء وحاولت العودة للنوم، على مدار ثلاث ساعات فشلت، قمت متكاسلًا من رقدتي بالقاع وغسلت وجهي بماء البحر فانتعشت، حملت صندوق السجائر الخشبي وهرولت ناحية الدخيلة، توقفت أمام صور كثيرة للملك فؤاد ملصقة على جدران البيوت، عيناه مطموستان بشريط أسود من جراء طلاء رديء غير منتظم، يبدو أن بعضهم قد سكبه بعشوائية ليلة أمس، لويت شفتَيّ ومضيت، رحت أطوف على المقاهي باحثًا عن رزق جديد، في ذات الوقت متمنيًا لقاء فؤاد الإسكندراني، الذي يحكون عنه كثيرًا ولا يظهر إلا قليلًا!

قبل قدومي للإسكندرية بشهور أنهيت المرحلة الإلزامية بالكاد في قريتي بطنطا لكني فشلت في الحصول على البكالوريا ثم سافرت إلى هنا مع عمي الكبير لاستكمال دراستي بمدرسة الصنايع الإيطالية «دون بوسكو»، تلك قصة أخرى لم أعد أحب تذكرها وإن كانت تُلح على ذاكرتي كل حين، تكرر هروبي من المدرسة الإيطالية حتى تم رفدي بعد العام الأول، كل ما تعلمته لا يزيد على كلمات قليلة من اللغة الفرنسية والكثير من الإيطالية التي أجدتها كلها بسهولة، بعدها خشيت إبلاغ عمي بقرار الرفد كي لا يقطع عني المصروف أو على أسوأ حال يُعيدني لمحلة مرحوم.

ولأن الدراسة بالدون بوسكو داخلية كنت أزور عمي شهريًا في بيته بحي المنشية لتسلم الشهرية ومتابعة أحوالي، يظن أنني أقيم بالمدرسة وأدرس بها، سئمت الدراسة والهروب والسَّرْح بصندوق السجائر ووجدتها فرصة للبحث عن مهنة مربحة تعوض فشلي الدراسي، جذبتني سيرته وجُبت المقاهي والبارات قرب الميناء لأكثر من شهر أبحث عنه حتى تعثرت أخيرًا في فؤاد الإسكندراني جالسًا بإحداها!

رأيته مرتديًا بدلة أنيقة بيضاء وحذاءً وقبعة من ذات اللون، يراهن على عدد حبات الفستق ويكسب جولة تلو الأخرى من بائع متجول، يكبشها بكفه الكبيرة وينثرها على مائدته، يصيح عاليًا مشجعًا نفسه، ملفتًا انتباه الجميع، رغم فوزه بالرهان على عددها الفردي كل مرة، لكن في النهاية أنقده فؤاد جنيهًا كاملًا، شهقت شهقة أعلى من البائع نفسه، التفت بعدها نحوي، نشأ بيننا إعجاب متبادل بلا مقدمات، ظلت عيناه عليّ، يبتسم أحيانًا نصف ابتسامة أشبه بومضة عابرة، خيّل لي أنه يغمز بعينه اليسرى فبادلته الابتسام، دعاني فؤاد للجلوس على مائدته فرحبت، حدثته عن نفسي وطموحي في العمل بأي مهنة للكسب، عيناه تتفرسان فيّ بنهم، ربّت ساقي بمودة وعملت معه في ذات اليوم، عرف

أنني بلا مأوى وأقضي ليلتي بقارب قديم مع باعة آخرين منذ شهرين قرب المكس فاصطحبني إلى بيت كبير وسط الغيطان، به أكثر من عشر غرف مخصصة للبنات، خلفه حوش فسيح تتناثر به في عشوائية حُفر عميقة بطول رجل بالغ، عريضة تسمح لاثنين بالنوم متجاورين بحرية، مفروشة بالتراب والرمال، ترقد بها سيدات في عمر أمي عاريات مترهلات، مضطجعات على ملاءات قديمة، بهت لونها الأبيض واستحال للرمادي، تتوسطه بعض البقع السوداء.. يسترن عوراتهن بمناشف قديمة ممزقة في انتظار زبون الدرجة الثانية المتعجل دائمًا أو الطلبة الذين لا يُسمح لهم بالصعود لغرف البنات. تلك كانت أولى مهامي في بيت الإسكندراني!

لم أكن في حاجة لوقت طويل كي أفهم أننا في كراخانة، هيئة السيدات اللاتي يتناوب الزبائن عليهن وأشباه الرجال بجلاليب مخططة بالطول والإضاءة بداخل البهو والغرف وأصوات النساء وضحكاتهن تجعل الضرير يدرك بسهولة أين هو، عُدت لمراقبة الحُفر بتكليف من فؤاد، ما أن ينتهي آخر رجل حتى تنهض كل سيدة مُغبرة الشعر خائرة القوى بعد رقادها لنصف ساعة أو يزيد بالحُفرة الترابية، يخرجن منها على سُلم خشبي صغير، تنتهي الوردية بعد أن تُكمل كل فتاة عشرة أدوار كحد أدنى كي تستحق وجبة مجانية بعدها، يقفن في طابور أعوج، أسلم كلًّا منهن حزمتين من البصل وقطعة جبن مع ثلاثة أرغفة، باعتباري مسئول التعيين، وأدوّن في دفتري ما تم صرفه لهن.

سكنت في ذات الكراخانة قرب الغيطان ناحية المندرة القبلية، في مبنى صغير مستقل ننام سبعة رجال بغرفة واحدة واسعة، ألصقت ظهري بالجدار تخوفًا من نظرات مريبة لأحدهم، لم يكن مسموحًا لنا بالسكن بقلب الإسكندرية ولا حتى التجول بحرية في شوارعها، تكفي نظرة واحدة من ضابط بوليس لبطاقة الرجل ليعلم أنه مجرد قوّاد من قوادي فؤاد الإسكندراني، فيعيده

لأطراف المدينة مرة أخرى بعد استجواب قصير عن سبب وجوده، ومع ذلك صمم فؤاد على استخراج بطاقة شخصية لي بمهنتي الجديدة رغم محاولتي التملص منه، قال وهو يسلّمها لي متعمدًا رفع صوته أمام ضباط بوليس قسم اللبان: علشان يِقبالك هيبة لما الناس تعرف إنك من رجالة الإسكندراني!

لم ترُق لي المهنة لكنها لم تضايقني، ترقيت في عملي بسرعة مع الإسكندراني، فمن مجرد معاون تغذية إلى «سَحاب» لاصطياد فتيات للعمل بالكراخانة في غضون أسابيع قليلة، أعطاني بقشيشًا كبيرًا في البداية زاد للضعف مع كل فتاة أجلبها للعمل عنده. «عم فؤاد» كما كنا نناديه استدعاني بعد شهرين، صعدت إليه مرتبكًا فهو لا يطلب أحدًا من رجاله إلا لتوبيخه، التقيته في التراسينا التي يقضي فيها وقتَ العصاري كل يوم لتدخين الشيشة ومحاسبة العايقة، صوت شجار يترامى لمسامعنا آتيًا من أسفل فتتسع ابتسامته، نهض وتدلى بنصف جسده ليتابع رجاله وهم يؤدبون أحد صبيانه الذي لوّح بالرحيل، اختلست نظرة عليهم من وراء ظهره، أوسعوه ضربًا وركلًا حتى هوى جثة هامدة بحفرة من حُفر الحوش، تركوه ينزف ويئن ثم رفعوا السلم الخشبي وراحوا يُهيلون عليه التراب، أفزعني المنظر، تجمدت قليلًا من داخلي لكنني ظللت متماسكًا أمامه، نفث فؤاد دخان شيشته في وجهي وهو يقول: واد خايب كان بيفكر يهرب ويشتغل فرداني بعد ما علمناه ونجرناه وبقى بورمجي قد الدنيا!

تفحصني جيدًا ثم سألني عمّا يعجبني في النساء فأجبت باقتضاب، رجع بظهره في مقعده وطلب مني إقناعه ببنت من بنات الكراخانة، اختار أكثرهن نحافة وقبحًا، فلما أجبته بالتفصيل أشار للعايقة التي تدير المنزل تحت إمرته قائلًا: الواد ده من بكرة يشتغل بورمجي يا بهايم.. يا فرحتي بالنسوان اللي بيسحبها لهِنا من غير زباين!

عملي الجديد جذْب الرجال كزبائن للكراخانة من الحانات والطرق العمومية والمقاهي، الأمر سهل فإغواء الرجل يكون سريعًا باللعب على غرائزه أما المرأة فتحتاج وقتًا طويلًا لدك حصون عقلها كي تباعد ما بين ساقيها جلبًا للمال، مهنتي تعتمد بالدرجة الأولى على الإقناع ورواية تجربة شخصية عن ليلة حمراء ممزوجة بكثير من الخيال والمبالغة عن أفخاذ سيدات لامعة شاهقة البياض مثل المرمر ونهود كبيرة كثمرات الرمان ومؤخرات طرية شهية قلما سيجدونها بأي كراخانة أخرى، رغم نجاحي ورضاه عني ظل فؤاد ورجاله يخيفونني، دائمًا هناك مَن يراقبني ويسير خلفي وهو ما كان كفيلًا بردع أي فكرة تجوس برأسي حتى لو كانت مجرد هلاوس عن الهرب، ومثلما فعلوا في الصبي المتمرد أيضًا كانوا شديدي العنف مع الفتيات، بعضهن كن مخطوفات ومجبرات على الدعارة وأخريات تعرضن للضرب المبرح مرات كثيرة بسبب رفضهن لزبائن معينة، أما المتمردات فمصيرهن تشويه الوجه باستخدام المطاوي وماء النار..

أحيانًا يتسلى فؤاد الإسكندراني ليُحيل الحوش الخلفي إلى حلبة صراع بإشارة منه للبنات نحو المتمردة منهن، يلتففن حولها حتى تُشل حركتها تمامًا، ثم تُلقى بالحفرة ويجثمن فوقها انتظارًا لوصول العايقة التي تباعد بين ساقي الفتاة وتنزع سروالها عنوة، ثم تضع الشطة في مكان أكل عيشها مثلما تقول البنات هنا، تتعالى ضحكات فؤاد وهو يطل على المشهد من التراسينا، تبتلع ضحكاته صرخات الفتاة التي تتلوى وتفرك بالحفرة كبطة مذبوحة ومن بعدها تتوب!!

جاء الخلاص أخيرًا لما قُبض على فؤاد الإسكندراني لإيذائه بعض الفتيات وفقء عين إحداهن، فتشجعت واحدة تلو الأخرى منهن وأبلغن البوليس عنه، تراكمت البلاغات وصارت قضية متضخمة فقدموه للمحاكمة، حُكم عليه

بالسجن خمس سنوات، لم يحتمل منها غير سنة واحدة ثم مات. عرفنا من رفقائه في السجن بعد ذلك أنه كان شاذًّا، ربما كان ذلك مفسرًا لسر إعجابه المفاجئ بي ونظرة الوله المطلة من عينيه كلما رآني رغم أنه لم يحاول التقرب مني لكنني بعدها رحت أخمن مَن مِن رجاله كان يختلي به لكنني لم أستطع الوصول إليه أبدًا.. فكلهم صالحون رغم شكي في أحدهم الذي يراقبني باستمرار!!

بعد القبض عليه فتشوا منزله ووجدوا أجولة تحوي جنيهات ورقية وذهبية فصادروها، عثروا بالمخزن على أكوام هائلة من «الملح» وأطنان عديدة من البصل وقدور بالعشرات من الجبنة القديمة، أعدموا الطعام الذي كنا نقدمه للبنات والسيدات طوال العام، وكان لا يمّكن لإحداهن الاعتراض أو التذمر، مع أنهن دائمًا في حالة صحية متردية من الغذاء السيئ والإهمال الصحي الذي يفضي بمعظمهن إلى الموت خلال أعوام قليلة ليأتي فؤاد بغيرهن بسهولة من خلال السحابين وقد كنت أحدهم!

فكرت في الزواج من العايقة لأرث مهنة فؤاد وأرضه وما عليها، تقربت منها، بقِيت خطوة أو اثنتين كي أتمكن من قلبها وعقلها لكنها صدتني بغلظة، خططت لسرقتها لكن البلطجية من حولها كثروا، ثم ضايقنا البوليس بعد وفاته وكثرت علينا الحملات مرة أخرى فتراجعت، خاصة بعد مصادرة ثروة فؤاد كلها، أدارت العايقة البيت منفردة، لم تكن في حزم وقوة الإسكندراني رغم كرمها في الطعام والأجرة حتى لا يتهمنا البوليس بسوء معاملة المومسات، قلة الإيرادات ومصادرة الأموال دفعت العايقة للموافقة على نظام «السرمحة»، ففتحت الكراخانة لمَن يحضر من الزبائن ومعه فتاة من الخارج ليقضي وقتًا معها، ومع التسيب وضعف الإدارة لم تكن الفتيات تبيت في الكراخانة، كُن يُقمن عند رجال يستأجرونهن شهريًا، ويُرسل في طلبهن في حال وجود زبون، وأحيانًا بعضهن لا يحضرن!

سنحت لي الفرصة التي أنتظرها بعد شهرين عند تجديد التراخيص بالقاهرة بمستشفى الحوض المرصود، فكل المسجلات رسميًا للدعارة عليهن الذهاب للكشف الطبي مرة كل ثلاثة أشهر، وإلا تقع عليهن غرامة تدفعها عنهن القوادة التي ترأسهن. نذهب بهن بالقطار ثم نسير في مواكب كبيرة نركب فيها عربات الحنطور يحرسها البوليس حتى لا يضايقنا عوام الناس، كان الموكب يقف قرب المدخل وعلى الفور تنتشر حول سور المستشفى فرق البُرمية والبلطجية لحماية البنات، بعد الكشف يتسلم كل منّا المومسات التابعات له فور خروجهن. أما التي يثبت مرضها خاصة من كبار السن، فكانت تبكي بحرقة شديدة بسبب ما ستلاقيه من سوء معاملة في المستشفى وقت حجزها هناك فضلًا عن انعدام مورد رزقها!.

أثناء وقوفي مع القوادين منتظرين نتيجة الكشف الطبي سمعت جلبة على مقربة مني، لاحظت أنهم على أعتاب مشاجرة مع بعض المارة، في البداية قذفونا بالحجارة وهم يسبوننا، ثم تجرأ علينا صبية صغار فراحوا يخرجون ألسنتهم ويضعون أصابعهم فوق رؤوسهم في إشارة واضحة لقرون على رؤوسنا، ليثور الفتوات ويندفعوا ناحيتهم كالثيران الغاضبة، تلاحموا وانحشرت قوات البوليس بينهم، انتهزت الفرصة وغافلتهم متسللًا من وراء سور المستشفى بحجة شراء سجائر من بقال قريب، حسبما قلت لصبي العايقة وعينها الواقف بجواري وشبه ملازمني كظلي، فأتعاب الأطباء ومصاريف السفر ما زالت بحوزتي وترخيص عمل المومسات سيصدر باسمي بعد توقيعي فلديّ توكيل رسمي من العايقة.

عبرت خرابة فسيحة مهرولًا حتى وصلت للسكة العمومية ومنها ركبت حنطورًا لمحطة مصر واستقليت القطار عائدًا لمحلة مرحوم، وقفت قرب الباب ألهث وأحصي مكاسبي، وجدتها ثلاثين جنيهًا وبضعة ريالات فضة

بعد ثلاث سنوات من القوادة.. يمكنني شراء عربة دوكار بحصان إنجليزي أيضًا ودستة قمصان إيطالي جديدة وثلاث بدل صوف وحذاءين برباط من صيدناوي ويتبقى عشرة جنيهات، لا.. لا داعي للتبذير، سأصرف القليل الآن فمن الأفضل ادخار ثلثيها والعيش في بحبوحة على الأقل لسنة قادمة لا أحتاج فيها للعمل. عَلت الصافرة وتحرك القطار، زمجر على القضبان ثم انطلق، من بعيد لمحت صبي العايقة يعُض ذيل جلبابه ويُسابق الريح كي يلحق بآخر عرباته لاهثًا. أخرجت بعض الريالات الفضية من جيبي وصوبتها نحو رأس الصبي، أصابه أحدها فأبطأ من حركته، تدحرجت العملات حوله في خطوط ملتوية، عيناه تتابعانها بدهشة وأذناه تلتقطان رنينها في لهفة، سبقه قطاري وابتعد، ظل الصبي يتضاءل ويتضاءل وهو ينحني لجمعها حتى بدا كنقطة سوداء بعيدة تلاشت بعد حين.

*****

ليلة الحادث تغيرت حياتي كلها، أعتبرها ميلادي الحقيقي فقبلها بسنوات لم يكن لديّ ما يستحق تذكره، حاضري قلق وفترة طفولتي مشوشة في ذهني، أفتش في سندرة الطفولة عن ذكريات لأتغذى عليها فلا أرى سوى دارنا الضيقة الخانقة، بابها الخلفي نخرج منه على الغيطان مرورًا بالزريبة، أما الأمامي فينفتح على السكة العمومية، يكشف ستر الدار للعابرين فيُصر أبي على غلقه طوال اليوم، تتراءى أمامي صور شقيقاتي البنات ونحن صغار، أكبرهن تصغرني بعام وأنا أكبُر أصغرهن بثلاث سنوات ونصف، تطوف صورهن بخيالي مهزوزة وهن دائرات بفسحة الدار خلف أمي مثل بطاتها وصغارها، دائخات من الرطوبة طائعات لأوامرها عدا الصغيرة زينب، متذمرة..معترضة دائمًا، لكنها لم تذهب لأبعد من ذلك.

نعيش في قرية تسمى الفؤادية على أطراف مركز محلة مرحوم قرب طنطا فلم يكن لنا ما يُميزنا، هجين غريب بين فلاحين وأفندية، غيطان كثيرة تلتحم بالبيوت المتناثرة بعشوائية، تطويها أحيانًا وتختفي بينها في أحيان أخرى كشريط ضيق ملتوٍ، كل ما أتذكره لما كبرت قليلًا أنني كنت أمتلك جلبابًا وحيدًا مثل الذي يرتديه أبي ولم أحب ارتداءه أبدًا، جوربي به الكثير من الثقوب يسمح أصغرها بخروج إصبعي الكبيرة منه أما قميصي الذي جلبته أمي لي من سوق الملابس المستعملة بالسيد البدوي فبَهت لونه على مر السنين، ما زلت أرتديه وأنتظره حتى يجف من الغسيل، حذائي ممزق من الجانبين من جراء ركل الحجارة أثناء سيري ولا فائدة من الشكوى فلن أحصل على زوج جديد بدلًا منه قبل عامين كما قرر أبي.

ليلة الحادث كنت دون العشرين بشهور، هكذا أكدت أمي، رغم أن بطاقتي لا تقول ذلك، أما أبي فقد وصفني كعادته بحمار لا فائدة منه، مؤكدًا أن عمري من عُمر حماره الحصاوي، فقد ولدنا معًا في نفس الشهر، أي تجاوزت الخامسة والعشرين بأشهر، كان ذلك قبل هروبي منه واختفائه هو بعدها، أبي الذي اختفى لحسن الحظ وليس الحمار الذي نحتاجه، يظنني الناس أكبر من سني بسنوات كثيرة فصدقوا أبي، ربما بسبب طول قامتي وبشرتي البيضاء الشاهقة، وقد يكون لشاربي دور في ذلك أيضًا!

- اسأل أمك.. يمكن حملت فيك من عسكري إنجليزي!

قالها أبي وهو يترنح من سُكره لما سألته صغيرًا عن سبب بياض بشرتي دون بقية إخوتي، أعدت السؤال على مسامعه فصفعني بقسوة، ثم بدأ يبحث عن أقرب شيء يقذفني به كعادته، لم أسأله بعدها ولم يعد حتى أمر سني ولون بشرتي يعنياني كثيرًا.. أتيت للقاهرة مستقلًا القطار بمفردي لا ألوي على شيء مثلما كنت أول مرة، قبل سفري اقترضت جنيهين ونصف الجنيه من صُرّة أمي

وتعهدت بأن أردها لها مضاعفة، أعلم أنها تدخر بضعة جنيهات منذ شهور بعيدة عندما باعت محصول القيراطين اللذين تمتلكهما ويزرعهما أبي لها مع قراريط أخرى ورثها بالمشاركة مع أشقائه بعد خروجه من السجن، يُلسّنون علينا في القرية بأن أبي كان لصًّا، بينما تؤكد أمي أنه خرج لنصرة سعد باشا زغلول فقبض عليه الإنجليز وسجنوه، لذا هو يكرههم.. لكنني لم أصدق روايتها.

شجارهما اليومي وزواج أبي من غازية دفعاني للفرار نحو القاهرة للاستقرار فيها. في رحلتي الثانية ابتلعتني مصر كما يقولون عنها، كادت أن تطحن عظامي تحت فكَّي الفقر والغربة، حتى وجدت أخيرًا وظيفة محترمة، عملت بمسرح نجيب الريحاني، مجرد كومبارس متكلم بالفصل الأخير، لا بأس، لكنني مللت الوقفة الطويلة على الخشبة لأكثر من ساعة كل يوم، كي أنطق جملة يتيمة: «كلنا نكذب يا عزيزي»، ثم أُدير ظهري بعدها لجمهور لم يصفق لي أبدًا!

لم أجد وظيفة غيرها بسهولة ولم أقرب بيوت الدعارة بمنطقة وش البركة ودرب طياب رغم خبرتي في هذا المجال، يبدو أنني أيضًا ورثت من فؤاد الإسكندراني عقدته من النساء، صرت أراهن كلهن مومسات، أتأملهن بريبة وهن ينظرن لي من وراء اليشمك، عندي شك في أن كلًّا منهن تخفي خلف يشمكها نظرة ماجنة وقصة مريبة ومغامرة عاطفية ولو لمرة عابرة انتهت بليلة حمراء، يثور فجأة السؤال السخيف بعقلي، هل ضاجعت أمي عسكريًّا إنجليزيًّا بالفعل كما قال أبي؟ لا أعرف ولَمْ أجرؤ على السؤال، لكن نبرته كلما رددها وهو يتفرس في ملامحي كانت توحي ببعض الصدق رغم كذبه الكثير.

الوقت يمر ببطء وأنا أمضي نهاري متسكعًا في الشوارع قرب العتبة حتى تكل قدماي فأجلس على «قهوة التجارة» في شارع محمد علي، أقضي بقية

النهار في تدخين الشيشة وأتسلى بمراقبة المارة والآلاتية حتى يحين موعد العرض فأذهب للمسرح، لاحظت يومًا أن رجلين يتابعاني منذ دخولي، ثم اقترب مني أحدهما وحيّاني بأدب، عرّفني بنفسه بأنه متعهد حفلات لفرقة حسب الله، فلما أبديت دهشتي قال بنفس النبرة الهادئة الودود: تحب تلبس مزيكا؟!

ظلت دهشتي على وجهي، بل ربما زادت فقال وهو يسحب كرسيًّا بخفة وسرعة ويقترب مني حتى شعرت بأنفاسه الثقيلة: «الفرقة عليها طلبات كتير والعازفين نُدرة اليومين دول، أنت شكلك أفندي وعليك القيمة وكل المطلوب منك تلبس لبس المزيكاتية وتمسك طرومبيتة.. بس إيّاك تنفخ فيها.. حتبقى منظر بس من غير عزف.. قلت إيه؟»

تأملته بدهشة مختلفة هذه المرة، ما هذه المهنة الغريبة التي يعرضها عليّ؟ ابتسمت وأنا أتذكر دوري ككومبارس على المسرح الذي أريد تركه بسبب مللي منه وها هو يلحق بي في حياتي اليومية!

- ماهيتك شِلِن في الليلة غير العشا!

- موافق!

هجرت مسرح الريحاني ولأكثر من شهر شاركت فرقة حسب الله في ثماني حفلات، ما بين طهور طفل، وزواج عانس، وزفة عروسين مبهجة، أو حصول ابن بكريّ على البكالوريا، أو أفندي من كبار موظفي الحكومة نال البكوية، أرتدي زيًّا أشبه بعساكر الإنجليز وبيريهًا أحمر يغطي رأسي، أرفع المزمار الضخم عاليًا ثم أخفضه ببطء، تتكور وجنتاي وكأنهما معبأتان بالهواء، أتمايل برأسي وجذعي، أستريح قليلًا وأوزع ابتسامات على المدعوين بالتساوي، حتى كانت جنازة عين من أعيان شبرا، الموسيقى الحزينة تعزف على وتيرة

واحدة مملة لحن نوبة رجوع، نسيت نفسي مرة واندمجت ونفخت بقوة، خرج اللحن نشازًا لكنه أعجبني، ضحك بعض من يؤدون نفس دوري واكتشفت لحظتها أننا كثيرون، شاركهم آخرون من المارة المتجمعين الضحك، ضرب أحدهم طبلته عدة مرات وكأنه يعلن عن تضامنه معي أو يُحذّرني مما فعلت.. لست أدري، ساد هرج لم يفلح أحد في السيطرة عليه ثم كبر وزاد كالعاصفة الترابية حتى غطى الفرقة كلها، ثار أهل المتوفّى واتهموا المتعهد بالغش، سبّنا الرجل غاضبًا فبادله زملائي السباب وفضحوا سرَّنا معه، قذفتنا بعض النسوة بحبات الطماطم الطرية من شرفة قريبة لأننا لم نحترم هيبة الموت، حظيت سُترتي بالعديد من البقع الحمراء الداكنة، ثم نشبت مشاجرة فجأة، لا أعرف كيف بدأت ولا مَن يتعارك مع مَن، كل ما أتذكره أنني خلعت سترتي مضطرًا، تركتها لصبي ظل يجذبني منها بقوة وعناد وأبوه يحاول صفعي، هربت مهرولًا بفانلتي الداخلية ممسكًا بآلة النفخ التي أنقذت حياتي لما استخدمتها كسلاح أذود به عن جسدي!

بعدها بأسبوع وجدت عملًا في حانة ريكسوس وكانت مدخراتي قد أوشكت على النفاد، تركت البنسيون الصغير الذي أُقيم فيه بسبب رفع أُجرة الغرفة لقرش صاغ مرة واحدة، اختارني أحد صبيان فتوة شارع عماد الدين للعمل بدلًا من آخر عرفت بعد استلامي لعملي أنه فقد عينه في مشاجرة، توسم البلطجي في بدني خيرًا. مهمتي تهذيب الزبائن المشاغبين أو الممتنعين عن سداد فاتورة ما أكلوه وشربوه، لست من هواة الشجار البدني، أميل دومًا لأقصر الطرق وأكثرها هدوءًا للخلاص ممّن يضايقني، خوفي على حياتي ساعدني بسهولة على تغيير وظيفتي بعد إصابتي برقبة زجاجة طائشة طالت عيني اليمنى من أول ليلة عمل وتركت لي عاهة بجفني، ولم يفلح الأطباء في إعادته كما كان بعد ذلك، خفت من ملاقاة مصير مَن سبقني، بالكاد وافق صاحب الحانة على عملي جارسونًا باليومية في وردية الليل، قبلت على مضض وكلّي أمل أن

تكون الإكراميات سخية هنا، صار اسم شهرتي الذي يعرفني به المترددون على الحانة «عباس الأعور»، مع أنني أرى جيدًا بعيني اليمنى.

في نهار كل يوم أجوب شوارع وسط البلد بحثًا عن أي وظيفة أخرى تُدر دخلًا أكبر، وعن غرفة صغيرة للمبيت، بعدما تعبت من نومتي بالحانة لما رقّوا لحالي وتركوني أبيت بها بعد إصابتي وتقديرًا لشهامتي معهم لما لم أحرر ضدهم محضرًا حرصًا على سمعة المحل، الحقيقة أن خوفي من معرفة البوليس بكوني قواد سابق هو ما جعلني أتفادى الذهاب للقسم!

أرقد كل ليلة في مساحة طولية ضيقة خلف البار حتى كَلّ ظهري، لكن مبيتي هنا له فائدة أخرى، ساعدني على سهولة اختلاس مبالغ مالية بسيطة من الدرج كل ليلة، قبل أن يأتي مسئول الحسابات في الصباح ليراجع كوبونات المشروبات التي كنت أتلاعب فيها كي لا ينكشف أمري، فتوقفت بعد فترة عن البحث عن وظيفة بسبب تحسن أحوالي المالية!!

مضى شهر روتيني حتى قرر القدر أن يُسلّيني، أخذت تسليته على محمل الجد لما ألقى في طريقي بخواجة جريجي يُدعى «آرنستي» وبصحبته شاب يهودي عمره من عمري تقريبًا، عرفت أن اسمه «چونا»، كانا يلتقيان بانتظام كل ليلة في الحانة حتى انضم لهما ثالث، رجل مصري قمحي بدين بصورة ملحوظة، قليل الكلام، يرتدي دائمًا بنطلونًا واسعًا بحمالات عريضة حمراء فاقعة ملفتة للغاية، بدا لي أنهم يخططون لأمرٍ ما على ورقة بيضاء عريضة بحذر قليل، فاقتربت كي أرى أفضل، ومع كأس البراندي الثالثة التي قدمتها لهم وصنعتها مركّزة بإتقان، أمكنني سماع بعض كلمات متناثرة منهم بسبب صوتهم العالي واندماجهم فلم يشعروا بوجودي، تحدثوا كثيرًا بالإيطالية ففهمت بسهولة، أعانتني كلماتهم وما خطّوه في الورقة على فهم ما يدور في رؤوسهم.. بعد ثلاث ليالٍ اختفى المصري البدين، وانضم إليهما رجلان

آخران، أحدهما يرتدي الملابس البلدية مثل مخبري قسم بوليس الأزبكية وله أذنان كبيرتان مثل المغرفة، والآخر يبدو في هيئته وملامحه أشبه بفلاحي قريتنا، لم يتحدثا أمامي بالعربية وعرفت بعد ذلك أنهما إيطاليان من نابولي يعيشان في مصر منذ سنوات..

كانا لا يرتاحان لي، وكلما اقتربت لرفع الكؤوس الفارغة أو تقديم أطباق المقبلات الصغيرة يرمقاني بنظرات مرتابة متوعدة كي أبتعد عن مائدتهما، عيونهما تنضح بالشر وقبضاتهما متوترة مستعدة للَّكم في أي لحظة، لكنهما ظهرا متأخرين، فقد سمعت ما يكفيني كي أبتزهم جميعًا، عرفت ورتبت الكلمات المتناثرة ففهمت، لأخرج بقصة شبه مكتملة تنتظر مشهد النهاية فقط!

آرنستي اليوناني هو سائق المليونير اليهودي سولومون شيكوريل صاحب المحلات الشهيرة التي تحمل اسمه في وسط البلد، والرجلان الغريبان أحدهما سُفرجي والثاني يعتني بالحديقة مرتين أسبوعيًا، أما الشاب اليهودي فهو كما قال لي البارمان العجوز المخضرم الذي نعمل معه بالمكان، ليس إلا «چونا داريو» لص الخزائن الشهير والهارب من أحكام كثيرة بالسجن، وعادة لا يظهر إلا بعد منتصف ليل كل يوم بالحانة ليختفي مع أول ضوء للنهار..

احتار الأربعة بين الاستمرار في مخططهم لسرقة فيلا شيكوريل بالزمالك أو إرجاء الفكرة لحين الخلاص مني أولًا، بعدما أصبحت الغنيمة المنتظرة تقبل القسمة على خمسة وربما ستة لو انضم البدين قائدهم ومحرّضهم إلينا مرة أخرى، علمت أن السائق اليوناني كان يعيش في بدروم كبير أسفل البيت، مما يسهل لهم الدخول منه لتجريد الفيلا من المجوهرات والتحف والنقود السائلة، سيترك البستاني باب الفيلا الرئيسي مواربًا عند انصرافه ليتولى السفرجي إرشادهم إلى مكان الخزانة حرصًا على وقتهم فيهربون بسرعة،

أخبرتهم بما سمعته وطلبت خمسين جنيهًا مقابل سكوتي، كان مبلغًا ضخمًا فلم يوافقوا لكنهم لم يرفضوا مشاركتي أيضًا، فأُسقط في يدي!

أبلغوني بأنهم اختاروا ليلة الجمعة للتنفيذ حيث يقضي البواب إجازة مع أسرته حتى ظهر اليوم الثاني ليعود بعد الصلاة، لكنهم في آخر لحظة أجّلوا التنفيذ، خشوا أن أُفشي سرّهم حتى لو دفعوا لي ما طلبته أو ربما كانوا يختبرونني، بعدما أشعل الرجلان الغريبان شكوك آرنستي وچونا داريو تجاهي، اقترح البستاني والسفرجي الخلاص مني فورًا وإلقائي في النيل بعد ربط ساقيّ بحجر حسبما عرفت بعدها من آرنستي لما لعبت الخمر برأسه واطمأن لي بعد انصرافهم في إحدى الليالي مبكرًا، زاد خوفي منهم وفشلت بعدها في طمأنتهم أو تقديم تعهدات لهم بعدم خيانتهم، يبدو أنني كنت أنوي ذلك، على الأقل بالنسبة للرجلين الغليظين على قلبي..

اختمرت الفكرة برأسي، مضيت وراءها حتى النهاية أيًّا كانت العواقب، بعد أسبوع مليء بالتعهدات من جانبي انتهى بي المطاف إلى الجلوس خامسًا على مائدتهم قرب الفجر بعد انصراف الزبائن، وافق آرنستي وهو كبيرهم على شراكتي نزولًا على اقتراح اليهودي «چونا» بأن أكبر ضمان لعدم إفشاء سرهم هو مشاركتي في الجريمة كفاعل رئيسي، قَبِل الرجلان الغريبان وجودي على مضض، بدا لي آرنستي طيبًا، زاهدًا، رغم أنه صاحب الفكرة، علمت أنه يشعر بدنو أجله بسبب مرضه الصدري وأنه كان يعمل لدى الخواجة ويسرقه بانتظام حتى طرده منذ أشهر قليلة، الآن يريد ترك ثروة لأولاده تُغنيهم عن السؤال من بعده، فالسرقات الصغيرة تُعين على العيش يومًا بيوم فقط!

اتفقنا على اللقاء بعد منتصف ليل اليوم التالي بنصف ساعة أمام فيلا شيكوريل بحي الزمالك الغارق في السكون ليلًا ونهارًا، في ليلة الحادث لم يكن في الشارع سوانا، كنت الوحيد بينهم الذي لم يرَ الفيلا من الداخل، حتى

اليهودي «چونا داريو» زارها باعتباره صديقًا لآرنستي، انبهرت من كم القصور والفيلات والهدوء الذي يلف المكان بالتضافر مع أغصان شجيرات ضخمة، منثورة بكثافة لا تخلو من دقة على جانبي الطرق التي مررنا بها، وصلنا إلى بوابة حديدية ضخمة بجوارها لافتة خشبية أنيقة مدون عليها بالعربية والفرنسية: «فيلا قلب النخلة»، وقتها شعرت أنني أريد الحياة هنا للأبد، طاف بذهني أن أهرب وأُبلغ عنهم ثم أعمل لدى الخواجة شيكوريل بدلًا منهم جميعًا، لكن حدث ليلتها ما لم أكن أتوقعه على الإطلاق، ولم نخطط له أبدًا.

*****

3

«الدنيا فرص مثل الموج لو لم نركبها لا يتبقى لنا سوى ملح البحر»

زينب المحلاوي

منذ صغري وعباس هو شقيقي الأقرب لي من بقية إخوتي، الوحيد الذي يذود عني في مواجهة كف أبي الثقيلة ولسان أمي الذي لا يكف عن السباب قبل أن تقذفني بأقرب ما تطوله كفّها، تكره انشغالي بتعلُّم القراءة والكتابة أو بالوقوف لساعات أمام مرآة مليئة بالشروخ، أُغني وأرقص مثل عزيزة أمير في أول فيلم شاهدته في السينما مع عباس بعد عودته من الإسكندرية، رغم أن الفيلم كان بلا صوت، لكنني فهمته وأعدت تمثيل معظم مشاهده مع نفسي، يومها نلت علقة ساخنة من أبي لما رآني أُقلد الست عزيزة، ولم يسلم عباس أيضًا من لسانه، وصفه أبي بالمُخنَّث بعدما عرف أنه اصطحبني للسينما مع اثنين من أصدقائه، أحدهما كان يُغازلني وتحسس فخذي في الظلام فابتلعت لساني خوفًا من عباس والفضيحة، كرّر أبي سبابه واستكثر أخي الشتائم على كرامته، عبس وقلب شفتيه ثم برطم تعبيرًا عن غضبه وأشاح بذراعه وهَمّ بمغادرة الدار، هجم أبي عليه بعدما ظن أنه يبادله السباب، كان ضخمًا قويًّا، قيد يدَي عباس خلف ظهره بسهولة، ربطه في عمود الزريبة وانهال عليه ضربًا بخرطوم قديم حتى تورّم جسده كله وانتفخ وجهه، لكنه لم يعتذر أبدًا!

تركـه أبـي ثلاثة أيام بلا طعام، فقط وضع أمامه بعـض الماء في إناء صغير، لينكفئ وجه عباس تحت قدميه إذا أراد أن يشرب، ليلتها تسـللت للزريبة دون أخواتي اللاتي جبُنَّ وخفن، وضعت بعض الطعام في فم عباس، جففت وجهه بخرقة مبللة ليهدأ، أمضيت الليل بجواره، لم أستطع فك قيوده خوفًا من تقييدي مكانه لو علم أبي برحلتي الليلية، لكن في الصباح لم يسلم خداي من كف أمي عندمـا قامت لصـلاة الفجر فلـم تجدني بفرشـتنا، انتظرتني بمدخـل الدار من ناحيـة الزريبة ولـم تشـأ مواجهتي بهـا، قلبها يرق دائمًا لابنهـا الوحيد.. عباس، لكنها تخشـى بطش أبي، لم يسـاورني أدنى شـك في أنها رأتني أملأ الطسـت لأخي بعدما فرغ وتركتني أمضي لأسـقيه، بمجرد أن اجتزت عتبة الدار انهالت علـيّ صفعًا بإيعاز مـن أبي الواقف خلفها وكأنه أفلتها فجأة نحوي لتفترسـني، من جديد انفتحت طاقة النار التي تحرق بيتنا منذ سنين ولا تنطفئ أبدًا..

هرولـت هاربـة منها ومن عصـا خشـبية رفيعة مدببـة طويلة يلـوّح بها أبي كالمجنـون، كنـت مثل دجاجة ذبيحة تتقافز مُسرعة بعشـوائية ولا ترى أمامها حتى تعثرت ببعض الأواني وقوالب الطوب، سـقطت بثقل جسدي على قدمي فالتـوت بشـدة، قرب المغرب تورمـت وانتفخت كأنني وضعتهـا في الردّة، لم تفلـح دهانـات عطية حـلاق الصحة بالقرية فـي علاجها، اشـتدت آلامي حتى منعتنـي مـن زيارة عباس فـي اليومين التاليـين، بعدها لازمني العرج كأنفاسـي طـوال حياتـي بسـبب تجبيرهـا بالخطـأ، انتقمـت يومها مـن أمـي وخنقت لها دجاجتيـن وذكـر بط حتـى تكف عن ضربـي وتحل عن سـمائي لكنها ازدادت كرهًا لي! لـم أكن خائفة من مواجهتها، قلت إنني خنَقت طيورها، رفعت صوتي متسـترة خلفه، أسـتمد شـجاعتي وجرأتي من وجود عباس بجواري حتى إنني أحيانًا أشعر أنه بات أضعف مني.

أمـي تُعـرف بين نسـاء قريتنا بالعُمدة حَميـدة، يقولونهـا ويدارين الضحكة بطرحهـن، تخـرج لفرشـتها أمام البـاب تبيع الطيـور، بضع دجاجـات وبطتين

وربما إوزة حُشرت بينهم، تتعالى نقنقاتها وصياؤها بعدما ربطت سيقانها في بعض متعمدة لتلفت نظر المارة، لا تمل من الفصال وهي تردد مقولتها الشهيرة بأن ظاهره الضيق وباطنه التراضي، تفرغ من حمولة فرشتها في أقل من ساعة لتتفرغ للقاء النسوة من جيراننا وربما بعضهن من المشتريات اللاتي بقين بجوارها، لديها مقدرة عالية على حل أغلب مشاكلهن، تعلمهن كيفية تدبير مصروف البيت والادخار للزمن المتقلب كالبحر المالح، وإغواء الزوج لأكبر سن ممكنة، تعتلي أريكة من الخوص، تثني ساقيها تحت فخذيها، تلتف النسوة حولها على شكل هلال، تتطلع العيون إليها بدهشة، وتمتد الرقاب نحوها بعيون منبهرة، تتسع عقولهن الضيقة من معرفتها بالخبايا، تنشرح القلوب من حلو كلامها وهي غير المتعلمة، أقترب منهن أكثر وألتصق بجدار الفرن حتى لا تراني أمي، تلفح حرارته وجنتَيّ، لا أبالي وأرهف السمع أكثر، خاصة وقت المشاكل الزوجية التي تستشيرها فيها نساء القرية، تنهرني أمي دومًا عند سماعها، لكنها تسمح ببقاء شقيقتي كوثر. لدينا جارة شابة مليحة تشكو دائمًا لأمي من زوجها الذي لم يعد يرغب فيها، رغم جسدها الملفوف البض، أكتم ضحكتي بالكاد وأنا أسمع تفاصيل الحديث ووصفات أمي للجارة كل فترة، حتى ضاقت يومًا من تكرار شكواها فراحت تعنفها قائلة: «زوّدي الملح في الأكل يا خايبة!»

لما بَدت أمارات الدهشة على وجه السيدة، بادرتها أمي قائلة وهي تغمز بإحدى عينيها للأخريات: «لما الملح يكتر.. يحمى على قلبه، يقوم في عز الليل يشرب، ووقتها تنامي على بطنك وتعري فخادك وابقي ادعيلي بعدها»!

تضحك النسوة بشدة، تظل أمي تزغر بعينيها للجارة ولا تبتسم، تلكزها في جنبها بنصف عود قصب، تُسهب في نصائح لأخريات لم أفهم غالبيتها، تشم أفواههن، تنهاهن عن أكل فحل البصل بعد المغرب، تكشف سيقانهن، تنصحهن بتزويد عجين الحلاوة بماء الورد مع السكر والليمون، تأمرهن بخلع

الكلسون الطويل في الليل والابتعاد عن الجارة القبطية واليهودية بمسافة، تقول إنهما نذيرتا شؤم وتجلبان الحسد والنحس معهما، يطول الكلام وتتشعب التفاصيل، أنسحب بخفة مبتعدة، حتى لا أنال شتائم وكفوفًا أخرى على وجهي إذا ما رأتني أمي.

تمنيت دومًا الزواج من رجل يشبه عباس، طوله وعرض صدره، حرصه على ارتداء ملابس الأفندية، قميص أبيض يشمر أكمامه حتى أعلى منتصف ذراعيه المفتولتين، بنطلون داكن منتفخ أسفل خصره، زاد تعلقي وشغفي بشقيقي وأنا أرسم صورة زوجي ورجُلي وإلا أظل عازبة أفضل، حزنت لما أرسله والدي مضطرًا مع عمي الأكبر للإسكندرية بعد إصراره على السفر معه، درس عباس بمدرسة نجارة اسمها «دون بوسكو»، ظللت شهورًا حتى أستطيع نطق الاسم بسهولة، تخرّج منها ليعود بعد ثلاث سنوات ليعمل في ورشة بطنطا مع شريك لعمي، أتقن الصنعة الجديدة بسرعة، وتعلم الكثير من الإيطالية وبعض الفرنسية كما قال لنا، يتفاخر وهو يرطن بها أمامنا فنضحك من طريقته ولا نفهم حرفًا، تصفه أمي بالخواجة وتدعو له بأن يكون صاحب ورشة، لكنه تمرد بسرعة على حاله واختلف مع صاحب الورشة وبعدها احترقت بالكامل ومات صاحبها بداخلها!!

بكت أمي على حال أخي، عرضت أن تساعده في فتح ورشة جديدة يكون هو صاحبها، رفض عرضها وظل يردد دومًا أن مكانه هناك.. بعيدًا... في القاهرة وليس هنا بقرية في محلة مرحوم، يحلم بأن يكون أغنى رجل في مصر، يحدثني عن أحلامه تلك، سيبني سرايا كبيرة على البحر وسيمتلك عزبة واسعة لا نرى حدودها من أولها، بها مئة فرس على الأقل وثلاث عربات حنطور في خدمته كل نهار، أبتسم وأدعو له ولا أصدقه!

صحونا يومًا لنكتشف غيابه، لكن أمي كانت تعلم برحيله، فقدت السند والظهر لشهور طويلة حتى عاد فجأة كما اختفى، ليخطفني بعدها على حصانه

إلـى أم الدنيا كما يقولون عنها، كنت أريد الرحيل بأي طريقة، تعبت من سـياط أبي ومللت البقاء خلف قضبان سجن أمي، هربت أيضًا بسبب تجربتي المريرة لما خذلني صديق أخي ورفض زواجي، بعدما تحسس جسدي كله وكاد يفض بكارتي يومًا لما تساهلت معه وتركته يرقد فوقي في الغيط عندما التقينا بمفردنا فـي مـرة يتيمـة، أردت تجربـة كلام أمي عن الـزواج من كثرة ما سـمعت منها، حلاوة حديثها وخفض نبرتها وهي تتحدث عنه أثاراني وشجعاني على كشف غمـوض هذه الأفعال، اشـترطت عليه أن يتزوجنـي أولًا فاختفى بعدها، ظننته أحبني فتركت بابي مواربًا مثلما تنصح أمي المتزوجات من نسـاء قريتنا، لكنني كنت خائبة فدفعت الريح بابي وكادت أن تخلعه!

*****

جئت مع عباس للقاهرة، كنت أدور بالشـوارع حول نفسي ولا أسير للأمام أبـدًا، خطواتي كلها عشـوائية كسـكارى البـارات التي طاف بي عبـاس عليها، رأيتهم لأول مرة رأي العين، لم أتخيل أن الدنيا فيها كل هؤلاء البشر بملابسهم الغريبـة وهذه السـيارات وتلـك الأبنية ولا كل هـذه المتـع، زرت أماكن كثيرة لكنني لا أنسـى أبـدًا «كافيه إجيبسـيان» بقلب القاهرة، حانة راقيـة تقدم الخمر لروادهـا فـي عز الظهيرة بلا مواربة ولا خجل وبعد العشـاء تظهر السـت بديعة لتقـدم رقصاتهـا مع بنـات فرقتها، أتأمل ملامـح أخي بإعجاب مشـوب بقلق، ممزوجين في دهشـة وهو يتجرع كأسًـا تلو أخرى، تنتفخ عروقه ويحمر وجهه أحيانًا، يزفر ببطء تارة أخرى ويشـعل سـيجارة تلو الأخرى بنهم، لكنه مستمتع دومًـا، رائـق المـزاج بعد الكأس الثانيـة دائمًـا، كان «كافيه إجيبسـيان» متفردًا، جميـع خدمـه من النسـاء الجميلات ممشـوقات القوام وبالطبـع كنت أقلدهن فور عودتي للبيت، مشيتهن وطريقة تقديم الطعام والشـراب وعباس يشجعني مبتسمًا ويطلب مني المزيد، هناك فتاة أجنبية تطرب الحضور بكلمات لم أفهم

منها حرفًا، لكن عباس كان ينسجم معها ويطرب لغنائها، يمنحها شلنًا في كل مرة في قبعتها السوداء الكبيرة التي تكفي لإخفاء أرنب بها!

أكثر ما يلفت الأنظار وربما ينتظر الرواد حدوثه مثلي هو قدوم السلحدار بك بعربته الخشبية العريضة، ليست كبيرة وتبدو مؤخرتها كأنها لم تكتمل، يقودها حصان واحد ويقف السلحدار بك بها مثل قائد جيوش الإنجليز كما يصفه عباس..

- دوكار يا زينب.. دوكار.

يقولها أخي مرتين ببطء مثل كل شيء يعلمه إياي ويحرص على نطقه بروية حتى أحفظه وأستوعبه، كان السلحدار شركسيًا ضخمًا يقود الدوكار بنفسه، يهرول خلفه أتباع أغلاظ بعضهم طلاينة يعرفون عباس ويصافحونه بود، غالبيتهم عبيد مغاربة أو سودانيون، الحدث المتكرر الذي كنا ننتظره بشغف هو تحطيم الحانة، بعدما يقتحمها السلحدار فجأة بعربته الخشبية، تتعالى ضحكاته، يفتح عينيه متظاهرًا بدهشة عارمة كأنما فقد السيطرة على حصانه، وكلما اعترض مدير الحانة أو أحد العاملين أوسعه الأتباع ضربًا حتى يتدخل الشركسي فيصمت الجميع، يسدد ثمن التلفيات ثم يقف أمام صورة الملك فؤاد منحنيًا كأنه يعتذر لمولانا، لينصرف بعدها محدثًا جلبة كما جاء!

قطار عباس لا يتوقف بمحطاته طويلًا، منتظم أكثر من اللازم، كل شيء عنده بميعاد محدد سلفًا بدقة، يبدو أنه يخطط لأمر ما يدور في رأسه ولا يخبرني به أبدًا، مع أنه من المفترض أنني التي أستقل القطار وأعرف وجهتي ومحطتي القادمة لكن مع عباس الأمر يختلف، يدفعني دفعًا لركوب العربة، يختار مكاني قرب النافذة بعناية لكي أرى يمين الطريق أو يساره فقط،

يسدل الستائر وقتما يشعر أن الضوء زاد عمّا يجب وكشف ما لا يريدني أن أراه، هو الذي يحدد وجهتنا دائمًا وما عليّ إلا الطاعة!

بدأ عباس يصطحبني لقاهرة أخرى غير التي رأيتها، تراس فندق شبرد، لنتناول الشاي كل يوم في الخامسة مساءً، رغم الأبهة التي تلف المكان بغلاف رقيق من الأناقة لم يرق لي كثيرًا، فضّلت عليه كازينوهات الأزبكية ومقاهي وسط البلد، الرواد هنا مختلفون، حتى عباس نفسه اختلف، بدا واحدًا من البهوات الذين رأيناهم في محل شيكوريل، يرطن مع الجارسونات، يبتسم لآخرين محييًا إياهم بالفرنسية، لا يمكن أن يكون هو ذات الشخص الذي كنت أراه بالأزبكية ومن قبلها بمحلة مرحوم!

- عيب يا زينب، اقعدي كويس وما تطلعيش صوت وانتي بتشربي الشاي.

أنزلت ساقي التي كنت أجلس فوقها شاردة في أمي بمحلة مرحوم وحالها بعدما سافرنا فجأة ولم تعد تعرف عنّا شيئًا، لكن رغم كل ما فعلته معي أشتاق إليها.. أعدت رأسي للخلف وغصت قليلًا في مقعدي الجلدي الوثير وأغمضت عينَيّ، وضعت فنجاني جانبًا محرجة من ملاحظة أخي، كان مقطبًا حاجبيه يظن أنني أتنصت على مَن يجلسون بالمائدة الملاصقة لنا فعاتبني بضيق، ضحكت بصوتٍ عالٍ حتى لفتّ الأنظار قائلة: «حسرة عليا هو أنا فاهمة منهم حاجة يا أخويا، الكل هنا بيرطن وأنا شاغلني حال أمك في محلة مرحوم!!»

ظل عباس يتبدل ويتغير وفقًا للمكان الذي نذهب إليه، وفي كل مرة يحرص تمام الحرص على أن أرى من خلال عينيه كل شيء بعمق، لينطبع بذاكرتي لأطول فترة ممكنة، قرر يومًا اصطحابي للأوبرا، محطة جديدة لكن يبدو لي أن الطريق لم ينتهِ بعد، كانت المرة الأولى والأخيرة معه في هذا المكان الذي شعرت فيه بأنني مخنوقة، ليلتها شاهدت عرضًا لبعض النسوة البدينات يتأوهن بأصوات عالية على المسرح، يملن بغرابة وبطء أمام رجال يرتدون جلابيب

حريمي مزركشة، لا يفعلون شيئًا سوى أنهم يجعرون، همس عباس في أذني بعد ربع ساعة سائلًا إياي عن رأيي، أجبته بصدق: «الولية التخينة بتصوت وتتلوى كأن عندها المصران الغليظ!!»

ارتفعت ضحكاتي عالية كعادتي، رغم أننا نجلس في شرفة صغيرة بمفردنا إلا أن عباس لم يضحك، بدا وجهه محمرًّا للغاية وهو يضغط على أسنانه، ظهر ضيقه من بعض النظرات التي أطلقت سهامًا غاضبة نحونا من الصالة فطالتنا، اقترب منّا رجل وقور مهيب الطلعة، يرتدي قفازات بيضاء، انحنى بأدب وهمس في أذن عباس ببضع كلمات غادرنا المكان بعدها في هدوء تشيعنا ذات النظرات الغاضبة، فلم أكن قد تمكنت من السيطرة على ضحكاتي بعد.

طوال طريق العودة للبيت لم أفلح في انتزاع حرف واحد من عباس، ما أن وصلنا حتى أشار لحقيبة السفر الكبيرة قائلًا بحزم: «لمّي هدومك علشان ترجعي محلة مرحوم من الصبح».

*****

4

«الأغبياء يراهنون بما لا يملكون مع أن حياتهم هي أول ما سيفقدونه»

عباس المحلاوي

ترك البستاني باب البوابة مواربًا، دخلنا منها تباعًا مثل قطط ألفت بيتها ثم هرولنا في الحديقة كالأشباح، أخرج آرنستي جوارب كبيرة من حقيبة بيده لنرتديها فوق الأحذية كي لا نحدث صوتًا أثناء الدخول، طمأننا السفرجي أنه خدّر كلبَي الحراسة الضخمين وأعد طعام العشاء لشيكوريل وزوجته وأنهما تناولاه بالفعل بعدما وضع لهما به مخدرًا وبالتأكيد هما نائمان الآن بعمق ولن يستيقظا قبل ظهر الغد، ثم تظاهر بالانصراف لكنه اختبأ بكشك الكلاب حتى قدومنا، دلفنا من باب البدروم الخلفي بعدما استخدم آرنستي مفتاحًا صغيرًا لفتحه وجده تحت الدواسة، عبرنا الردهة حتى وصلنا لباب آخر، خرجنا منه لنجد أنفسنا بقلب الفيلا من الناحية الأخرى، سقف مرتفع لأكثر من ثمانية أمتار وسط صالون ضخم أشبه بساحة محطة قطارات مصر، تتدلى من السقف نجفة في حجم الجمل، أثاث فاخر بألوان داكنة وفاتحة في تناسق بديع، اللوحات تغطي الجدران القديمة بالكامل، لا نكاد نعرف لون الطلاء من كثرتها وضخامة أحجامها، عشرات التحف الذهبية والبرونزية، أوانٍ من فخار ملون يميل للزرقة متناثرة بالأركان، قطع سجاد صغيرة ومتوسطة وأخرى كبيرة

تكفي الواحدة لتغطية دارنا بالكامل بمحلة مرحوم بما فيها الزريبة. رغم ذلك كله لاحظت أن البيت مُقبِض أشبه بمقبرة فضلًا عن شروخ بالأعمدة تزحف متعرجة كثعابين الغيطان.

أنا الوحيد الذي أدور حولي وعيناي متعلقتان لأعلى بينما قِبلة الآخرين خزانة المجوهرات الموجودة في حجرة نوم شيكوريل وزوجته، تساءلت فجأة عن الرجل البدين الذي ظهر معهم في الحانة ولا أعرف لماذا تذكرته، ربما ظننته سيكون موجودًا معنا، أو خطر لي أنه الذي ترك لنا المفتاح تحت الدواسة، اضطربوا من سؤالي وتبادلوا نظرات مريبة فيما بينهم، سألني آرنستي إن كنت أعرفه من قبل فنفيت بشدة، تراجعت للوراء خطوة، اقترب مني آرنستي وأمسك بقميصي مشهرًا مُديته، أخبرني أنهم قتلوه لما استشعروا غدره، ضغط على مخارج كلماته فارتعدت مفاصلي. تركني وهو يرمقني بنظرات متوجسة ثم دلفوا جميعًا لحجرة نوم الخواجة. بدأ الشاب اليهودي في معالجة القفل بمفك أوتومبيل على ما يبدو، سمعت صوت سعال آرنستي، بعده بقليل أفلتت استغاثة مكتومة تلتها أصوات شجار عنيف، علا صياح رجل في عصبية واضحة، يرطن بلغة أعرفها جيدًا ولطالما سمعتها بمدرسة الدون بوسكو، سبّهم وهددهم، ثم بدأ يتوسل إليهم لكنه لم يستمر طويلًا، خرجت منه صرخة فزعة ثم سمعت صوت ارتطام مكتوم أعقبه سكون تام، كنت واقفًا خارج جناح النوم الخاص بشيكوريل وزوجته أحاول سرقة أي شيء خفيف في حمله لكني فشلت فالتحف كلها ضخمة وثقيلة، هرولت ناحية الحجرة، رأيت الخواجة مرتديا بيجامة حريرية زرقاء فاتحة، مُلقى على ظهره، مذبوحًا، سيل دماء داكنة ينساب من عنقه ويُغطي مقدمة صدره، طعنوه طعنات كثيرة على ما يبدو، فالدماء تسيل غزيرة من أحد جانبيه ومنتصف بطنه أيضًا، عيناه جاحظتان في فزع، ويبدو أنهما ثُبتتا على مشهد أخير للسكين الذي ذبحه به أحدهم!

وقفوا جميعًا مُشكلين نصف دائرة ذاهلين حول جثة الخواجة شيكوريل، بدا لي قوي البنيان رغم سِنه الكبيرة، أما السكين فكان مُلقى على الأرض بلا صاحب ملطخًا بدماء الخواجة وما زال چونا اليهودي ممسكًا بالمفك الكبير، بينما زوجة الخواجة تغط في نوم عميق، وجهها جميل حالم رقيق كأنها نائمة في حجرة بعيدة لا في قلب مسرح الأحداث، للحظة ساورني شك أنها تحركت، قد تكون استيقظت وتظاهرت بعدها بالنوم لتنجو بحياتها، لست متأكدًا!

لم أعرف مَن منهم قتل الخواجة، طالت حيرتي وأنا قرب الباب لكن لم تطل وقفتنا بالغرفة، أعطانا آرنستي تعليمات حاسمة بجمع كل ما خف حمله بسرعة من الخزانة بما فيها الأوراق، فهمت من عتابهم لبعضهم أن اليهودي «چونا» قد نجح في فتح الخزانة لكنه تعافى على القفل مطمئنًا لتخدير أصحاب المنزل، حتى أيقظ صوت كسر القفل شيكوريل من سُباته، ربما لم يكن قد تناول طعام العشاء الذي يحوي المخدر وتركه كله لزوجته ونام خفيفًا ليلقى حتفه في أسوأ كابوس ممكن توقعه أو حتى تخيله من رجاله المقربين!

بدا الشاب اليهودي عصبيًا لا يتقبّل العتاب، راح يتهم السائق آرنستي بأنه تسبب في وضعهم بهذا المأزق بسبب سعاله المتكرر نتيجة لأزمة الربو التي داهمته بالفيلا، بينما الرجلان الآخران يجمعان كل ما تصادفه عيونهما فتمتد أيديهما إليه فورًا بغير تفكير، تساقطت بعض الحليّ والنقود منهما وكأنهما يغترفان من بحر!

أتينا على محتويات الخزانة بالكامل، لكنها لم تكن بحجم توقعاتنا رغم ضخامتها، أرفف كثيرة خالية وأخرى بها أوراق وبعض رُزم النقود مكدسة تشي بأنها آلاف لكنها بضع مئات، قطع متناثرة لمجوهرات تخص زوجة الخواجة، نجحتُ في مغافلتهم واختلاس خاتم صغير من الماس بفص أزرق

وحيد مع رزمة صغيرة لأوراق مالية فئة العشرة جنيهات، أسفلها ظرف أبيض صغير على جانبه العلوي الأيمن نقش مطبوع لنخلة لونها أخضر، كان منتفخًا ببعض الأوراق، أخذته كما هو ظنًّا مني أن بداخله أوراقًا مالية أخرى، أخفيتهم في جيوبي الواسعة وبين طيات قميصي في ذروة ارتباكهم وانشغالهم بوضع جثة الخواجة شيكوريل على سريره الذهبي الضخم، هرولنا خارجين كما دخلنا، لكن آرنستي توقف قليلًا ليترك مفتاح البدروم أسفل دواسة الأقدام كما وجده. وبينما حي الزمالك كله لا يزال على سكونه والجميع نيام لا يدرون بما حدث لجارهم الأشهر سولومون شيكوريل، كنا خمسة أشباح تهرول بعشوائية بين الأشجار الكثيفة محدثين جلبة خفيفة، كأننا وطاويط طارت من أعشاشها فجأة!

اتفقوا على لقاء عند منتصف ليلة الغد بالحانة لتقسيم الغنائم بعيدًا عن الأعين فاعترضت، طلبت نصيبي فورًا، أبلغتهم أنني سأترك الحانة والقاهرة كلها حتى تهدأ الأمور، لكنهم رفضوا إعطائي أي شيء وقتها، ثم عادوا وقرروا أن نتوجّه لمكان أكثر أمانًا بعدما تبادل الرجلان الغريبان حديثًا هامسًا، اختاروا شقة الشاب چونا اليهودي في حي شبرا، أعطوني العنوان ورقم الهاتف، انصرف كل منهم في اتجاه وانتظرت بعدهم لأكثر من نصف ساعة حتى وجدت تاكسيًا في جزيرة الزمالك الهادئة أقلني لمحطة القطار!

هناك ظللت جالسًا ببوفيه المحطة لساعات، شاردًا في الثروة التي أحملها بين ملابسي، أتصفح الأوراق الغامضة التي كانت في الظرف، قرأتها ثلاث مرات حتى الآن، لتتضاعف دهشتي كل مرة ثم ندت مني ابتسامة راحت تكبر حتى كادت ضحكاتي تعلو على خيبة شركائي، كم كانوا أغبياء، ابتسمت في مرارة وبصقت، لا بد وأنهم يخططون الآن لقتلي عند منتصف ليلة الغد، طلبت شايًا ثقيلًا وأشعلت سيجارة، نسيت جثة الخواجة شيكوريل ودماءه التي غطّت

فراشـه، لم أعد أتذكر سـوى وجه زوجته الجميل، تلك السيدة البيضاء الناعمة ولحظـات الفزع التي سـتمر بهـا عندما تسـتيقظ وترى شـيكوريل على حاله.. هززت رأسي مستنكرًا وأنا أقلب الأفكار في عقلي جيدًا!

قرب السـابعة اسـتقليت أول قطار متجّه لمدينة طنطـا، لكني قبلها اتصلت بالبوليـس من كابينـة الهاتف العمومـي، أبلغتهم بتفاصيل ما حـدث، أعطيتهم عنوان «چونا داريو» في شـبرا ورقم هاتفه، وبالطبع لم أنسَ تذكيرهم بأنه لص الخزائـن الشـهير الهارب منهـم منذ فترة طويلـة، وضعت السـماعة بعنف وأنا أتفصّد عرقًا خوفًا من أن يسألني الضابط عن شخصيتي!

تحـرك القطـار وبـدأت رحلـة العـودة لمحلـة مرحوم بعـد شـهور طويلة بالقاهـرة، طويت بعينَيّ المصنع الكبير والنخيل والغيطان التي كنت أطل عليها مـن النافـذة، تنهدت وأغمضت في غفوة قصيرة لأسـتريح ووضعت يدَيّ على بطني لأحمي ثروتي الجديدة التي لم تعُد منذ اليوم تنتظر أحدًا سواي!

*****

عُـدت.. لكـن لم يعُد الحـال كما كان بمحلة مرحـوم، علمت أن أبي هجر قريتنـا مع زوجته الثانية الغازية، سـحبته وراءها في الموالـد والأفراح والليالي التي كانت تحييها بالقرى المجاورة ثم اختفيا تمامًا، أخبرنا العمدة بعد شـهور أنهمـا اسـتقرّا بمديرية البحيرة لكننا لم نجدهما أبدًا، اشـتريت خمسـة قراريط متفرقة من عشـرة فلاحين، بنيـت بيتًا كبيرًا ملاصقًا لدارنـا وخصصت القديمة لبهائمنا بعدما مات حمار والدي العجوز!!

ظللـت أتـردد على المركز القريب منا كل يومين لشـراء الجرائد، تابعت ما تنشره صحيفة «اللطائف» تحديدًا عن الحادث بعدما اهتمت به أكثر من غيرها، نشرت صورًا كبيرة لهم، عرفت أسماءهم الحقيقية لأول مرة حتى آرنستي تبين أن اسمه «إنيستي جورج خريستو»، كتب محررو الحوادث قصصًا عنهم أظن

أنها لم تحدث، بالغت الصحف في حجم المسروقات، قالت إن المجوهرات وحدها بستة آلاف جنيه، أخفيت نصيبي الضئيل جدًّا منها بعناية في قاع الصندوق الطويل الذي أنام فوقه ببيتنا ووضعت عليه قفلًا ضخمًا، نقلت صحيفة «الأهرام» مشاعر جيران شيكوريل بالحي الغربي الهادئ، وأشادت بجهود البوليس في سرعة ضبط الجناة بعد أقل من أربع وعشرين ساعة على ارتكاب الحادث وبحوزتهم المسروقات!

توترت لما أشارت الصحيفة لمتهم خامس شهرته الأعور، ذكرت أنه شارك في الجريمة ثم تمكن من الهرب، أطار الخبر النوم من عيني، تابعت بقلق ما يُنشر عن جهود البوليس لضبط عباس الأعور بعدما قرر المتهمون الأربعة أنه ارتكب الجريمة بمفرده وباع لهم المسروقات ليُصرّفوها فقط، وأنه دخل الفيلا وحده، سرق وقتل وهرب!

ابتسمت بعد أسبوع من العبوس والقلق لسذاجتهم لما فشل البوليس في العثور على الأعور فوجّه الاتهام لهم وحدهم، كانوا آملين في نجاة من حبل مشنقة يتدلى أمام أعينهم كل يوم مثل بندول الساعة، يعُد عليهم لحظات عمرهم المتبقية، ضحكت من غبائهم وطويت الجريدة ثم أحرقت طرفها بعود ثقاب، مُتأملًا لسان النار وهو يكبر ويستفحل ليأتي بالكامل على صور شركائي.

في قاعة كبيرة بمحكمة جنايات مصر بباب الخلق جرت سريعًا المحاكمة، ظل المتهمون أربعة فقط لما اكتفت النيابة العمومية بالإشارة لي بلقب جديد هو «آخر مجهول» بعدما عجز البوليس عن تحديد هويتي، وسكتوا هم عن كشف شخصية شريكهم المصري البدين ذي الحمالات، لم تتعرف أرملة القتيل على ملامحي ولم تتذكرني، فاجأتنا تلك السيدة الرقيقة الجميلة جميعًا بأنها كانت مستيقظة حسبما خُيل لي ليلتها، شهدت بأنهم خمسة، حددت دور الأربعة المقبوض عليهم وأخرجتهم تباعًا من طابور العرض الذي أوقفوهم فيه أمامها مع متهمين آخرين يشبهونهم، بدّلوا ملابسهم ثلاث مرات، في كل

مرة كانت تستخرجهم بسهولة من وسط العشرات كأنها مَن لقنتهم وحرضتهم، ما فاجأني أكثر وحاولت تتبعه بالصحف دون جدوى أن شيكوريل له ابنة شابة تُدعى ناديا، كتبوها هكذا بحرف الألف، كانت نائمة بغرفة غربية بعيدة ولم ندرِ بوجودها ولم تستيقظ رغم الجلبة التي حدثت، مع أنها لم تتناول طعام العشاء معهما تلك الليلة!

علمت من الصحف أن « چونا داريو » اليهودي وكان يحمل الجنسية المصرية وإيطالي من الرجلين الغريبين قد طعنا سولومون شيكوريل أولًا بالسكين والمفك، بينما أجهز عليه آرنستي بذبحه بعدها، احتفظت بقصاصتين من الجريدة تصوران الفيلا من الخارج والشارع الذي تقع بناصيته قرب النيل بالزمالك، ووضعتهما في حافظتي للذكرى!

مرت ستة أشهر حتى جاء اليوم الذي قرأت فيه خبرًا عن إعدام المتهمين بعدما رفضت محكمة النقض تظلمهم والتماسهم البراءة، يومها وقع اختياري على شقيقتي زينب لتعود معي للقاهرة، فهي الوحيدة في هذه الدنيا القادرة على أن تمكّنني من ثروة سولومون شيكوريل التي لم ننتبه لمكانها ليلة الحادث، أيضًا هناك محلاته وفيلته وسياراته ونقوده وكل شيء.. وربما زوجته أيضًا!

زينب هي الصغيرة من بين إخوتي البنات والوحيدة التي لم تتزوج بعد، رغم تخطيها سن الزواج ببلدتنا بنحو عام، حتى بدأت الألسنة تلوك حالها، عنوستها تؤرق أمي وتؤلمها، تزيدها همًّا على همومها من بعد فرار أبي منها، لم تكن فرصها في الزواج كثيرة، بل ربما كانت معدومة مع أنها سمراء مشطوفة قليلًا كما يقولون، قصيرة وتميل للبدانة لحد كبير، ممتلئة الردفين بشكلٍ ملحوظ، نهداها بارزان وأنفها أفطس قليلًا، ليس بوجهها مسحة من جمال لكن الله لم يتركها معدمة، منحها ذكاءً فطريًا حادًّا يلفت انتباه الجميع باستمرار وأولهم أنا.. جريئة ومدبرة، عيبها أنها لا تترك حقها أبدًا إنما كانت طوع يدي منذ صغرها. لما أتمت دراستها في كُتّاب القرية وأنهت المدرسة الابتدائية بعده، ألحت على

أمها لإقناع أبيها باستكمال تعليمها بمدرسة السلطان حسين القريبة من القرية بعدما حصلت على الثقافة، يومها صفعتها أمي بعنف، وانهالت عليها بالسباب، قذفتها ببقايا عجين كانت تصنع منه خبيزًا، ثم راحت تلطم خديها وكأنها في مأتم، من بعدها صممت أمي على تزويجها في أقرب فرصة حتى ولو تقدم لها بغل العمدة أو حمار الجيران حسبما ردّدت في لحظة غضب عارمة خوفًا على ابنتها من انفلات عيارها لو استمرت في المدرسة. ولأن زينب هي الوحيدة من بين أخواتي التي تجيد القراءة والكتابة فلم تصدق كذبتي التي بالغت في حكايتها للجميع بأنني كنت أعمل شيّالًا بميناء الإسكندرية، وجنيت مالًا وفيرًا من بيع البضائع المهرّبة للإنجليز بعد الحرب، عقلها لم يُهدها أبدًا لسبب ثرائي المفاجئ، كل ما طاله خيالها وقتها أنني تزوجت من عجوز ثرية ماتت ليلة الدخلة فورثتها، سألتني وهي متشككة، أجبت عن تساؤلاتها بابتسامة غامضة لا تؤكد شيئًا ولا تنفي آخر فزدتها حيرة.

- تسافري معايا مصر يا زينب؟

لمعت عيناها بدموع محتبسة، لم تقوَ على منعها من الانسياب من فرط انفعالها، احتضنتني بشوقٍ جارفٍ كأنني قادم لتوي من سفر بعيد، في اليوم التالي بدت خائفة مترددة ولم تسألني عن أي تفاصيل بعدها، من داخلها مهيأة لترك أمها وأخواتها بل ومحلة مرحوم كلها، مثل سجينة أبدية تنتظر معجزة ولا تأتي لحظة الإفراج عنها، ثم لاحت فجأة أمامها فرصة أخيرة للهرب لكنها لا تزال تحتاج لمَن يحملها، فالخوف قيّد قدميها منذ زمن بعيد والحال الآن قد تحسنت بعد اختفاء أبي وكوننا من أصحاب الطين!

استغرق الأمر مني ثلاث ليالٍ لإقناعها حتى لان رأسها بالتدريج، كل ما همست به بمكر ونحن نغادر الدار فجرًا بعدما لاحظتُ أنها لا تحمل صرة ملابسها ولمَحَت هي التساؤل في عينَيّ:

- ما أنت أكيد حتشتري لي هدوم جديدة تليق بمصر بدل جلابيتي القديمة!

تركت لأمي وشقيقاتي رغم أنهن متزوجات ما يكفيهن من مال، فضلًا عن حُجّة الأرض التي تُدر عليهن دخلًا جيدًا يكفل لهن حياة كريمة من بعد هجرتنا أنا وزينب، لم أنسَ وضع خمسة جنيهات كاملة بالصرة تنفيذًا لعهدي القديم مع أمي، انصرفنا مع أول خيط نور، وأنا لا أنوي العودة!

في القاهرة بعد تدقيق واختيار، استقر بنا المقام في منطقة إمبابة على الضفة الأخرى من النيل، جزيرة الزمالك تظهر بوضوح من غرفتنا الصغيرة فوق السطح، لا تبدو بعيدة المكان من غرفتنا لكنها صعبة المنال حتى الآن، أمضينا أيامنا الأولى في التنزّه بشوارع القاهرة، حرصت تمام الحرص على الابتعاد تمامًا عن التوغل في شارع عماد الدين حيث تقع حانة ريكسوس التي كنت أعمل بها. زُرنا محل شيكوريل بوسط البلد أكثر من مرة، اشتريت لزينب ما يكفيها من ملابس لمدة عام، كانت تبدو فيها مختلفة ولولا العرج الصغير في مشيتها الذي كان يفسد المشهد إلى حد ما لصار لها شأن آخر، خلعت عنها طرحتها الصغيرة وهي تجرب فستانًا بشيكوريل في غرفة القياس، تأملتها لوهلة وملت برأسي متمتمًا: «رائع!»

فقط شعرها القصير أفسد الصورة التي في خيالي، كان مجعدًا للغاية، فاخترت لها إيشاربًا من الحرير الملون، لتتبدل صورتها قليلًا ومع حقيبة يد جلدية بيضاء وحذاء من ذات اللون صارت زينب الآن فتاة قاهرية، يظن مَن يراها لأول وهلة أنها لم تـزُر الريف في حياتها من قبل ولا تنتمي إلى أهله، بشرط وحيد ألا تتكلم كثيرًا، مثلما نصحني مسيو آدمون الذي حاول تعليمها أصول «الإتيكيت»، ما فعله بها ومعها كان يُرضيني، لا يشغلني شيء الآن سوى دخول البدروم.

- الليلة حنروح الأوبرا، حتشوفي اللي عمرك ما شوفتيه.

- بس أنا بِدي أروح سوق الجمعة ضروري يا عباس!

نظرت لها بدهشة وأنا أُشعل سيجارتي وأتأمل مشيتها الغريبة بالحذاء الجديد، سألتها عن السبب فقالت بابتسامة: «محتاجين كام جوز فراخ وأرنبتين نربيهم فوق السطوح يا أخويا»!!

*****

5

«الصعود من السلالم الخلفية شاق، لكن الوصول إلى القمة له طعم مختلف»

زينب المحلاوي

- مبسوطة يا زينب؟!

صفّقت كطفلة رغم اقترابي من العشرين، قبّلت يده امتنانًا لأنه سامحني وتركني في القاهرة ولم يُعدني إلى محلة مرحوم بعدما وعدته بطاعة عمياء كما أمر، رفعت عينَيّ إلى وجهه خائفة أن أسأله: وماذا بعد؟، لا أريد أن أخرج من تلك الجنة لكني لا أعرف لعباس مهنة أو وظيفة تُعيننا على هذه الحياة المُرفهة لفترة طويلة بعدما تنفد مدخراته التي لا أعلم مصدرها حتى الآن، ظلت ملامحه جامدة وهو ينتظر سؤالي، مَلّ من نظراتي الحائرة لفترة ثم انفرجت أساريره فجأة وكأنه قرأ هواجسي على صفحة عيني، شجّعني ودفعني برفق كي أقول ما يريد أن يسمعه.. فسألته:

- حنعيش منين لما الفلوس تخلص؟

ابتسم وهو يجيبني بثقة:

- عمرها ما حتخلص، بالعكس حتكبر وتولد زي الأرانب!

تجاهلت ضحكاته التي أعقبت كلامه، ارتسمت الجدية على وجهي، وضعت ساقي تحت مؤخرتي وكفّي أسفل ذقني منتظرة شرحًا أكثر، رمقني بنظرة حادة منتقدًا جلستي، أشعل سيجارته بعصبية، تعكرت ملامحه قليلًا ولم يقُل شيئًا، ارتعدت بداخلي وخفت أن يُعيدني لمحلة مرحوم هذه المرة فاعتدلت بجلستي، ومع أن حواء هي التي أخرجت آدم من الجنة لكن مع عباس الأمر قد ينقلب، شعرت أنه سيفعلها لو تكررت أخطائي التي لفت نظري نحوها برفق في البداية، حتى زادت على الحد فيما يبدو فهددني مرة عابرة بالعودة للبلد إن كنت لا أستطيع التعود على الحياة هنا، عباس يُهدد مرة واحدة فقط وفي الثانية يذهب لأبعد مما هدد به!

تذكرت وقتها واقعة قديمة حدثت أمامي بمحلة مرحوم ولم أنسها أبدًا، لما عرف عباس أن شريكه بالورشة قد ضايق شقيقتنا الوسطى عفاف أثناء ذهابها للغيط وتراذل عليها، عاتبه عباس مهددًا بإلقائه في الترعة إن كررها، فعلها الشاب ثانية في تحدٍّ، يومها كان عباس عصبي المزاج يُلملم حبلًا طويلًا ويخفيه تحت قميصه، راقبته من وراء الفرن ثم تسللت وراءه حتى الغيط البحري، رقدت وسط الزراعات، كمن له عباس خلف شجرة كبيرة حتى حضر الشاب يتبختر ببغلة عفيّة، يلهب ظهرها بعصا قصيرة كلما رمحت به ويستعدل طاقيته كل حين، تركه يمر من أمامه ثم انقضّ عليه فجأة من الخلف، طرحه أرضًا وقيّده بسرعة، من مكمني رأيت عباس يضع حجرًا كبيرًا حول وسط الفتى، ويُحكم ربطه بالحبل، ثم ألقاه في الترعة وانصرف كأن شيئًا لم يكن، انتفضت وهرولت لدارنا وجسدي كله يرتجف حتى صبيحة اليوم التالي، لم أنم ليالي طويلة، بعدها سمعت من أمي أنهم عثروا على جثة الشاب منتفخة عندما طفت على سطح الترعة، قالت أيضًا إن عباس وقف مع أهل القرية يقرأون الفاتحة على روحه وهم يخرجونه من الترعة، ثم سار بعدها في جنازته! سكتت أمي قليلًا

ثم أردفت: «كبدي على عباس طول عمره قليل البخت، كل ما يشارك حد في شغلانة يحصل له مصيبة أو ربنا يفتكره!»

اقترب عباس وجذبني من يدي برفق ليُخرجني من ذكرياتي وتساؤلاتي القديمة الحائرة عن سبب غضبته، انتفضت رغمًا عني، تفرست فيه متوجسة، هل خلافاته الكثيرة مع شريكه القتيل أم دفاعه عن شرف شقيقتنا وشرفي؟! ربّت رأسي وكأنه ينفض هواجسي نحوه، أشار ناحية غرفة نومي قائلًا:

- غيّري هدومك.. حنروح لمسيو آدمون!

تلميحه بطردي من الجنة جعلني أنفذ حرفيًا تعليمات «مسيو آدمون»، ذهبنا إليه في حي الزمالك، شقة أنيقة في دور أرضي في عمارة جديدة كبيرة ترتفع خمسة طوابق، وجدنا باب الشقة مفتوحًا وبها غرف كثيرة بلا أبواب، سيدات يرقصن أمام أخريات يتابعهن باهتمام، رجل رقيع يتمايل معهن بليونة عجيبة، يرطن بكلمات لم أفهمها، رجال ينحنون ويسيرون في خيلاء أمام بعض الجالسين، بعضهم يقلد النساء بصورة مذهلة. ظللت مندهشة لا تقوى عيناي على الرمش للحظة، فجأة وجدت رجلًا فائق الطول والأناقة ينحني أمامي في أدب جمّ قائلًا:

- مدموازيل زيزي، اتفضلي معايا!

سرت خلفه بتشجيع من طرف عين خفي لعباس الذي أشعل سيجارة وانزوى في ركن بعيد يتابع إحدى الراقصات، يبدو لي أن عباس يعرف آدمون منذ فترة طويلة، طربت لوقع اسم زيزي على أذني، سلّمني آدمون لفتى من عمري يتحدث العربية بصورة كانت تضحكني، يتلوى ويتقصع مثل بنات الست بديعة مصابني، علّمني كيف أمشي وكيف أجلس، ما الذي أقوله ومتى أصمت، طريقة الأكل بشوكة وسكين، لكن لم أفلح في وضعها باليد الصحيحة أبدًا!

- مدموازيل زيزي.. من فضلك بلاش تتكلمي والأكل في بُقك!

قالها آدمون وهو ينهرني بإصبع يده الطويلة، ينظر لمَن يُعلّمني بقرف وينقل السكين من يميني بنظرة مؤنبة، امتثلت صاغرة، لم أكن أعرف مهمتي القادمة على وجه التحديد رغم أن عباس دائمًا يُطالبني بالاستعداد ولا يبوح بما يدور بعقله، لكنني سعيدة بتعلّم كلمات كثيرة من اللغة الفرنسية التي اهتم بها عباس أكثر، وحرص على بعض الكلمات الإيطالية المتشابهة معها، أنطقها بصوتٍ عالٍ وبثقة شديدة، لكن آدمون كان له رأي آخر، إذ نصح عباس بعد عشرة دروس بأنه لا داعي لحديثي بالفرنسية أمام الناس، ثم همس قائلًا:

- من الأفضل أن تكون قليلة الكلام بصفة عامة!

سمعته رغم صوته الخفيض، من يومها وأنا أكره آدمون، الحقيقة أنني لم أرتح له منذ اللحظة الأولى التي رأيته فيها، صوته يقلب أمعائي، أشبه بقطعة من الدهن النيء تسبح في صحن مرقة باردة من فرط لزاجته، لكنني كتمت مشاعري نحوه.

في نهار شتاء دافئ حانت اللحظة المنتظرة التي جعلتني أنتفض من رقدتي الكسولة، ارتدى عباس بدلة كاملة واشترى سيجارًا ضخمًا وقُبعة بيضاء كبيرة، بدا مختلفًا بعدما أطلق لحية صغيرة مدببة ووضع الحِنّة على شعره وصبغ سوالفه لتبدو وكأن الشيب ضربها مبكرًا، ثم ارتدى نظارة شمسية حجبت عينيه تمامًا، ذهب لمحلات شيكوريل في وسط البلد وطلب لقاء المدير لأمر مهم، فلما جلس إليه تحدث قليلًا وهو يثبت عينيه على وجه الرجل بثقة، أخرج عشر ورقات مالية قائلًا:

- تفضل العربون، مئة جنيه، فلوس المرحوم الخواجة شيكوريل، لكن الأول ياريت سعادتك تسلمني أصل أمر الشغل القديم!

كنت منبهرة ممّا يرويه عباس لي بعد عودته من مشواره، ظللت أضحك متخيلة رد فعل مدير محلات شيكوريل، أكتم فمي بيدي ونحن نجلس في الشرفة المطلة على نيل إمبابة بالدور الأخير، وضع عباس سيجاره في جيبه وأشعل سيجارة «كورتيللي» من علبته الفضية الرقيقة وأعطاني واحدة وهو يقول:

- لازم تتعلمي تدخني من غير ما عينك تدمع!

- مش قادرة يا عباس!

- المهم تمسكيها في إيدك، ونفسين بالكتير وترميها!

مع دخان السجائر وفناجين القهوة، حكى لي عباس أن مدير المحل تردد في استلام المئة جنيه منه لما لم يجد أمر الشغل، فاتصل بمدام پولا أرملة شيكوريل، شارحًا لها أن الخواجة قبل وفاته اتفق مع مقاول يُدعى عباس المحلاوي على تجديد فيلا الزمالك، أعطاه عربونًا كبيرًا للغاية والرجل يقف أمامه الآن ويريد الورقة التي وقّع عليها كي يُعيد العربون بعدما علم بالحادث الأليم!

وضع عباس ساقًا فوق أخرى وألقى بعقب سيجارته من النافذة شاردًا ناحية الزمالك وهو يردد:

- وأكيد مدام پولا ربنا يعمّر بيتها طبعًا داخت السبع دوخات على أمر الشغل في أوراق المرحوم!

- وأخدت منها أمر الشغل؟

ضحك عاليًا وهو يجيبني:

- طبعًا لأ!

ضربت صدري بكفّي وأنا أسأله بلهفة:

- وأنت ناوي ترجّع لها الفلوس؟

- لأ طبعًا!

تقلبت ملامحي وتحيّرت، لا أفهم شيئًا ممّا فعله، شعرت بتقلصات في بطني ولطمت خدي قائلة:

- وحتعمل إيه في الوحلة دي يا عباس؟

امتعض وهز رأسه في أسى، ثم نهرني بعنف عن استخدام يدَيّ أو الحديث بهذه اللهجة مرة أخرى قائلًا بحسم:

- مافيش فايدة منك، من هنا ورايحْ تكتمي بُقك وما اسمعش منك غير أفندم وحاضر.. فاهمة؟

أومأت بالإيجاب وأنا أرتجف ولم أرد، فلما كرّرها بصوتٍ عالٍ أجبته بصوتٍ خفيضٍ شبه هامسة من الخوف:

- حاضر.. حاضر، بس طمني ناوي تعمل إيه؟

ارتاحت قسمات وجهه قليلًا، تنهد مبتسمًا بزهوٍ وأشار ناحية فيلا ضخمة، تبدو بوضوح مميزة على الضفة الأخرى من النيل بنخلتها الكبيرة التي تتوسط حديقتها وهو يلوح بيده بورقة مطوية أخرجها من حافظة نقوده بحرصٍ شديدٍ قائلًا بثقة:

- بالورقة دي.. حندخل الفيلا اللي هناك دي!!

*****

.. لا أعرف بالتفصيل ما الذي فعله عباس معها في أول لقاء جمع بينهما، روى لي باقتضاب أنه ذهب في اليوم التالي للقاء مدام پولا أرملة الخواجة

شيكوريل، طلبت منه أن ينفّذ ما اتفق عليه مع المرحوم من أعمال دهانات للفيلا بالكامل وتجديد بعض الأثاث والواجهة، واستغلته لتجديد بهو المحل الكبير أيضًا بنفس المبلغ المتفق عليه، بدا عباس متساهلًا عندما ألمحت الأرملة بأن العربون ضخم للغاية وربما يفوق الأعمال المطلوبة، أخبرني أنه قال لها:

- وأنا مش عاوز فلوس تانية، الله يرحمه الخواجة شيكوريل كان طول عمره كريم معانا.

سألته يومها الأرملة في دهشة عمّا إذا كان يعرف زوجها سولومون شيكوريل عن قرب، فأجابها بنفس الروح الطيبة التي تقمصها ويجيد إخراجها لمُستمعيه:

- هو اللي مربيني يا مدام، أبويا وجدّي كانوا بيساعدوه في مخازن طنطا، إحنا طول عمرنا عايشين من خيره!

تمكن عباس من وضع أول قدم ثابتة له في الفيلا وظل لأسابيع يُشرف على صنايعية استقدمهم من عزبة الصعايدة بإمبابة، بعد ثلاثة أشهر تقريبًا أصرّ فجأة على اصطحابي معه، استقلينا حنطورًا من أمام بيتنا، عبر بنا كوبري إمبابة، سرنا بمحاذاة النيل ثم اجتزنا كوبري بولاق أبو العلا وانعطفنا بعده يمينًا، حتى توقف بنا العربجي فجأة بإشارة من عباس، كنت مستمتعة بالرحلة الهادئة وزال توتري، يبدو أن هذا ما قصده أخي، وقفنا بجوار فيلا كبيرة ثُبّتت بمدخلها لافتة عليها حروف أجنبية لم أتبينها، سألت عباس عمّا إذا كان هذا المبنى متحفًا مثل المتحف المصري الذي مررنا بجواره أثناء عبورنا ميدان الإسماعيلية، فابتسم وهو يُشير إلى لافتة أخرى مكتوب عليها باللغة العربية «فيلا السفير محمود باشا عمرو»، كانت البوابة مواربة قليلًا، رأيت سيارة بيضاء كبيرة تنزل

منها سيدة أنيقة ترتدي قبعة فستقية رائعة وفستانًا من نفس اللون، وقفت أرقبها بشغفٍ وأستعد للدخول، حتى جذبني عباس برفق من يدي وهو يبتسم قائلًا:

- مش من هنا يا زينب، هانت، اصبري وحنوصل!

لم أفهم لماذا ترجّلنا لمسافة أخرى كأن عباس لا يريد أن يعرف سائق الحنطور وجهتنا، دائمًا يشك في كل مَن حوله.

عندما التقينا مدام پولا أرملة الخواجة شيكوريل أصابني الذهول لوهلة، فسيدة الزمالك هذه تكبرني بعشرين عامًا على الأقل، لا أظنني مخطئة، فقد علّمتني أمي معرفة عمر المرأة من خطوط دائرية أسفل رقبتها، كل منها يشير إلى عشر سنوات إضافية بعد العشرين، لكنها للغرابة تبدو رشيقة القوام، وجهها جميل ورائق، شعرها ناعم وطويل يُغطي كتفيها، بشرتها بيضاء ملساء لامعة بصورة ملفتة، كعباها ناعمان بلا شقوق وسيقانها ملفوفة، يبدو أنها تُدرك حلاوتهما بارتدائها زيًّا قصيرًا إلى حد كبير يكشف ما فوق ركبتيها بكثير، لها عينان زرقاوان فاتحتان مثل السماء، تمنيت لوهلة أن تكون لي ابنة في جمالها..!

رحبت پولا بعباس، الود بينهما محسوس وظاهر للأعمى، اكتفت بتحيتي بإيماءة بسيطة من رأسها، تركت كفّها بيده لفترة، بدا هو ناعمًا رقيقًا أليفًا خفيض الصوت على غير عادته، جالسًا على حافة مقعده، ملتفتًا بجسده كله ناحيتها، تركاني واقفة قرب أحد الأعمدة التي تتوسط البهو الرئيسي حتى كلّت قدماي من الحذاء الجديد فارتكنت على العمود الضخم، أتسلى بمراقبة المشهد من بعيد، للوهلة الأولى ظننت أنها أُعجبت بعباس خاصة لما تحدّث ببعض الكلمات الإيطالية، شعرت أنها تتفرس فيه بنهم الأرملة التي برد فراشها، ولِمَ لا؟ شاب وأصغر منها بكثير، بالتأكيد لن تُضيع الفرصة من يديها، لكنها بعد ذلك بدت جادة معه، تحدثا عن المرحوم زوجها وأفكارها لتطوير المحلات حتى اضطررت لخلع حذائي وتحريك أصابعي عدة مرات،

ثم تنحنحت كي ألفت نظر عباس لوجودي، همس لها ببضع كلمات بالفرنسية هذه المرة، فهمت منها كلمة «femme» فقط لكثرة ما سمعتها بمدرسة مسيو آدمون، رمقتني مدام پولا بنظرات فاحصة طالت قليلًا وكأنها تراجع ملابسها أمام المرآة، دقت جرسًا ذهبيًا صغيرًا بجوارها، خرج علينا سفرجي يرتدي قفطانًا أحمر مطرزًا بخيوط ذهبية عريضة ويضع طربوشًا قصيرًا قرمزيًا، طلبت منه أن يصطحبني إلى «الأوفيس» ويقدّم لي الشاي والحلوى!!

مضيت خلف الرجل واضعة حذائي تحت إبطي، متجاهلة نظرات عباس الصارمة لعيني لما تلفتُّ ناحيته معاتبة، فقدمي لم تعُد تحتمل أكثر، على مضض سِرت مدفوعة ببعض الفضول لرؤية الفيلا كلها، لم يكن الأوفيس سوى حجرة واسعة بها منضدة وبضعة مقاعد وثلاجة بيضاء عريضة وحوض كبير، فهمت من السفرجي أنها بمثابة تمهيد لدخول المطبخ المخصص للطهو فقط، تقدمت مني فتاتان شقراوان الأولى تُدعى هيلجا والثانية لم أستطع حفظ اسمها، وقفت للترحاب بهما باعتبارهما ابنتي الست پولا، شعرت بعَرَقي يسيل بغزارة حتى كاد فستاني يلتصق بجسدي لما أخبرني السفرجي العبوس أنهما خادمتان، إحداهما سويسرية والثانية جريجية، ظللت أرقبهما مشدوهة من أناقتهما، تصعبت بشفتَيّ على حالي، أمضيت أكثر من ساعة ونصف لا أفعل شيئًا سوى المسامرة مع السفرجي بشير، أعد لي شايًا فاخرًا له رائحة مختلفة مع قطعة جاتوه كبيرة، بدا واضحًا من نبرة صوته وإيماءات جسده أن هذا المخبول قد ظن أنني سأعمل معهم في خدمة المنزل، بدأ يشرح طباع مدام پولا وروتين حياتها باستفاضة وهو يُشير نحوي بسبابته في لهجة محذرة، مواعيد استيقاظها ونومها، ضيوفها، طعامها، أبديت اهتمامًا بما يقوله، كتمت ضيقي من ظنونه فلعل ما يقوله من أسرار تفيد عباس في طريقه نحو قلب الأرملة الفاتنة للسيطرة عليها.. لكنني لم أستطع في النهاية منع رغبتي في توبيخه، فما أن وضع إبريق الشاي أمامي حتى أشرت له بإصبعي في برود قائلة:

- قوم هات لي شوية حليب!

من داخلي حزينة على حال أخي، كيف يرغب في الزواج بمَن هي في عمر أمه تقريبًا حتى لو كانت جميلة وغنية؟! تسللت من شرودي على صوت السفرجي الخفيض وهو يدعوني لجولة سريعة بغرف البيت الثماني الواسعة، لاحظت أن إحداها مغلقة، تجاوزها مسرعًا فلما هممت بفتحها من باب الفضول توتر وبدا عبوسًا أكثر، سألته عنها فأخبرني أنها حجرة نوم الخواجة شيكوريل وأغلقتها پولا بعد وفاته وتنام في غرفة أخرى الآن!

- ليه؟ هو مات فيها؟

- اتقتل هنا.. الله يرحمه ويحسن إليه!!

سحبت يدي بسرعة من على المقبض، تمتمت بالمعوذتين وتشاءمت من الفيلا، انتابني شعور غريب بانقباض في صدري، ربطت بين صورة شيكوريل الكبيرة المثبتة على الحائط بين غرفتين، بنظارته الزجاجية المستديرة الرقيقة وجسمه الممتلئ وشعره الفاحم الناعم، وبين صورته في خيالي وهو مقتول، تخيلته ينزف من رأسه ووجهه بعد تهشيمهما بفأس فأسرعت الخُطى في طريقي لأسفل، هبطنا البدروم من داخل الفيلا لكنه أشار إلى بابه مكتفيًا بالقول إنه سوف يتولى تنظيفه بمفرده، كالعادة أكلني الفضول ووجدتني أفتح بابه بسلاسة وسرعة فانفتح، تاركة السفرجي خلفي مندهشًا من جرأتي، قبل أن يلحق بي ليمنعني كنت قد اجتزت الباب بمترين على الأقل، لأجد أمامي مكانًا فسيحًا بصورة مدهشة وكأنه غيط كبير، في وسطه تمامًا مكتب خشبي يقف خلفه رجل بدين، قمحيّ البشرة، أشعث، ذو وجه دميم وأنف مفلطح يُساعد على تأكيد دمامته، يرتدي حمالات عريضة حمراء قانية على قميصه الأبيض وينظر نحوي في ارتباك شديد، ممسكًا بملفات كثيرة بكلتا يديه ويتأهب لوضعها على أرفف مكتبة قريبة منه، أشار الرجل للسفرجي أن يتوقف لما

وجده يعنّفني، صرفه بإيماءة من رأسه ثم وضع الملفات بحرص على المكتب المنسق سطحه بعناية، التفت نحوي مستفسرًا بعينيه عني، ظللت صامتة مرتبكة، ابتسم قليلًا، دار حولي نصف دورة، بدا لي أن عمره قريب من عمري، رغم أن له هيبة تفوق سنّه، ربما ما دفعني للصمت أنني ظننته زوج السيدة پولا الجديد، فكرت لحظتها في أن عباس الذي يحبها سيُفاجأ بهذا الدب الضخم، بلا شك سيلتهمه في لحظات لو عرف سبب مجيئه الحقيقي، سيدور صراع بينهما مثل ديوك القفص الواحد في دارنا بمحلة مرحوم.

- أنتي مين وعاوزة إيه؟!

ترددت قليلًا قبل أن أُجيب الرجل البدين عن سؤاله الذي حمل اهتمامًا خفيًا بي كامرأة، إحساس التقطته بسهولة من نظرة عينيه لساقيّ ووسطي ونبرة صوته المبحوحة، كانت پولا وعباس قد دخلا البدروم فجأة، يبدو أن السفرجي أبلغهما بحماقتي، أطرقت لتفادي نظرات أخي القاسية المؤنّبة والمتوقعة كالعادة لكن نبرته الودود خالفت توقعاتي وشجعتني على رفع رأسي بسرعة، رحّب عباس بالرجل الذي قدمته پولا قائلة:

- حسانين المصري المدير المالي بتاعنا، وكان قريب جدًّا من مسيو شيكوريل، وبيساعدني في كل حاجة، كان مسافر برة ولسة راجع من يومين.

بدا واضحًا أنهما لم يلتقيا من قبل، صافحه أخي بحرارة رغم تجهُّم الرجل البدين وامتعاضه، لكن ظل عباس محتفظًا بابتسامة واسعة وهو يستمع لتقديم پولا له قائلة بحماس:

- مسيو عباس محلاوي مقاول وصديق للمرحوم سولومون، كان اتفق معاه على أعمال تجديد الفيلا، وبدأ يشتغل من شهرين وأحب أنكم تتعاونوا مع بعض يا حسانين.

- لكـن أمر الشـغل مش موجود يـا مدام والمبلـغ كبير وكمـان الفيلا مش محتاجة كل الـــ..

خرجت كلمات حسـانين وهو يُثبت عينيـه على وجه عباس في تأفف لكن پولا قاطعته قائلة:

- أنا وافقت يا حسانين والشغل ابتدا ومسيو عباس مش عاوز فلوس تاني.

شـعرت بانتصار أخي من كلمات پولا الحماسـية المغموسـة حتى آخرها في مشـاعر ود بالغ، بدأت أتنفس الصعداء لما أطرق حسـانين وبدا مستسـلمًا تمامًـا لأمر پولا، ضممت كفـي أمامي منتظرة أن يقدّمني عباس لپولا والرجل البديـن الذي لم يرفع عينيه عني تقريبًا أو عن سـاقيّ تحديدًا، خشـيت المشـي أمامـه حتى لا يلاحـظ عرجي، بدأت ابتسـامتي تتأهب للبزوغ وسـرا قليل من الخجل بدمائي كان كافيًا لتورد وجنتَيّ، شعرت بخدرٍ خفيف، أول مرة أتعرض فيهـا لنظـرة إعجـاب من رجـل بالقاهرة، حتـى ولـو كان دميمًا مثل حسـانين، لا بأس سأحسبه ثاني رجل في حياتي على كل حال!

تعلقت عينـاي بعباس لكنه تجاهل تقديمي وظـل يتجاذب أطراف حديث روتيني كان يمكن تأجيله مع حسـانين، شـعرت أن عباس يتعمد سحب الكلام مـن الرجـل، يسـأله عن بعـض التفصيـلات بالمخـزن، بينما حسـانين مصمم علـى اسـتبعاد تلك المنطقة بالكامل من أعمـال التجديدات بحجة صعوبة نقل الملفـات والأوراق حاليًا، انشـغل عباس بمعاينة جدران البـدروم مؤكدًا على مخاوفـه مـن وجود ميـاه خلفها ولا بد مـن مراجعتها، راح يطـرق عليها براحة يده عدة مرات، هنا نظر الرجل البدين لپولا نظرة ذات مغزى.. طالت وتابعتها لكنني لم أفهم معناها حتى ربتت پولا كتفي موجهة حديثها لحسانين:

- أقدم لك زينب.. هدية من مسيو عباس لكن في وقتها، جابها معاه من طنطا مخصوص لما عرف إني محتاجة واحدة مصرية تساعدني في الفيلا وتسليني كمان!!

لم أصدق ما سمعت وتمنيت لو انشقت الأرض وابتلعتني، دار رأسي وشعرت بسخونة شديدة بشعري، ولا أعرف حتى الآن كيف خرجت يومها من فيلا شيكوريل عائدة إلى إمبابة، لكنني نويت عدم الرجوع للزمالك كلها والعودة لمحلة مرحوم في أقرب قطار.

*****

6

«مجرد عبور الجسر بين الزمالك وإمبابة ينقلك عبر الزمن للفقر والذل والقهر»

زينب المحلاوي

- Femme de compagnie يا زينب.. مين قال إنك خدامة؟!

طوال طريق العودة إلى إمبابة وعباس يردد عبارته تلك بهدوء وتشجيع، بينما اكتفيت أنا بدموع غزيرة لم تتوقف حتى وصولنا، لم أجد ردًّا أو تفسيرًا مقبولًا لما فعله معي، هل هُنت عليه إلى هذه الدرجة؟ لم أتخيل أبدًا أن يتخلى عني عباس بسهولة هكذا. الغريب أنه بدا رقيقًا للغاية وهو يشرح أسبابه، موضحًا أن عملي مختلف عن الخادمات الأجنبيات، بل قال إنني لن أكون خادمة على الإطلاق، فالكلمة التي قالتها پولا بالفرنسية تعني مديرة منزل أو جليسة لصاحبة الدار، ستجعلني تلك الوظيفة قريبة أكثر من أي شخص آخر لپولا، أعيش معها في الفيلا، أعتني بحاجتها، أذهب معها إلى خياط ملابسها، أعاونها في مشترياتها الأسبوعية، أُسلّيها في المساء، جليسة لسيدة راقية تُعاني بعض الملل بعد وفاة زوجها، حتى هذا السفرجي العبوس المتبجح سيكون في خدمتي!

- والا تحبي ترجعي محلة مرحوم ونفضّها سيرة؟

- وأنت عاوز إيه من الفيلا علشان تشغّلني خدامة فيها؟!

لمعت عينا عباس لما جلسنا بالشرفة ولم يرد، جفت دموعي ببطء وبدأ عقلي يُقارن بسرعة بين فيلا شيكوريل ودارنا بمحلة مرحوم، ليُرجح كفة أحدهما بصعوبة، دارنا هناك أرحم من ذل الخدمة في الفيلا لكن ما يقوله عباس إنني سأكون «فام دو كامبني» يجعلني أعيد حساباتي، فربما أكون سيدة البيت، الهانم الحقيقية المتحكمة في كل هؤلاء الخدم وهذا القصر الكبير.

نظرات عباس الحادة تدفعني للموافقة وخوفي من غضبته يفك عقدة لساني بالكاد، لا بد وأنه يريدني قريبة من مدام پولا ليتزوجها، كي أقنعها به باعتباري جليستها المقربة منها ولا بد أنه أيضًا يشعر بحرج مني، ارتحت لهذا الخاطر فخرجت الكلمات مني أشبه بالهمسات فلم يسمعها، هززت رأسي عدة مرات ليفهم أنني موافقة.

بصوت خفيض وكأنه لا يريد أن يسمعه أحد غيري رغم أننا بمفردنا قال عباس وكأنه يقرأ أفكاري:

- مع الوقت حتبقي الآمرة الناهية في كل شيء، مديرة الفيلا، زينب هانم، المهم تكسبي حسانين في صفّنا أو تبعديه عنّنا!

نظرت له بحيرة وأنا لا أفهم مقصده، ما علاقة ذلك كله بزواجه من پولا فتساءلت:

- أكسبه إزاي وأبعده بإيه وعن إيه؟!

- أنتي وشطارتك بقى يا زيزي هانم، المهم دلوقتي يبعد عن البدروم!

قالها وابتسم ولم يزد حرفًا، وتركني فريسة سهلة لكل الاحتمالات!

رغم كلامه وتهدئته لي، ظلت صبيحة مغادرتي شقة إمبابة في طريق عودتي للزمالك لا تفارق ذهني لسنوات طويلة. أعددت حقيبة ملابسي وتناولت طعام الإفطار مع عباس، ولما هممت بالانصراف وأنا أُحكم ربطة المنديل الجديد حول رأسي، أمسك أخي يدي برفق قرب الباب وهو يعيدني داخل الشقة قائلًا:

- موش دلوقتي يا زينب، حنتحرك بعد ساعة لأن فيه ضيوف مهمين عندنا ومحتاج تساعديني في عمل الشاي والقهوة لهم..

لم يكن ضيوفه سوى الحاج عبد النعيم المقاول القناوي الشهير ومعه ولداه فهيم وعسران، عرفت من عباس أن عبد النعيم كان أول مَن بنى عششًا بالزمالك قرب النيل، ثم رَسَت عليه مناقَصة الأمير محمد علي لتطوير الزمالك كلها، وصدر له ترخيص يُجدَّد كل ثلاث سنوات من السراي، بنى أكثر من ثمانين فيلا في وقت قصير ويرغب الآن في بناء ضعفها، بعدما جلب مئات العمال من أقصى الجنوب حيث بلدته قنا، استقروا جميعًا في إمبابة حول رقعة زراعية فسيحة، أسموها عزبة عبد النعيم. قدمت لهم صينية الشاي وقطعًا من كيكة بالبرتقال أحضرها عباس من مخبز «سيموندس» بالزمالك لمّا ذاقها لدى پولا وأعجبه طعمها، كنت أنوي الخلاص منها لرداءة مذاقها وغلو ثمنها، فالكيكة التي أعملها أفضل منها وبملاليم لكنهم التهموها كلها..

الأب عبد النعيم حلو اللسان وحسيس رغم ملامحه الصارمة، لم يتخلَّ عن جلبابه وعمامته وعصاه الغليظة، يعبث بشاربه طوال الوقت، بينما ولده الأكبر فهيم متجهم متحفظ يرتدي جلبابًا وفوقه سترة من نفس اللون ويضع طربوشًا طويلًا مميزًا فوق رأسه يستعدله بلا سبب كل دقيقتين وكأنه سينزلق، يُقاطع أباه وعباس كل برهة، معترضًا دائمًا على القيمة المادية لتجديد الفيلا من الخارج رغم أن عباس بدأ بالفعل في إزالة الطلاء الخارجي، كان فهيم

يحسب مكاسبه بسرعة في نوتة صغيرة وكل برهة يفردها بصلفٍ أمام عيني أخي كلما اعترض!

تعلّقت عيناي وانشغلتا لوهلة بالأخ الثاني الصموت.. عسران، شعرت أنه يسترق نظرات نحوي خلسة كل فينة وأخرى، بدا لي خجولًا متواضعًا وكسولًا إلى حدٍّ ما، يمسك بمسبحة خضراء ولا يكف عن تحريكها بأصابعه بذات الوتيرة، كأنه آلة وتروسها في يده، مُطرق أغلب الوقت، لا يشاركهم الحديث ولم يبتسم إلا مرتين، عندما قدّمت لهم الشاي ولما رفعت الصينية من أمامهم، عند انصرافهم كنت متوارية بالمطبخ، سمعت صوت دقات عصا عبد النعيم وأقدامهم تتحرك نحو الباب، أطللت برأسي قليلًا، تلاقت عيناي مع عيني عسران الخجول، شعرت أن وجهه يضيء، أطرق مرة أخرى بسرعة لما لمحني ورسم ابتسامة ثالثة أكثر بلاهة من سابقتيها، ذهبت عيناي نحو فهيم أفندي فازداد تجهمًا وهو يتمتم بصوته الغليظ:

- يا رب يا ساتر!

حمل عباس حقيبتي وأوقف تاكسيًا للزمالك هذه المرة، في الطريق أخبرني بتمام الصفقة مع عبد النعيم وولده فهيم، وأنه تنازل لهما عن مكسبه فيها وسيبدأ الأعمال من الغد لمدة عام!

- وعسران مالوش فيها؟ ما سمعت له أي صوت!

ده أزهري وجابوه معاهم زي ما تقولي كده بركة، إنما فهيم مدقدق ومصحصح وكمان شغّال الصبح موظف في مصلحة الشهر العقاري بإدارة تسجيل أملاك الأجانب، عمومًا ما تقلقيش أنا طول اليوم حاكون معاكي في الفيلا لأن عندنا شغل كتير الأيام دي.

- لو تفهّمني طبيعة الشغل ترتاح وتريّحني!

ضغط على كفي ليُطمئنني ولم يُجب كعادته. لست خائفة، فقط كنت شاردة في حياتي الجديدة بالزمالك، انتابني شعور غريب أنها قد تنتهي قبل أن تبدأ على عتبة فيلا شيكوريل، لكن مع مَن منهما؟ حسانين المصري الجريء أم عسران عبد النعيم الخجول؟!

*****

- تؤمري بحاجة تانية يا ست زينب؟!

كلمات بشير السفرجي النوبي تهدهدني بنبرته الخانعة كأنني ممددة في فلوكة كبيرة تتهادى على صفحة النيل ساعة العصاري، حياة مخملية ناعمة كمَن فتحت بابًا سحريًّا لتُطل منه على عالم جديد آسر.. فتان.. مبهج، حلم جميل لا أريد الاستيقاظ منه كالنائمة بوجهٍ راضٍ مبتسم، لم تُشعرني پولا منذ أول يوم بأنني خادمتها، بل بالفعل كنت مديرة للفيلا والسيدة المصاحبة لها كما قال عباس، لا صوت يعلو على أوامري، لا يملك مخلوق سواها تعديل ما قررت إلا نادرًا وفي الأشهر الأولى فقط، بعدها تعلمت من عباس فرد الشراع مع تيار مزاجها لأصل لما أريد وهي راضية عني، فازدادت پولا تعلُّقًا بي.

لشهور طويلة لم أحصل على يوم واحد إجازة، كنت لا أفارقها إلا وقت النوم فقط، بمجرد أن تصحو تدق جرسها، أسمعه بوضوح من حجرتي القريبة، لو تأخرت هي في النوم فأنا الوحيدة التي تدخل حجرتها لإيقاظها في التاسعة صباحًا، تتناول إفطارها في الحديقة،أجلس بجوارها أقرأ لها بعض مقتطفات الجرائد، لا أمد يدي إلى الطعام أبدًا في حضرتها، بعدها تشرب قهوتها قرب المرسى خلف الفيلا، تحدد أصناف الغداء والعشاء، يختلف الأمر لو كان لدينا مدعوين ثم أتركها تأخذ حمامها اليومي وأتفرغ لمتابعة الخادمتين السويسرية والجريجية، أتأكد من دقة أعمال النظافة اليومية،خاصة طبقات الأتربة الرقيقة التى أكشفها بسهولة بمسحة من إصبعي على سطح أي شيء أثناء مروري

بالفيـلا في جولة الصباح مع أنـي كنت أراها ترابًا طاهرًا لا يُرى كما كانت تردد أمـي لكـن پولا تُصمم على إزالته يوميا، يسير خلفي السفرجي العبوس ومن بعـده بمسافة الخادمتـان، أراجع مخـزون الأطعمة حتـى لا يسـرقنا الطاهي، وأتولى مصروفات الفيلا بالكامل.

منذ اللحظة الأولى التي دخلت فيها الفيلا لتسلّم عملي وبشير السفرجي النوبـي يناديني بلقب «ست زينـب»، تقبلته منـه طامعة فيما هو أكثـر، لكنه لم يجرؤ على منحي لفظ «هانم» فهو لسيدة واحدة فقط في هذا المكان ولا أحد سـواها رغم أننا نناديها مدام پولا، اكتفيت بانحناءة رأسـه كلما رآني، أرضتني مؤقتًا، ولم يكن يزعجني في الفيلا سـوى كلاب پولا الضخمة لذا لم أسـمح بفك ربطتهما أبدًا إلا عندما أخلد للنوم كل ليلة!

هنا في الزمالك كانت أول مرة في حياتي أرى وأركب السيارة الكاديلاك، تُغيّرها پولا كل عامين بأخرى جديدة من ذات الموديل وبنفس اللون، سـوداء طويلـة لها أريكتـان عريضتان وثيرتان ومقعـد يمكن فرده وثنيـه بظهر الأريكة الأمامية خلف السائق، حقيبتها تسع أربعة رجال ممددين باسترخاء، بابها ثقيل أعجز عن إغلاقه، أجلس أمام مدام پولا على الكرسي المسحور مثلما يُسميه السـائق، فإذا مـا اصطحبَت إحـدى صديقاتها انتقلـتُ للأمام بجـواره، وأنزلنا الحاجـز الزجاجي الفاصل بين الأريكتين حتى لا نزعجهما فلا نسـمعهما أبدًا مهما أرهفنا السمع..

رغم جمال پولا وأنوثتها في تلك السن المتقدمة لكنها بدت لي باردة نوعًا مـا، فكرت لـو أن أمي قابلتهـا الآن لأعطتها بعض النصائح كي لا يشـقى معها عبـاس إن تزوجهـا كما يخطط، أسـررت له بمخاوفـي في مرة، لكنه بـدا باردًا هـو الآخـر وكأن الأمـر لم يعُد يعنيه مـن قريب أو من بعيد، لـم أُصدقه وعدت

للدوران في ساقية حيرتي مرة أخرى، رغم أنني مفتحة العينين جيدًا ومتنبهة لكل شاردة وواردة، لكنني شعرت بأني لا أرى شيئًا بوضوح مما يدور برأسه!

مع الوقت صار كلامي محدودًا، أكتفي في كثير من الأحيان بنظرات محددة كي يعرف الخدم ما أريد وما لا أرضى عنه، تعلمت من پولا نطق كلمات بفرنسية صحيحة إلى حد ما عما تعلمته بمدرسة آدمون، لكنني واجهت مشكلة في تخفيف بعض الحروف ونطق أخرى بجَرْس معين فكنت أضخّمها مما دعا پولا للتدخُّل كل مرة وتنبيهي، لكنني لم أفلح في تخطي تلك العقبة فضايقتني وجعلتني أكره الفرنسية والمتحدثين بها أكثر!

مرت أشهري الأولى مع پولا بسلام، لم يُعكر صفوها سوى ذهابنا لأول مرة سويًّا لنادي الجزيرة، قبلها بأسبوع عبثت پولا بدرج صغير ثم أخرجت بطاقة حمراء صغيرة قائلة:

– اتفضلي الكارنيه يا زينب، وكل ما نروح النادي لازم يبقى في جيبك!

فرحت وتهلل وجهي لبطاقة عضويتي بنادي الجزيرة، لكن سرعان ما انطفأ نوري لما وقعت عيناي على الكلمات المدونة بحروف مذهبة من الخارج «بطاقة مربيات»، صورتي بداخلها ورقم عضوية پولا واسمها فوق اسمي بخط أكبر، طويتها وشكرتها بصوتٍ خفيضٍ وذهبت معها للنادي. الآن فقط عرفت لماذا صممت پولا على تصويري!

دخلنا بالكاديلاك السوداء مكانًا مبهرًا في صُرة الزمالك، غيطان واسعة وحدائق ونخيل ولون أخضر لا حدود له، لم أرَ في حياتي كل هؤلاء الخواجات في مكان واحد مثلما رأيتهم هنا، كأنني سافرت إلى أوروبا التي يحكون عنها في دقائق بالسيارة، يومها التقت پولا بعض صديقاتها بحديقة الشاي في نادي الجزيرة فجلست معهن، سحبت كرسيًّا لأكون بجوارها على مسافة كالمعتاد، لكنها التفتت نحوي بهدوء لا يخلو من حسم قائلة لأول مرة:

- هناك يا زينب، بعيد شوية.. هناك من فضلك!

كررَتها وهي تُشير بإصبعها لمنضدة عريضة بعيدة قرب السور الحجري، تتراص أمامه مقاعد خشبية صغيرة تجلس عليها مربيات أجنبيات ومصريات قليلات بعضهن يحملن لعبة طفل أو حقيبة صغيرة، متأهبات لتكليفهن بأي أمر فجأة، وأخريات يجلسن في سكون كالتماثيل، انضممت إليهن واجمة، شعرت بخجل كبير أربكني، لما شاهدتني مايسة هانم جارة پولا وصديقتها الأرستقراطية المقرّبة والتي كانت تتردد على النادي مع شقيقها محمود عمرو باشا السفير بوزارة الخارجية، له وجه صارم ومتجهم دائمًا، لم يفهم ارتباكي وقتها وربما ظنّني أتلكأ فأشار بعصاه ناحية المكان الذي تقصده پولا.

كنت أشعر دومًا أن شقيقته مايسة هانم ترمقني باحتقار وتلقاني بابتسامة صفراء، رغم أنها لم تقُل لي شيئًا سيئًا أبدًا، بل هي دائمًا مبتسمة لا تكف عن الكلام لكنها متصابية في ملابسها كأنها تحاول التمتع بكل لحظة في الحياة رغم سنها الكبيرة، كنت لا أرتاح لها وأخاف أيضًا من كلابها الضخمة التي تتنزه بها بشوارع الزمالك عصر كل يوم، تمر من أمام فيلتنا وكلما رأوني قرب البوابة ينبحون بشدة فتبادلهم كلابنا المحبوسة النباح، يحاولون الهجوم عليّ وهي تجذبهم نحوها بالمقود الضخم لتكبح جماحهم، تخاطبهم بالفرنسية ليهدأوا، لكنهم يعاودون النباح كلما تحركت من مكاني أو حاولت التقاط حجر قريب خلسة من الطريق لقذفهم به، تلمحني مايسة هانم وتنهرني بعصبية كي أكف عن إفزاعهم وتطلب مني الانصراف من وجههم كي لا أضايقهم!

«أنا برضه اللي حضايق الكلاب يا بنت الكلب!»

أقولها في سري وأدخل مسرعة فيلا مدام پولا.

*****

الزينات معلقة في أكثر من مكان، صور الملك تطل علينا من علٍ بعينيه الحزينتين، تتدلى من حبال الزينة مصابيح ملونة تتراقص مع نسائم الصيف، الراديو ينقل لنا لحظة بلحظة مرور الموكب الملكي بالشوارع والعربة تجرها الخيول، يخبرنا المذيع أن الملك ظهر الآن مترجلًا في زي فيلد مارشال أبيض، الهتافات على الجانبين، سألت پولا:

- يعني إيه فيلد مارشال؟!

أشارت لي بالسكوت لتُنصت لخطاب العرش فقد بدأ الملك يتكلم، قال إنه خادم البلاد الأول وكل الفقراء غير مسئولين عن فقرهم وسيحصلون على ما يستحقون من غير سؤال فمن حق الفقير أن يجد العلاج الذي يشفيه من المرض ويحصل على التعليم الذي يحرّره من الجهل!

في إمبابة يختلف الأمر عن الزمالك، الصخب هنا أكبر احتفالًا بجلوس مولانا ولي النعم الشاب على عرش مصر، الكل يبدو فرحًا بتنصيب ملك جديد، لا شارع أو حارة تخلو من الصور والمصابيح الملونة، أكواب الشربات تدور على روّاد المقاهي والمارة عدة مرات، التفتُّ ناحية عباس بعدما علقت صورة فاروق بحجرة الضيوف التي نزعتُها من أحد حبال الزينة أثناء عودتي قائلة:

- والنبي شكله طيب وغلبان وأحسن من أبوه!

- وأنتي كمان بقيتي بتتكلمي في السياسة يا زينب!

- لأ بس فاروق يِشرِح القلب إنما فؤاد كان كِشر ويسِد النِّفس زي ما الست پولا قالت!

كان عباس ممسكًا بجريدة «المقطم» يتصفحها بلا مبالاة وهو يهز رأسه مستنكرًا، أخبرني أن الحكومة غيّرت أسماء عشرين قرية ببر مصر تيمنًا بالملك الجديد وقريتنا منها، صار اسمها الفاروقية، ابتسم وهو يطوي الجريدة مردفًا:

- مات الملك يحيا الملك!

*****

- زينب استعدي عندنا ميعاد بعد ساعة مع مدام BALOCK!!

قالت پولا وهي تُكمل ارتداء ملابسها، دقّ قلبي يومها بعنف، يا ترى هل فاتحها عباس في أمر زواجهما؟ ولماذا لم يُخبرني قبلها لأستعد؟ وما وضعي هنا إذا ما تم الزواج؟ هل سيخبرها الآن بأنني شقيقته؟ أم سيتركني أعيش بمفردي في إمبابة مرة أخرى باعتباري ما زلت قريبته من محلة مرحوم؟ كيف ستتزوج وهي مريضة بمرض بالقلب قضى على نضارتها فبدت أكبر من عمرها بسنوات ولديها طبيب شبه مقيم؟ تدافعت الأسئلة برأسي وشعرت بسخونة، ولم أجد مجيبًا..

مدام «بالوك» التي ذهبنا إليها مرتين من قبل لديها شقة كبيرة تحتل مساحة دور كامل في عمارة فخمة بوسط القاهرة أمام عمارة يعقوبيان، نشاطها ينحصر في تجميل السيدات، دهانات وبودرة تأتي خصيصًا من أوروبا في علب ملونة مختلفة الأحجام، لتضعه مدام «بالوك» بلمسات ماهرة على الوجوه فتتبدل تمامًا وتُصبح أكثر نضارة ونعومة، متخصصة في إعداد الفتيات للخطبة والزواج، أشبه بساحرة لكنها ليست في مهارة أمي التي كانت تغزل برجل حمارة وصارت أشهر ماشطة في محلة مرحوم وطنطا كلها، آه لو كان لديها إمكانيات مدام بالوك، لصارت الآن مدام حميدة أو «مدام ديدي»، تصعبت بشفتيَّ وضحكت في سرّي رغم هَمّي، تذكرت كم رأيت عندها فتيات قبيحات وخرجن من عندها يتشرطن للزواج!

كل ما يشغلني الآن مصيبتي التي وقعت فيها منذ أيام قليلة وأخفيتها عن الجميع، وموقفي هنا إذا ما تم زواج عباس، سعلت عدة مرات متتالية

وتحججت لمدام پولا بأنني أحتاج بعض الراحة لإصابتي بنزلة برد وأخشى أن أنقل لها العدوى، تركتني وذهبت لمشوارها بصحبة خادمتها هيلجا، رغم تراجع صحتها وبداية ظهور علامات الشيخوخة عليها لكنها كانت حريصة على جمال شكلها لآخر لحظة، حتى أمام مَن يزورونها وهي مريضة!

توجهت للحديقة الخلفية حيث كان عباس يحتسي قهوته ويُراقب العمال أثناء طلائهم للواجهة للمرة الثالثة لما حفر فيها جيوبًا كثيرة، متعمدًا تأخيرهم لأقصى مدة ممكنة بلا مبرر وكأنه يريد ألا يغادر الفيلا أبدًا، ألقيت بهواجسي كلها فوق رأسه ثم استلقيت بجواره لاهثة قلقة، مدّ ساقيه على مقعد خوص أمامه، أشعل سيجارة ببرود وهو يُلقي على مسامعي مفاجأة تلو الأخرى:

- مدام پولا صحتها في النازل.. مفيش أمل في شفائها ومش بتفكر في الجواز، المهم دلوقتي إنك تعملي حسابك على شغل جديد قريب جدًّا!

قالها عباس وهو يبتسم بخبث.. زاد قلقي وارتباكي من كلامه فسألته:

- ليه؟ هي ناوية تجيب واحدة غيري؟ ممرضة مثلًا؟

- لأ حتبقي معاها طبعًا، لكن في فترة الصبح كل يوم..

- وبعد الضُّهر؟

- حتشوفي طلبات بيتك وجوزك يا هانم!

وأد عباس دهشتي في مهدها وترك مخاوفي تناوشني بعنف، شككت لوهلة أنه عرف ما أُخفيه عنه فسارع بتزويجي، لكنه لم يُبدِ ما يؤكد مخاوفي ولا ما ينفيها تمامًا، هكذا هو دائمًا، مريب غامض لا يعرف أحد ما يدور في رأسه أبدًا..

فجأة نهض عباس ملوحًا بيده مرحبًا بعبد النعيم وولده عسران وهما يقتربان منّا، ظللت شاردة محلّقة في الفراغ بينما عسران لا يزال على ابتسامته الخجلة وإطراقته الخفيفة، ابتسمت رغمًا عني ابتسامة ربما كانت باهتة، ومن داخلي تمنيت الموت قبل أن ينكشف سري.

*****

7

«الطمع وحده لا يكفي، لُعبة الذكاء هي أول دافع للجلوس على طاولة القمار»

عباس المحلاوي

لـم يعد تثبيت قدم زينب في قلب النخلة يشـغلني، فهي نجحت فيما أردته لهـا لمـا التصقت بپولا أغلب الوقت حتى أتفرغ أنا لما دخلت الفيلا من أجله، اندمجت زينب بسرعة كأنها تربّت في هذا المجتمع، ذكاؤها الفطري يعجبني، راهنـت على مهـرة رابحة ويبدو أنني كسبت الرهـان حتى اليوم، اشـترت لها پولا كاميرا صغيرة هدية، طلبت مني زينب تصويرها بالحديقة وقرب المرسى وبصالون الفيلا حتى مللت منها، أربعة وعشرون صورة لها في أوضاع وأماكن مختلفة كل شـهر تقريبًا، سألتها عن سبب شغفها بالتصوير، لمعت عيناها وهي تحكـي لي عـن ألبومات صـور عديدة لمدام پولا وشـيكوريل تسـجل فترات طويلـة مـن حياتهما، تريـد أن تحتفظ بذكريات لهـا هنا إذا ما غـادرت المكان للأبـد، من يومها والكاميرا لا تفارقها تقريبًا ومعلقة برقبتها، أما حسـانين فبات أمـره سـهلًا لما جلبـت رجال عبـد النعيـم للفيلا ونثرتهـم في أنحائها فشـتت انتباهه عني وفي نفس الوقت قد يتعثر أحدهم فيما أبحث عنه، لكن مع الوقت خَفت حماسـي ولم يعُد يعنيني أي شـيء سوى اللحاق بقطار الثراء فركبت مع عبد النعيم بما تبقى معي من الأموال التي حصلت عليها من سرقة شيكوريل.

شاركته بناءً على طلبه مع أنني الذي كنت محتاجًا له لكنه خطا الخطوة الأولى قبلي، كان يجد صعوبة في التعامل مع الأجانب بالزمالك ووجدني أتكلم معهم بسهولة، قال لي ذات مرة إن هيئتي وملامحي تشبه الخواجات فضحكت، استرسل وهو يحدق في عيني:

- طب ما تشتغل معانا ونعمل لك ماهية محترمة!

الغريب في الأمر أنه وافق على شراكتي بألف جنيه، صحيح هو مبلغ ضخم جدًّا بالنسبة لي، لكنه ليس كذلك لدى عبد النعيم بالتأكيد، أشعلت سيجارة رابعة وهززت رأسي متحسرًا على أيام الزمن الجميل في السنوات الماضية التي بنينا فيها فيلات وبيوتًا كثيرة حتى تبدّل الحال.

أطفأت سيجارتي وعدت لشقتي مُثقل الرأس بالهموم والتفكير وأيضًا جسدي منهك، فمنذ الصباح أدور على المحلات والدكاكين بإلحاح من زينب للبحث عن إبرة وجالون جاز للوابور «البريموس» الذي اشترته مؤخرًا ولا أجدهما، مثلهما مثل سلع ومواد تموين كثيرة لم تعُد متوافرة، لكن فهيم أخبرني أنه يمكن تدبيرها بضعف ثمنها من السوق السوداء، لا يغلب فهيم أبدًا، دائمًا لديه باب خلفي يمرق منه للحصول على ما ينقصنا.

الحرب مُستعرة ولا إشارة لقُرب انتهائها بعد أكثر من أربع سنوات على اندلاعها، القاهرة تغير وجهها، صارت مدينة غريبة منهكة كأنها استيقظت من نوم قصير بعد سهر طويل، الإنجليز في كل مكان، الشوارع والأرصفة التي كانت تموج بالطرابيش والطواقي صار يتخللها عشرات من القبعات الكاكي، الطرق ازدحمت وأبخرة العوادم تصاعدت ممزوجة بعرق الدواب التي تجر الحناطير، عربات الترام مُجهدة تنافس عناء الحمير، سيارات أتوبيس «ثوركرافت» القديمة تزمجر مُعلنة عن قرب نهاية خدمتها، صرير عربات

الكارو يصم الآذان، تجرّها حمير متعبة هزيلة وقد علتها أكوام من الخضر، سيارات كثيرة تزأر من طرازي فيات وأوستن أغلبها يقودها أجانب، كونستابل على كل مفرق طرق يبدو متراخيًا نوعًا ما، ربما فتر حماسهم من جراء ضبط الإنجليز وخروجهم في ذات اليوم بلا عقاب!

تمددت على الأريكة بشقتي شاردًا حتى غلبني النعاس، استيقظت على جرس الهاتف، نظرت في ساعتي كانت تقترب من العاشرة مساءً، تناولت السماعة بتكاسل لأجد عبد النعيم على الناحية الأخرى يُحدثني بحماس:

- تحب تسهر سهرة ملوكي؟!

تركت سيارتي عند بيته وركبت بجواره في المقعد الخلفي وسائقه يقطع الطريق بنا إلى أوبرج الأهرام، المكان كان عاديًا منذ عام تقريبًا لا أحد يُوليه اهتمامًا خاصًا، مثله مثل أي كازينو للسهر والرقص، لكن منذ أن تردد عليه الملك فاروق وصار مكانه المفضل حتى أصبح العثور على منضدة لشخصين أصعب من دخول الجنة ولو قضينا عمرنا كله في استقامة زاهدين!

سألت عبد النعيم إذا ما كان لديه حجز باسمه هناك، بَرم شاربه وهز رأسه بطريقة توحي بأنه يستنكر سؤالي، اتسعت ابتسامتي وأنا أقول:

- لكن من إمتى يا حاج بتسهر في كازينوهات؟!

ظهرت مَسحة من كسوف عابرة على ملامحه وهو يُخفض صوته قليلًا كي لا يسمعه سائقه:

- حُكم القوي بقى، كلها دقايق وتعرف.. أكل العيش مُر، ولو عندك حاجة عند الكلب تقوله إيه؟

ضحكت وأنا أربت ركبته قائلًا:

- يا سِيدي!

الأضواء والموسيقى تُشعرك بأنك في عالم مختلف، أجواء شبيهة بألف ليلة وليلة، شلالات مياه تستقبلك بمجرد دخولك من البوابة، ما أن نعبر ممرًا طويلًا بعض الشيء حتى نجد أمامنا حمام سباحة هائلًا وعشرات الأرائك والمقاعد البيضاء الضخمة والمظلات الخضراء المطوية بإحكام وكأنها منكمشة على نفسها بعدما أُنهكت من جرّاء يوم مشمس طويل، زخارف بارزة التفاصيل لم أفهمها تغطي جدران صالة الرقص الشتوية لكنها بدت شبه معتمة ومهجورة، تجاوزناها قُرب السور لنعبر ممشى صغيرًا ضيقًا لنجد أنفسنا في الصالة المفتوحة على الحديقة.

رغم الكساد وتردّي الأحوال بالقاهرة إلا أن الحال هنا في الأوبرج يختلف تمامًا، لا يمكن أن تشعر بأي بوادر لأزمة اقتصادية تضرب البلاد بعنف، عشرات الزجاجات تُرج وتفور، يسيل الشراب من فوهتها ليصب في كؤوس المترنحين المنتشين، أكثر من مئتي شخص يضعون على وجوههم أقنعة سوداء ويرتدون قبعات ملونة، لاحظ عبد النعيم أن أطباق الطعام التي يتذوقون منها ثم يتركونها شبه كاملة تكفي لإطعام حي إمبابة بأكمله، كم هو غشيم هذا الرجل الصعيدي الطيب! تخيلت نفسي مديرًا لهذا المكان، بالتأكيد سأُعيد ترتيب الأطباق المرفوعة من مائدة لأضعها على أخرى بكل أريحية ولن ينتبه أحد من السكارى وسأكسب الضعف بنفس الكمية.

توقف عبد النعيم وأنا خلفه بخطوة واحدة على يسار المرقص وراح يدور بعينيه يمينًا ويسارًا، يُحدق أكثر في العمق حتى اقترب منّا رجل خمسيني وقور مهيب الطلعة وجهه مُشرب بالحمرة يبدو أنه «المتردوتيل»، بدا متضررًا للغاية من وجودنا، رمق عبد النعيم باشمئزاز، لم يبذل جهدًا لإخفاء ضيقه به وهو يسألنا بلكنة مصرية ركيكة للغاية عمّا نبحث عنه، همس له عبد النعيم باسم

شخص لم ألتقطه في حينه، تبدّلت ملامح الرجل على الفور وكأنها كلمة السر، اعتراه الاهتمام الممزوج بجدية حقيقية، أخرج نوتة صغيرة من جيب سُترته، تفحصها بسرعة ثم انحنى بأدب جَمّ بعدما تبدّلت قسماته مرة ثالثة وصار ودودًا للغاية وكأننا زبائنه منذ زمن بعيد، أشار لأحد أتباعه من بعيد وهو يضم قبضة يده ناحية صدره، ليقترب منّا شاب مهندم بسترة بيضاء حاملًا صينية من الفضة عليها طراطير ملونة وأقنعة سوداءِ صغيرة لتُغطي أعيننا، ظهرت الحيرة على وجه عبد النعيم وتبادل نظرات صامتة مع الرجل ومعي، فقال المتردوتيل بأدب:

- باردون يا بهوات.. الليلة فيه عندنا Bal Masqué..

قبل أن تتفاقم حيرة عبد النعيم ويفورُ غضبه كعادته همست في أذنه قائلًا:

- حفلة تنكرية يا حاج لازم نلبس قناع وبرنيطة زي الناس!

- إيه الكلام الفارغ ده يا سي عباس؟ هو أنا جاي في شغل والا جاي أتمسخر؟! عليا الطلاق ما يحصل أبدًا!

جذبت المتردوتيل من ذراعه فمضى معي سلسًا وأنا أقول له بلطف:

- هو الحاج كده يعتبر متنكر خلقة ربنا وممكن تعدي، أنا حالبس القناع علشان عندكم «بال ماسكيه» وعلى العموم إحنا كلها ساعة ونمشي.. اتفقنا؟

- داكور مون بيه!

وضعت القناع على عيني وسرنا وراءه إلى منضدة مستديرة متطرفة وكأنها أُعدت في آخر لحظة قرب مدخل الحديقة الخلفي، تكفي لثلاثة أشخاص، عليها بالونات وقبعات ملونة أخرى أزاحها عبد النعيم بغضب، جلسنا إليها وعبد النعيم ما زال يُبرطم، ودون أن يسألنا أحد عن طلباتنا رُصّت أمامنا بعد قليل أطباق صغيرة بها مُقبلات تفتح الشهية بالفعل مثل اسمها من مجرد

النظر إليها، فُتحت زجاجة كبيرة من الشمبانيا لفتت انتباه الجالسين بجوارنا وبعثت في وجوههم ابتسامة بلهاء، وُضع كأسان على المنضدة أبعد عبد النعيم إحداهما ناحية المقعد الخالي ووضع الثانية أمامي، ثم نادى الجرسون بلهجته الصعيدية متحررًا من كل قيوده قائلًا:

- هاتلي كازوزة أو لموناتة سُكر كتير الله يرضى عليك!

المكان لا يوجد به موضع لقدم ومع ذلك توجد طاولة كبيرة جدًّا تكفي لعشرة أشخاص على الأقل على يسار المرقص خالية تمامًا يقف بجوارها رجل وقور شديد الأناقة يرتدي قفازات بيضاء وسترة طويلة من الخلف كأن لها ذيلًا حتى ركبتيه، المنضدة منسقة بعناية وتبدو مهيأة لاستقبال ضيوف مميزين، حتى مقاعدها تختلف عمّا نجلس عليه وتبدو أكبر وأعلى، قبل أن أميل على أذن عبد النعيم وأسأله عنها حدث هرج قليل، تحولت الأعين ودارت الأعناق باتجاه المدخل الرئيسي، تعلقت الأبصار بشخص ضخم فارع الطول، مهيب الطلة، حوله حاشية لا تقل عن ثمانية أفراد. هدأت الموسيقى بالتدريج ثم عزفت سيمفونية شهيرة أعرفها ولا أذكر اسمها، لفت نظري انحناء كل مَن مرّ بهم الضيف نصف انحناءة.. كان الرجل هو مولانا الملك فاروق!

من منضدته يمكن للملك أن يرى كل الحاضرين، موقعه على رأس طاولته يكشف المكان لارتفاعه عن الجميع وزاويته تسمح برؤية بانورامية رائعة، شعرت لوهلة أن عينيّ التقتا بعينيه، ارتجفت وأحسست بقلق، خفضت عيني وأدرت حوارًا هلاميًّا مع عبد النعيم وأنا أتعمّد ألا أنظر للملك ثانية مباشرة إنما كنت أتحين الفرصة كي تلتقي عيوننا ثانية دون أن ينتبه عبد النعيم الذي كان متجهم الملامح يبحث عن شخص محدد حتى لمحه، فباعد بين شفتيه متنهدًا وأشار له من بعيد. عُدت أختلس نظرة سريعة نحو الملك بإيعاز من فضولي فوجدته يُتابعني ويبتسم، همس له الرجل ببضع كلمات، ليضحك مولانا ثم

ينشغل بحوارات جانبية مع ضيوفه وهو يُشعل سيجارًا ضخمًا وضعه في مطفأة أمامه بهدوء ولم يَقربه، اقترب منّا الرجل وصافح عبد النعيم بحرارة، قدّمني له باعتباري شريكه دون ذكر اسمي ثم التفت لي قائلًا بفخر:

- بوللي باشا يا عباس أفندي!

قبل أن يجلس معنا لفت نظري إلى تشابهنا وهو يخلع قناعه الدائري من على عينيه. صافحت الرجل بترحاب بينما تعلو وجهي دهشة من التشابه الكبير بيننا وكأننا شقيقان، وإن كان هو أقصر وأنحف وأيضًا يكبرني بعشر سنوات على الأقل. فتمتمت بكلمات مجاملة بأن هذا شرف كبير لي، أخبرنا وهو يضحك ويعب كئوسًا متتالية من الشمبانيا وكأنها زجاجة ماء وجدها بعد طول عطش أن مولانا هو الذي لاحظ الشبه بيننا أولًا، فاقترح جلالته أن أعمل دوبليرًا له حتى يكون متاحًا بالقصر طوال أربعة وعشرين ساعة كل يوم!

قالها وضحك عاليًا، تبادلنا نظرات سريعة أنا وعبد النعيم ثم ارتفعت ضحكاتنا أكثر من بوللي نفسه، مال عليه عبد النعيم فجأة وكأنه يُنهي اللقاء قائلًا:

- أنا جاهز ومستعد ورهن الإشارة!

تنبهت وأنا أتفحص وجه بوللي وملامحه فوجدته ينقل بصره بين عبد النعيم وبيني ولم يرد فأردف عبد النعيم:

- عباس شريكي ودراعي اليمين ونصيبه النص يا باشا.

- اطمن يا نعيم أنا كلمتي واحدة والا تحب أقولك يا نعيم بك مقدمًا!

- عبد النعيم يا باشا.. عبد النعيم موش نعيم وبس.

ارتفعت ضحكاته عالية مرة ثانية فبادلناه الضحك وقد تعقدت الأمور بالنسبة لي ولم أفهم مقصده، هَمّ بوللي بالنهوض لكن قبلها قال بنبرة مطمئنة وهو يُخاطب عبد النعيم:

- قبل ما تمشي حابعتلك واحد من رجالتي، ويوم ولا اتنين حيكون التصريح الجديد جاهز!

ارتشف آخر جرعة من كأسه ثم أردف:

- وكمان البكوية يا عبد النعيم.. مبروك عليك.

تبخر بوللي برشاقة شديدة من على مائدتنا وابتلعه الزحام والصخب، شرح لي عبد النعيم بعدها أن الأمور تعقدت مؤخرًا لأن هناك كثيرين يريدون مشاركتنا طعامنا ولو حدث لن نجد سوى الفتات، فلجأ لبوللي لكي يضمن له طبقه وحده ويُجدّد له ترخيص البناء في جزيرة الزمالك، أخبرني أن الوصول لبوللي وحده كلّفه ألفًا من الجنيهات وثلاث ولائم عشاء في فندق شبرد لآخرين!

- واشمعنى يعني بوللي باشا؟

سألت عبد النعيم بضيق لضخامة المبلغ الذي اقتطعه من رأس المال وكأنه مالي كله فأجاب وهو يزفر كما اليائس:

- كان كهربائي وبعدها بقى واحد مُقرّب من الحاشية وقالوا لي إن بُقه في ودن مولانا كل يوم وكلمته مسموعة.. بس شكله ملاوع وكرشه واسع!!

خمسة آلاف جنيه أحضرها سائق عبد النعيم في حقيبة على مائدتنا في وقت متفق عليه، ليتسلمها شاب إيطالي يرتدي بيريهًا مائلًا لليسار يضع سيجارًا قصيرًا رفيعًا بين شفتيه على حرف فمه لكنه غير مشتعل، أخذها بعدما وزّع علينا ابتسامات صفراء بالتساوي ثم انصرف دون أن يُعيرنا أي اهتمام وكأنه

يؤدي عملًا روتينيًا.. بعدها سدد عبد النعيم الفاتورة سبعة جنيهات ونصف الجنيه وترك خمسين قرشًا كاملة إكرامية وانصرفنا من المخرج الخلفي في هدوء وكأننا نتحاشى أن يرانا أحد!

انقضت مهلة اليومين واكتمل الأسبوع من بعدها ودارت الأيام حتى تجاوزت الثلاثين، وفي الشهر الثاني كان عبد النعيم قد جفّ رِيقه، أخبرني بأسى شديد أن بوللي لا يرد على مكالماته أبدًا، دائمًا غير موجود بمكتبه، مشغول دومًا مع جلالة الملك بالسراي، لم يحصل عبد النعيم على البكوية وظل حاجًا كما هو، ربما رأوا أنها أنسب له من الرتبة، أما تصريح البناء فقد أوشك على الانتهاء بعد أشهر قليلة ولم يصدُر الجديد بعد وهو ما كان يهمه أكثر مما لو منحوه الباشوية نفسها، حاولنا التردد على الأوبرج ثانية للقاء بوللي فكان الجواب كل مرة: «نعتذر لعدم وجود طاولة هذا المساء لشخصين»..

*****

ارتديت بدلة كاملة جديدة وقبعة وتوجهت إلى فيلا مايسة هانم للقاء شقيقها عمرو باشا بعدما أوصيت مدام پولا جارتهما بطلب موعد خاص، فتح لي سُفرجي بقفطان أحمر زاهٍ، انحنى بأدب وقادني إلى غرفة صغيرة بجوار الصالون، دقائق مرت سريعة وأنا أتأمل أبهة الفيلا لأجد الباشا فوق رأسي مرحبًا بكلمات قليلة، لم يُصافحني وجلس في مواجهتي واضعًا ساقًا فوق أخرى، أخرج علبة سيجار من جيب الروب الحريري الذي يرتديه فوق قميص ورابطة عنق، تناول واحدًا وأشعله في هدوء ثم هزّ رأسه وكأنها الإشارة بأن أتكلم، مهدت لكلامي حتى حاصر الضيق ملامحه وراح يطرده بتأفف وهو يزفر دخانه، طلبت مساعدته في التعرف على بوللي باشا وإنهاء التراخيص لصالح عبد النعيم. تراجع السفير في مقعده وقد انزعجت ملامحه أكثر مما سبق قائلًا باستنكار:

- أولًا بوللي موش باشا، ثانيًا أنا موش قومسيونجي علشان أعرفك على موظف بالسراي وتبتسم لي بخبث كأنك ضامن عمولتي.. أنا سفير وليّا سُمعتي ماقدرش أتوسط في أعمال مقاولات وهدم فيلات. شرفتنا يا عباس أفندي.. مع السلامة.

أنهى الرجل المقابلة فجأة حتى إنني استغرقت وقتًا طويلًا كي أخرج صحبة السفرجي، لكنني لم أيأس، طلبت من پولا التدخل عن طريق معارفها من زوجات الوزراء أو السفراء في نادي الجزيرة حتى حصلت لي بصعوبة على موعدٍ ثانٍ بالسراي من خلال آخرين أخذوا مني ألف جنيه كاملة لتقديمها لغيرهم حسبما قالوا، يومها استقبلني بوللي بكل ترحاب وتبادلنا الكروت الشخصية ووعدني خيرًا، كانت مقابلة طويلة ودودًا عرّفني فيها على أعوانه وبعض الباشوات المترددين على مكتبه، شعرت بأنني أقرب لبوللي وحاشيته من عبد النعيم، هذا هو الرجل المناسب لي، هو الذي سيجعلني أصعد ما تبقى لي عبر مصعد لا على درج طويل مثلما أسير خلف عبد النعيم منذ سنوات.

*****

- أنا حالعب بعشرين جنيه!

نظر إليّ حسانين باستغراب ولم تكن الدهشة الخارجة من عيون بقية اللاعبين أقل من دهشته، لكنه سرعان ما ابتسم وهو يتبادل نظرة خاطفة مع سالم ليبدل موقعه على المنضدة ويتركه لي، دارت الكروت وحُبست الأنفاس لدقائق بطيئة وكلما أشار حسانين إشارة ما لسالم عرفت ما بحوزته من أوراق لعب، وبالطبع فزت!!

منذ تراجُع أعمال عبد النعيم لم تعُد لي سلوى سوى مراقبة حسانين وهو يلعب الورق كل ليلة تقريبًا بشقته في الزمالك، ترددت عليه ليالي عديدة

بحكم جيرتنا المتلاصقة، الباب في الباب كما يقولون حتى إنني كنت أسمعه بوضوح لو تحدث بغرفة نومه، أتناول كأسًا أو اثنتين من الويسكي لديه، أتسلى بمشاهدته مع مَن يلعبون القمار معه، حتى شعرت أنني أعرف قواعد اللعب كلها، يجتمعون حول طاولة خضراء من الجوخ، اشتراها حسانين خصيصًا لممارسة هوايته يوميًّا، لها جيوب محفورة بسطحها أمام كل لاعب لوضع الورق فيها، بالإضافة لمنفضة سجائر وتجويف دائري غائر للأكواب، يمكن طيّها لتعود طاولة عادية إذا ما لزم الأمر ربما تحسبًا لقدوم البوليس فجأة، أو هكذا تصورت!

أتأمل حسرتهم كل ليلة وهو يستولي على ما في جيوبهم، ثم يبدأ في اللعب على ساعات اليد أو خواتمهم حتى تنفد ممتلكاتهم فيوقعون له كمبيالات بما خسروه أمامه، أتعجّب من عودتهم إليه مجددًا في أيام تالية، بدا لي الأمر غامضًا في البداية، انبهرت بمقدرته على الفوز كل مرة، لاعب ماهر ولا شك، حذِر، صبور، هادئ، تنمحي ملامحه كلها فجأة بمجرد أن تُصافح عيناه كروت اللعب، لكنني مع الوقت اكتشفت أنه يغشهم، نعم يغش.. لكنه يفعلها ببراعة، يُركّب أوراقًا على أخرى بمهارة وخفة كما يقولون ليكون «كاريه آس» بسهولة فيربح كل ما على المنضدة من أموال، يُرتبها بطريقة معينة ليحصل على أعلاها كل مرة، فقط يخسر أول دورين فيُغري زبائنه بالاستمرار، يرفع قيمة المقامرة تدريجيًّا ثم يجردهم من أموالهم، يغادرون وهم مطرقون، واجمون، بعدما خسروا كل شيء، الرادع الوحيد لانفلات أعصابهم أو غدرهم به كان مسدسه الضخم المتدلي من حمالة جلدية يلفها حول كتفه، تجعل مقبضه الخشبي ظاهرًا منها، واضحًا لكل مَن تسول له نفسه أن يمد يديه لما تمتّع به حسانين من مكاسب!

مؤخرًا بدأ يظهر على الطاولة شخص يُدعى سالم، على وجهه نصف ابتسامة لا تخفت كأنها محفورة، لا يتكلم أبدًا، حاولت جرجرته في الحديث أكثر من مرة، لكنه يكتفي دائمًا بإيماءات من رأسه وهزّها بما لا يعني الموافقة على كلامي أو رفضه حتى ظننته أخرس، في الأشهر الثلاثة الماضية كان سالم يفوز يومين على الأقل كل أسبوع، يبُدي حسانين غضبًا شديدًا للخسارة في كل مرة، يُهدد ويسب ويلعن ثم يهدأ، كان محقًّا في غضبه فالمبالغ التي خسرها كبيرة، لكن في ليلة انصرفت فيها مبكرًا، سمعتهما قرب الفجر من وراء باب شقتي يتحدثان، استرقت بأذني عبارات واضحة لا لبس فيها، فوجئت أن سالم هذا ما هو إلا شقيق زوجة حسانين، ثم أكد لي كلامهما أنهما شريكان يتفقان مسبقًا على إيماءات وإشارات محددة على الأذن والأنف ومسح الشعر، حتى عدد مرات إشعال السيجارة الواحدة بأعواد الكبريت، كل علامة لها دلالة حسبما فهمت من توبيخ حسانين له لعدم انتباهه لإيماءاته التي راح يُعددها له ليحفظها ويُعيدها على مسامعه كتلميذ خائب، أصبحا تسليتي المفضلة بعدها في كل ليلة، خاصة لما عرفت أن هذا السالم الأخرس يحصل على عشرة بالمئة من إيراد المنضدة في كل مرة يفوز فيها، وأنه لا يلعب بنقوده أبدًا!

جن جنون حسانين بسبب مكاسبي وبدا سالم مرتبكًا، لمعت حبات العرق على جبهته ولم تنزلق، كأنها تجمدت مكانها من الدهشة، أغراني حسانين بدور جديد برِهان مضاعف فقبلت وربحت، بعد انتهاء الدور الخامس تنبّه حسانين فيما يبدو، فقد ناداني وتحدث معي جانبًا في أمر تافه وقدّم لي سيجارة ودعاني لتناول كأس، لم يستغرق وقتًا، ولما عدت وجدت سالم قد غيّر مكان جلوسه مع حسانين الذي قرر المشاركة باللعب بدلًا من التوجيه والغش، حسبتها بسرعة، معي الآن مئة وأربعون جنيهًا، لا بأس سألعب بنصفها فلن أخسر شيئًا، لكن بعد ثلاثة أدوار جديدة توترت ووجدتني أرفع قيمة الرهان إلى الضعف بلا مبرر، أحاول التركيز واستنتاج ما يفعلانه لكنني فشلت، فسالم يجلس إلى

اليسار قليلًا قرب البار يُخفي وجهه بكروته، ألمحه لكنني لا أرى ملامحه بوضوح، كانا أسرع وأكثر خفة مني، وكلما التفت ناحيته متظاهرًا بالتململ في جلستي أجد أن الإشارات التي حفظتها قد تبدّلت أو فاتتني، تشابهت الأمور عليّ وارتعشت يدي وأصابني دوار مفاجئ، صرت أخسر حتى بقيت العشرين جنيهًا الأخيرة التي دخلت عليهم بها في أول السهرة، هنا قررت التوقف عن لعب الورق لكنني لن أتوقف عن المقامرة، ملت بجسدي مقتربًا من أُذن حسانين حتى لامستها تقريبًا وأنا أهمس:

- أنا عارف إنك بتغش مع سالم بحركات معينة، نصيبي 10٪ والا نلعب على المكشوف!!

لم يحتج حسانين سوى عشر ثوانٍ فقط ليقول بصوتٍ عالٍ وحاسم:

- كفاية كده الليلة يا جماعة.. أنا تعبان وعباس صديقي العزيز كمان تعب والا إيه؟!

*****

ذات ليلة عُدت قرب الفجر من عملي مع عبد النعيم وقد بات موضوع الكنز يشغلني أكثر من ذي قبل، شعرت بأنني أقترب من الوصول إلى الحل رغم كل هذه السنوات التي مرّت، أخبرني عبد النعيم هذا الصباح بعثوره على خزانة كبيرة أسفل بدروم فيلا عائلة يهودية هدمها منذ شهر ليُقيم عمارة بدلًا منها منتهزًا فرصة أن تصريح البناء الذي لدينا ما زال صالحًا لنهاية العام، يومها ذهبت معه وتفحصت المكان الذي عثروا عليها فيه خلف الجدار، أعادني عبد النعيم باكتشافه للماضي البعيد الذي لا يكُف عن الإلحاح على ذاكرتي، للمرة الخامسة فردت أمامي الخريطة التي عثرت عليها منذ سنوات في خزانة الخواجة شيكوريل ليلة مقتله وأخفيتها من وقتها، أمسكت بقلم رصاص

قصيـر، رحت أتخيـل خطوطًا وهمية وأخطها، حاولت استكمالها لمعرفة أين خبّأ هذا الرجل ثروته، لا بد أنه فعل مثل غيره ووضعها في البدروم خلف جدار من جدرانه، كل اليهود يفعلون ذلك فيما يبدو، لكن أعيتني الحيلة ولم أتوصل إلى شيء أبدًا!

مات شيكوريل وورثه أشقاؤه وپولا وبقيت خريطة كنزه معي مجرد ورقة حتى الآن تحمل سطورها سرّها ولا أستطيع كشفه أبدًا، هبطت البدروم خلسة عشـرين مـرة حتـى الآن على مدار سـنوات طويلة حتى تملكنـي اليأس، قلبت المـكان كله رأسًـا على عقب، اسـتدرجت زينب حسـانين أكثر مـن مرة خارج الفيلا ليكون عندي متسـع من الوقت ومع ذلك فشـلت، وضعت نفسـي مكان الخواجة، فتشـت في كل ثقب لكن طريقي ظل مسـدودًا، كلما نسـيت ويئست وتركـت البـدروم، يحـدث ما يُعيـد الأمر لذاكرتي، كأن شـبحًا يظهـر ويختفي ليلوح لي بكنز شـيكوريل، يغيظني ويمضي تـاركًا إياي فأبحث وراءه ولا أجد شيئًا فيبدو كمَن يُخرج لسانه لي!

ومضـت الفكرة في رأسـي وأبت أن تُبـارح عقلي، كلما طردتها ترسّـخت أكثر، عُدت أُحدث نفسي متسائلًا عن سبب بقاء حسانين كل هذه السنوات في الفيلا طالما عرف مكان الثروة وحصل عليها! ثم إنني الذي أبلغت عنهم وليس هو، هل طمع في الفيلا نفسـها ويريد الزواج من پولا؟ هززت رأسـي مستنكرًا تفكيـري العقيم الذي شـطح بخيالي وجعلني أدور في حلقـات مفرغة، عدت أُلقـى نظرة أخيرة على الورقة، أبرز ما فيها رسـم هندسـي أشـبه بشـجرة رفيعة لهـا فروع مهوشـة، بل هـو أقرب لنخلة مثل تلك المنقوشـة علـى كل بلاطات الأرضيـة والجـدران في البدروم، في وسـطها دائرة خلفها خيـوط مموجة، ثم وجدت سـهمًا رأسه يتجه لأسـفل وآخر برأسين يمينًا ويسـارًا، وأسفلهما رقم (5)، ولا شيء آخر!!

عقارب الساعة تشير إلى الرابعة والنصف فجرًا، فجأة في هذا الوقت المتأخر دق جرس الهاتف عاليًا فأفزعني، كانت زينب هي المتصلة وبصوتٍ شبه هامس طلبت حضوري لفيلا شيكوريل على وجه السرعة لأمر مهم، لم تبُح بتفاصيل سوى أن الأمر متعلق بالهانم كما قالت، أغلقت الخط فجأة وكأن أحدًا يقف بجوارها وسمعها، شردت ولم يدُر بعقلي شيء سوى أن پولا تحتضر، وربما تكون قد غادرت الحياة.

*****

8

«بذرة مجهولة رويتها وحدي فأثمرت وقطفها غيري في غفلة مني»

زينب المحلاوي

بعدما شعرت لأسابيع طويلة بأنني امرأة مرغوبة، عشت ليالي كئيبة لا أرى إلا سوادًا، فكرت في الانتحار، لا أجد ما أقوله لعباس، كيف أواجه الناس بما حدث لي ومني، هل يفقد أخي كل ما كاد يضع يديه عليه مثلما فقدت أنا الآن كل شيء قبله؟! عشرات الأسئلة تنهال فوق رأسي، تضرب جنبات عقلي بعنف، صرت شاردة.. حزينة.. تائهة، لا أنام بعمق كما كنت، لوهلة شعرت أن كل شيء ينهار أمام عيني، لحظة ضعف ولدت في المسافة الفاصلة بين الحقيقة والرغبة، تغلبت فيها الغريزة على العقل، لا يمكن تذكُّر تفاصيل تكوينها، ومضة خافتة في سماء الزمن لا تُرى أفقدتني توازني وتركتني لساعات ندم تفتك بي، ثم راحت تلتصق برأسي حتى أنام، فأراها في كوابيسي بتفاصيلها.

أخبرني عباس أن عسران يريد الزواج مني، وافقت بلا تردد فظن أخي من لهفتي أنني أريده منذ البداية، لم أجرؤ على المواجهة، تصنّعت ابتسامة خجلة بسرعة لكنها مؤدية للغرض وقتها فابتلعها عباس، ما الحال لو لم يتقدم عسران للزواج مني؟ كفى ما واجهته بمفردي من مصيبة راحت تضغط على أعصابي منذ شهرين تقريبًا، والآن تستعد للقضاء على ما تبقى مني، بطني في طريقه

للاستدارة إياها وبعد شهرين سيبدأ في الانتفاخ، ليعرف الجميع أنني حَبلت في الحرام وتتحول المصيبة إلى فضيحة، لا بد وأن الله أرسل لي هذا الأزهري الخجول في الوقت المناسب كي يستر فضيحتي المنتظرة، من داخلي كنت راضية عن نفسي قليلًا، لم أَقُم بإغواء رجل متزوج كي يترك زوجته ويتزوجني، لم تُحركني غرائزي وحدها، أنا شعرت بأنوثتي، أنا امرأة تُحب لأول مرة بصدق، وهذا حقي!

ما فات لا أحسبه من عمري بعدما وجدت في ساندرو رجلًا يُقدرني بعينيه ويهبني مشاعره ويغمرني باهتمامه، رأيت جمالي في لهفته عليّ، في شوقه لي، شعرت بدفء أحاسيسه لما تركت كفي بين يديه حتى لثمهما بقبلة طويلة بباطن يدي ولم يُغفل أناملي بعدها، يُقبلها جميعًا ببطء وتلذذ، يمتص بعضها بشهوة، أسكرتني طريقته في الغرام، وجدتني أنجذب أكثر، قلبي يدق مرة أخرى.. لكنها حقيقة هذه المرة، هناك على تلك الأرض الواسعة رجل يرغب فيّ ومستعد للزواج مني!

لست عرجاء قصيرة دميمة كما يتهامسون، لست عصبية المزاج مثلما يُشيعون، مؤكد أن الرجل يرى أنثاه جميلة في عينيه بقلبه، لا يهمه حسبها ونسبها ولا حتى قصورها وأموالها حسبما تتخيل مَن رأيتهن حول پولا، هناك الآن رجل وقور، مهم، متعلم وثري، يكبرني بعشرين عامًا، أتى من بلاد بعيدة كي يهيم بي عشقًا، ويركع تحت قدمَيّ!

منذ ثلاثة أشهر تقريبًا بدأ ساندرو طبيب پولا الإيطالي يتردد على الفيلا، أرسله أشقاء شيكوريل للعناية بأرملة أخيهم بسبب ضعف عضلة قلبها، من أول زيارة لمحت نظراته وإيماءاته واهتمامه الزائد بي، دكّ حصوني الضعيفة بعنف، لم تكن لديّ خبرة لمقاومته، تلاعب بكل أعصابي كحاوٍ، هزّ مشاعري بقوة فحرّك أنوثتي من سباتها، شعر ببوادر نجاحات غزوته لمشاعري مبكرًا،

فراح يُغازلني بصراحة حتى يأسرني في أقرب فرصة، لدهشتي كان يُجيد العربية كمَن تربّى في شوارع إمبابة، مع أنه حسبما عرفت منه قد جاء من نابولي لفترة انتداب محددة لخدمة السراي وزيارة بعض المستشفيات الخيرية لمتابعة الحالات بالمجان!

حكى لي عن دراسته للطب في القاهرة منذ سنوات مضت وسكنه في حي المنيرة بالقاهرة، كنت أضحك من طريقته في الحديث باللهجة المصرية، حتى الشتائم القبيحة كان يعرفها ويفهم معناها، يقولها ويجيد التعبير عنها مثل أولاد البلد، يغمز بإحدى عينيه ويتلوى أحيانًا بجسمه وهو يتغزل في جسدي، لم أحاول صده في البداية لكنني حافظت على مسافة آمنة بيننا راحت تتآكل رغمًا عني كل يوم أمام زحفه نحوي، ثم ضاقت قليلًا بتقدمي لخطوات قصرتها ليونة مشاعري، وكلما تغزل في جمالي واستدارة جسدي كنت أقف أمام المرآة، أتحسس جسمي، أُغمض عينَيّ، أتخيله وهو يضمني بقوة بين ذراعيه، أنتفض وتعصف الرغبة بأوصالي كلها، في كل لقاء كنت أسمح له بالاقتراب أكثر، كانت لديّ قدرة وقتها على إيقافه مع أنني أتقلب ببطء على نار الرغبة المتقدة بداخلي أكثر منه، حتى استسلمت في ليلة لا تُنسى بإرادتي متلذذة بعدم المقاومة، توالت بعدها الليالي التي كنت أنتظر قدومه فيها بشغف، يرويني ويرتوي، يحتويني ويُخبئني من عيون ترقبني بحذر ولا تقترب أبدًا!

أخبرني بهمس المراهقين وعيونهم اللامعة وهم يستكشفون أرضًا جديدة أنه أعطى پولا منومًا قويًا لتستريح من آلامها مؤقتًا، ستنام حتى الصباح بلا نوبات إفاقة مفاجئة، لم يعُد هناك ما يقلقني بعدما أزاح حجتي الواهية المتكررة، بخطوات بطيئة أدخلته غرفة غربية مطلة على النيل بزاوية شديدة الانحراف، ذات الغرفة التي قتلوا فيها الخواجة شيكوريل وكأنني أمحو ذكرى مشئومة بقصة غرامي الرومانسية لأحفر ذكريات غاليات تعيش للأبد، صعدت

لفراشه وذبت بين ذراعيه، أعجبتني عبارته عن وصف الجنس بأنه مشاعر بين حبيبين يمارسان الحب سويًا، ليس «ركوبة» كما كانت أمي تصفه لنسوان بلدتنا، كنت مبهورة مأخوذة أعيش في عالم ساحر وهو يُقبّل قدمَيّ، يمتص أصابعي بشهوانية تُثيرني كل مرة وكأنها الأولى وتجعلني كالمجنونة فأمزق ظهره بأظافري، يلتهمني التهامًا فأنتشي مرات ومرات، يُبقيني في حضنه بعدما نفرغ من بعضنا، يحكي ونضحك، نتقلب فوق الفراش عرايا لأشتهيه أكثر بعدها، عشت معه شهورًا من أحلى أيام حياتي. ثم فجأة غادر كما ظهر، تبخّر، كأنه لم يكن.. مجرد سراب!

في لقائنا الأخير أخبرته بتأخر دورتي الشهرية وقلقي، طمأنني واحتواني، بدّد شكوكي ليلتها لما وقّع كشفًا سريعًا عليّ، لكنه لم يقربني، هويت من سماء اطمئناني على أرض الظنون الوعرة فتألمت وكُسر بداخلي شيء لكني كتمت أنّاتي، بدا ساندرو مضطربًا يضع نصف ابتسامة بالكاد على وجهه وكأنها حمل ثقيل، أمضيت الليلة في أحضانه لكنها كانت باردة، شعرت بأنني أتكئ على جدار رخو مائل قد يسقط بي في أي لحظة، وصحوت في اليوم التالي فوجدته قد اختفى.

لماذا كان يقول لي إنني أُذكّره بكليوباترا؟ ما الذي دعاه لأن يسألني عن كيفية إشهار الإسلام بالأزهر؟ وهل يمكن أن يكون الأمر سريًا أم إنهم ينشرونه بالجرائد؟ ما الذي يُجبره لأن يقول «لا امرأة تُثيره مثلي».. سوى أنه أحبني وأراد الزواج مني؟!

شعرت فجأة بدوار غريب، لأول مرة أرى كل شيء يتراقص أمام عيني في ذات الوقت، الأرض تدور بي، العتمة تُغشي بصري، الطعام يُغادر معدتي صاعدًا كالصاروخ، ثلاث مرات يتكرر الأمر حتى سقطت في الرابعة بصالون الفيلا، وافقت پولا على منحي إجازة، ذهبت بمفردي لطبيب في وسط القاهرة

كانت تزوره الخادمة هيلجا وكنت ذهبت معها هناك مرة، بارك لي مهنئًا وأعطاني البشارة مولود صغير سيحل ضيفًا بعد سبعة أشهر تقريبًا. فلما تقدم عسران لي ألححت على عباس بسرعة إتمام زواجي، كنت قلقة، متوترة، مرتبكة، أكاد أبكي في أي لحظة حتى ساوره الشك ولعبت الظنون برأسه من فرط إلحاحي، لمعت عيناه، ظل يتفرس في وجهي ولا ينطق، دار حولي عدة مرات فزادني ارتباكًا، عيناه الغائرتان في وجهه وجفنه المنسدل قليلًا، تلك اللمعة التي تطل منهما، هذه النظرة النارية التي تسبق عاصفة غضبه كلها تزلزل كياني، تملكني الخوف واشتم عباس رائحته بسرعة، كنت أبكي بكاءً صامتًا قبل أن يصفعني فجأة بعنف حتى أدمى شفتيّ، ليعلو نحيبي بعدها، لم يسألني عن تفاصيل ولم أقل شيئًا، فهم كل شيء بمفرده، لكنه تفوّه بجملة واحدة ولم يزد:

- مين الكلب ده يا زينب؟

- ساندرو.. الحكيم اللي كان بيعالج ست پولا وسافر من أسبوع على إسكندرية!

أجبته وسط دموعي فلم يلن، ظل لنصف ساعة يفكر في صمت وأنا أرتجف من رد فعله القادم، قطع صمته وسألني عمّا أعرفه عن توكيل شركة الدواء الذي كان الطبيب ساندرو ينوي الحصول عليه والاستقرار في القاهرة، أجبته بالنفي وأنا مندهشة من سؤاله، جفّت دموعي واتسعت عيناي وضاق عقلي على سؤال عباس، تجاهل دهشتي ومضى، ذهب للقاء عسران وأبيه في إمبابة، عاد متأخرًا ليلتها، كنت أنتظره بلهفة وقلق لكنه لم يُعرني اهتمامًا، تركني بمفردي الليل كله يكاد الجنون يلاحقني في منامي ويُمسك بتلابيب عقلي ويُشتت أفكاري، في الصباح رأيته يرفع سماعة التليفون ويدير القرص ببطء وهو يتابعني بعينيه، تحدث بصوتٍ عالٍ مع عسران وابتسامة صفراء مرتسمة بعشوائية على شفتيه المرتعشتين بعصبية:

- خلاص يا عريس.. العروسة وافقت، بعد أسبوع حنعمل ليلتك الكبيرة وتكتب على زينب.

وضع السماعة وأغمض لبرهة والتفت ناحيتي بوجهٍ متجهم، أخبرني باقتضاب أنه تنازل عن شروط كثيرة بالمهر والشبكة والشقة، وأنهم يعرفون بسبق زواجي بمحلة مرحوم من عامين، أنا الآن أرملة لكننا كنا نُخفي الأمر عن الجميع!

- فاهمة والا أعيد الكلام؟!

أطرقت ولم أجرؤ على الرد، أومأت فقط بالإيجاب، تمتمت بحمد ربي على ستري حتى الآن، لم أجرؤ على سؤاله عن هذا المرحوم، زوجي الأول المزعوم، إلا أنه تبرّع به قائلًا وهو يستعد للنزول:

- قولي إنه ابن عمك، علشان يبقى كلامنا واحد!

*****

أنجبت طفلة جميلة سمينة بيضاء بعد سبعة أشهر وأسبوع، لم يفرح بها عسران فقد تمنّى طفلًا ذكرًا، بدا متشائمًا مني ولم يهتم بي من يومها، بعد يومين زارنا أهله وبدوا مثله وكأنها عدوى انتقلت إليهم، في اليوم الرابع هتف عسران فجأة بلا مقدمات وهو يهدهدها بأنها لا تُشبهنا على الإطلاق، قلقت من شكوكه رغم نبرته العادية، لكن عباس قطع أوتار شكّه الضعيف بسهولة قائلًا:

- سبحان الله! الخالق الناطق كأنها أمي الله يرحمها!

ابتسم له عسران ابتسامة مجاملة لا لبس فيها لكنه قال:

- العِرق يمد يا عباس أفندي، يبقى نسميها على اسم ست الحاجة وناخد بركتها.. حميدة عسران عبد النعيم!!

صرخت فيهما فخرجت صرختي واهنة:

- لأ.. أنا ناوية أسمي البِت «هانم» علشان لما تكبر كل الناس تقولها يا هانم غصب عنهم!

ابتسم عسران وبدا معجبًا بالفكرة، نقل بصره لعباس وكأنما يستأذنه في التراجع عن اسم حميدة، بادله عباس الابتسامة بأخرى شبه مبتورة، ثم سأله باقتضاب عن صحة عبد النعيم فأجابه:

- العضمة كبرت لكن أكبر دكتور في البلد حيكشف عليه من بكرة، حيطلع إسكندرية مع فهيم بعد ما حجزنا له عند الدكتور اللي اسمه «صاندور» الطلياني في مستشفى المواساة!!

أصابني الخرس وتظاهرت بقلقي على ابنتي، لمعت عينا عباس وبدا جسده مشدودًا متوترًا، عاد يسأل عسران عن سبب اختيارهم لهذا الطبيب بالتحديد، أخبره بأنه طبيب الملك، وعبد النعيم علاقاته واسعة، ثم أضاف:

- ما أنتم أكيد تعرفوه ما هو كان بيكشف على الست پولا في الفيلا وتقريبًا عايش عندها.. والا إيه يا زينب؟!

لا أعرف إذا ما كان عسران يقصد شيئًا بجملته الأخيرة، ربما أبالغ إذا ما قلت إنه يشك في أمري، لكنه قالها بنبرة مستفزة أقلقتني ولم أرد، شعرت بأن عباس توتّر أكثر مني ومع ذلك ظل صامتًا، انتظر حتى غادرنا عسران لتسجيل ابنتنا بدفتر المواليد باسمها الجديد «هانم» ثم اقترب مني قائلًا:

- انسي مدام پولا، بيتك وبنتك أولى بيكي من النهارده. أنا مش عاوز فضايح تاني وإلا حاقتلك!

- مسامحني يا عباس؟

لم يرد على سؤالي، ملامحه بدت متعكرة وهو يسترسل:

- إحنا ليه بنطوّل المشوار على نفسنا مع إن ربنا بيسهله ويقصره علينا من سكة تانية؟ تغور الفيلا باللي فيها!

*****

.. اختفى عباس بعد ولادة هانم بأسبوع لأكثر من شهر، ظننته نفذ كلامه وعاد لقريتنا كما قال يائسًا، لكن لماذا تركني هنا بمفردي؟ لم يعُد عباس قريبًا كما كان، باعدت بيننا الأيام والأحداث، كأنني أراه رجلًا غريبًا يقف على الضفة الأخرى من النيل ناحية الزمالك مرتديًا قبعته البيضاء الشهير بها، متسكعًا أمام الفيلات هناك، بينما أنا ما زلت جالسة في شرفة شقتي الصغيرة الضيقة في إمبابة أنتظر إشارته لي بالتحرك!

تبددت سحابة الحيرة لما أبلغني عسران أن عباس سافر إلى الإسكندرية مع فهيم وآخرين لأن لديهم عملًا ما يباشرونه هناك، أخبرني أنهما اصطحبا أباه عبد النعيم معهما ليراه الطبيبساندرو ويُجري كشفًا دقيقًا عليه ولم يزد بحرف، حاولت استدراجه ثانية متعجبة من اختياره لهذا الطبيب دون غيره، لكن عسران رد ببرود:

- اعملي عبيطة بقى.. ما هو شريك أخوكي في مصنع الأدوية والا فاهمة إني نايم على وداني؟!

- مصنع أدوية؟!

- أيوة وأخوكي سافر علشان يتمموا الموضوع والمصنع يشتغل قريب، بطلي بقى خُبث الفلاحين بتاعكم ده!

لا أعرف لماذا انقبضت فجأة، كيف خدعني عباس واستغل الموقف لصالحه؟ ولماذا وافقه ساندرو؟ لا بد وأنه هدده فخاف من أخي، دارت

الهواجس فوق رأسي وعلا ضجيجها كالغربان ثم راحت تنقر جبهتي بشدة حتى بعدما هاتفني عباس من الإسكندرية مرة ليطمئن على أحوالي ولما سألته عن أعماله هناك أغلق السماعة في وجهي، لما عاد رأيت منه وجهًا باردًا جامدًا كأنه بلا ملامح، سألته ثانية عمّا فعله في الإسكندرية فلم يرد، تحت إلحاحي راوغ كثيرًا حتى تعبت من دورانه فواجهته وأنا خائفة بشراكته للطبيب الإيطالي، سكت دقيقة كعادته قبل أنْ يجيب قائلًا:

- سرك اندفن وساندرو موش شريكي، المصنع مصنعي والأرض أرضي، تقدري تقولي إنه كان مجرد مُستخدم عندنا ورفدناه!

- رفدناه؟! أنتم مين؟

- أنا وصديقي بوللي باشا.. شريكي في مصنع الأدوية!!

- وسري اندفن إزاي يا عباس؟

أشاح بيده ولم يرد ثم نبّه عليّ بعدم فتح الموضوع، أيقنت يومها أنه قتله، حطم عباس ما تبقى بيننا من جسور المودة والمحبة ثم أحرقها كلها خلفه ولم يعُد يرى إلا نفسه، لأول مرة منذ قدومي للقاهرة أشعر أنني ممزقة، خليط غريب من عدة سيدات لا رابط بينهن، صرت مسخًا كما تقول الولية مايسة جارتنا وهي تصف ما لا يعجبها.

زمان وأنا صغيرة كانت أمي تقتلع حشائش صغيرة من الأرض وسط الزراعات، لما سألتها عنها قالت بطريقتها المتهكمة:

- حشيشة شيطاني غريبة تاكل وتشرب، تضر ولا تنفع، بس الفلاح الواعي يعرفها ويقلعها قبل ما تكبر وتتغول!

عباس صار «حشيشة شيطاني» الآن!!

عُـدت من الزمالك إلـى إمبابة مرة أخرى، عبرت عربـة الحنطور الكوبري المعدني الفاصل بينهما وأنا قابعة بداخلها، شاردة لا أكاد أُرى من فرط غوصي بمقعدي، تخترق أذني طرقعات سوط العربجي المتتالية وكأنه يجلدني مع كل ضربة، دقات حوافر الحصان تتسارع وكأنه سيدهسني تحتها بعد قليل، أُغمض عينَيّ بقوة حاملة طفلتي التي شغلتني وأخذت كل وقتي ولم يتعلق بها عسران مثلـي، انقطعت عن زيارة مدام پولا لفترة طويلة، وكلما أرسـلت في طلبي مع السـفرجي بشير الذي ارتاحت ملامحه بعدما تركت الفيلا؛ زاد عباس إصرارًا على الرفض، وكأن الفيلا صارت التفاحة المحرمة عليّ وحدي مع أنه أول مَن حرّضني على أكلها!

قبـل أن ينصرم العـام الأول لخروجي من جنة الزمالك، علمت أن پولا قد اشـتد عليها المرض مرة أخرى وتطلب عودتي بإلحاح، وافق عسران واكتفيت بحكم الشرع الذي يلزمني بأخذ رأي زوجي وأخفيت الأمر عن عباس، الحقيقة أنني لم أهتم حتى لأن أُخبره، وشـعرت في أوقات كثيرة أنه يعلم بترددي عليها لكنـه يتعمـد أن يبـدو متغافلًا، ومـن وقتها وأنا أشـعر بقوتي وأنه بـدأ يعمل لي حسابًا! ومع ذلك عدت أتردد عليها لكن لمرة واحدة أسبوعيًّا خوفًا من غضبه، ما زال يربكني كلما رأيته وهو يتفرس في ملامحي صامتًا!!

عدت أجلس معها وأُسـري عنها كما كنـا نفعل عندما كانت بصحتها، الآن تحدّنـا جـدران الفيـلا، لا نغادرها، فـي كل مرة أشـعر بأنني مذنبـة وفضيحتي ترقبني بعيون وقحة، الغرفة الغربية شاهدة على نثر بذرة ابنتي التي تكبر ثمرتها أمام عيني كل يوم، بدأت أرى خيالات غريبة وأسـمع أصوات أقدام تسير ببطء ثم تختفي، قرأت قصار السور التي أحفظها وأطلقت بخورًا وذبحت أرنبًا، لكن الزائر الغامض الخفي لم يختفِ مع أنني لا أراه أبدًا بوضوح!

اضطررت للتواجد يومًا ثانيًا كل أسبوع بسبب كثرة زيارات پولا من صديقاتها وجيرانها، أحيانًا لم تكن قادرة حتى على الخروج بكرسيها المتحرك، تبدل وضعي لما صارت قعيدة مما مكنني من مجالسة ضيوفها والتحدث معهم عن قرب، وإنهاء المقابلة عندما أشعر بأنني قد مللت منهن ومن ثرثرتهن، وحجتي أمام أعيننا جميعًا لا يملكن معها اعتراضًا.

- مدام پولا تعبت، بعد إذنكم، لازم تطلع ترتاح وتنام!

جملة لها وقع السحر، أرددها لأُبدد شمل الضيوف الثقيلين على قلبي كلما شعرت بغطرستهن أو تعاليهن عليّ، خصوصًا مايسة هانم التي كانت تزورنا كثيرًا، فهي أقرب صديقات پولا وجارتنا أيضًا، أشعر الآن أنني سيدة البيت!

مرت سنون وكبرت طفلتي هانم وبدأت أصطحبها معي للفيلا، أحبتها پولا وعطفت عليها، تلمع عيناي من السعادة وهي تناديها «يا هانم»!

وزادت فرحتي لما رأتها مايسة هانم وحاولت ملاطفتها فلم تستجب لها الصغيرة، سألتني عن اسمها، رددت وأنا أبتسم لها:

- اسمها هانم.. قولي لها يا هانم حتحبّك وتجيلك!!

لكن مايسة لم تستجب بسهولة مثل پولا، استنكرت الاسم وقالت ببرودها المعتاد:

- ده اسم تقيل وموش مناسب لطفلة، حيعمل لها مشاكل لما تكبر وتفهم.. باردون يا ست زينب ده رأيي!

القدر أيضًا كان له رأي آخر، فبعد أن توثقت جذور محبتي لطفلتي هانم، اختطفها القدر في يوم مشئوم وكأنه أراد إيلامي قبل نزعها مني!

تركها عسران بمفردها وذهب لعمله، كنت في الفيلا مع پولا نرتب لوليمة كبيرة فلم أصطحبها معي يومها، خرجت هانم تلعب مع جيرانها أمام بيتنا حتى

أقنعهم فتى يافع بالخروج إلى شارع النيل لاستقلال فلوكة، أغرتهم الفكرة، فانطلقوا تهدهد خيالاتهم رحلة نيلية موعودة، لم يتبصروا طريقهم جيدًا فاختطفتها عربة الترومواي، دهستها أسفل عجلاتها ببطء، طحنت عظامها وشوهت وجهها الجميل، مزقت بطنها حتى خرجت أحشاؤها كلها..

ميتة بشعة لا أتمناها لعدوي، لم أقوَ يومها على تغسيلها وهي عظام متناثرة وشتات لحم ووجه محطم بلا ملامح، أخرجني عباس بصعوبة من الغرفة متشبثة بذراعه كي لا أسقط، وصورة أبيها «ساندرو» لا تفارقني وكأن القدر أراد محو خطيئتي قبل أن يسترد وديعته!

ظللت ألطم خديّ ودار رأسي، أسدلت العتمة جفوني فجأة ويبدو أنني سقطت مغشيًا عليّ أثناء دفنها، بقيت بعدها في داري لعام كامل لا أغادره، ارتديت الأسود ولم أُغيره أبدًا من وقتها، جحظت عيناي بلا سبب وزاد وزني مع أنني لا أقرب الطعام إلا لأصلب طولي فقط، لم أعد كما كنت وكلما نظرت للمرآة مصمصت شفتيّ حسرة على حالي، أما عسران الذي ظننته خجولًا فقد تزوج عليّ بعدها بشهور، ليُنجب لأول مرة، لكنني لم أطلب الطلاق، بل لم أعبأ بأمر زواجه رغم أنه أخفاه عني لفترة حتى حملت زوجته الجديدة، وراح يُمنّي نفسه بمولود ذكر حتى ناله، ومن بعدها اتسعت الفجوة بيننا أكثر.

الوحيد الذي خفف عني قليلًا عتمة أيامي كان عباس، لم يتركني وحدي أبدًا، صمم على أن أترك بيت عسران لما علم بزواجه من أخرى، بدا وكأنه مذنب يحاول أن يُكفّر عن خطيئة كبيرة، قبل أن أذهب معه سألته للمرة الثالثة عن كيفية علمه بتفاصيل الحادث الذي راحت معه ابنتي فلم يكن أحدنا موجودًا وهو الذي أبلغنا بوقوعه، لكنه في كل مرة كان يجيبني بقصة مختلفة، حتى أتت نار الشك على ما تبقى بداخلي من سكينة!

صارت وجوه الطفلة هانم وساندرو وحمدان الذي تراذل على شقيقتي وقتله عباس أيضًا في الترعة تتراقص أمام عيني مثل طيور مذبوحة، تُقلق منامي كل ليلة.. يا ترى مَن الذي عليه الدور أولًا يا عباس؟! أنا أم أنت؟!

اصطحبني أخي لشقته الصغيرة التي يستأجرها بالزمالك بجوار شقة حسانين المصري، طابق أرضي في عمارة قديمة، عشت معه شهورًا في ضيق بسبب الحرب التي زادت من ضيقي، وساعدتني پولا التي أتردد عليها كل مساء على تغيير حياتي قليلًا، خفّفت عني بشراء ملابس جديدة لي من صيدناوي، ثم اقترحت أن أعمل في الصباح لأنشغل بحياتي وأنسى أحزاني، ألحقتني بوظيفة عاملة تليفونات في نادي الجزيرة، كل وظيفتي أن أطلب الرقم وأحدد الكابينة للمتصل، مهنة سهلة لأربع ساعات فقط كل يوم، لا تدرّ دخلًا جيدًا لكنها مسلية، عرّفتني الوظيفة على غالبية المترددين على النادي، كانوا كرماء معي خصوصًا في الأعياد، لكن الأهم أنها شغلتني قليلًا عن أحزاني خاصة أنني كنت أخرج من النادي لفيلا پولا للجلوس معها حتى التاسعة مساء كل ليلة، الوحيدة التي لم أُطق رؤيتها ثانية كانت «وش البومة» مايسة هانم، شعرت أنها حسدت ابنتي بسبب اسمها فماتت، تعمّدت تجاهلها في كل مرة أراها فيها حتى لما عزّتني في ابنتي أدرت وجهي وانصرفت دون أن أصافحها..

لم تكن مدام پولا على ما يرام، بدأت الصورة الثابتة الهزيلة تهتز أكثر، شحب لونها وامتقع وجهها ونحل جسدها، ذاكرتها تتراجع كل يوم، لم تعُد واعية جيدًا لما يدور حولها، ربما أرسلت في طلبي الآن كي أكون بصحبتها قبل أن تغادر دنيانا، هكذا شعرت من نظرة عينيها وإشارات أصابعها الأخيرة لي قبل أن تذهب في غيبوبة قصيرة كل مرة، منعت عنها الزيارة، بدأ الخدم يتعودون على وجودي الدائم مرة أخرى، حتى حسانين لم يُستثنَ من حساباتي، ألزمته بمواعيد محددة يأتي فيها لمكتبه بالبدروم ويغادره.. لكني لاحظت أنه

عاد يفتش في كل أركان البيت مثلما كان منذ سنوات ويبدو عليه الارتباك كلما لمحتـه، يغيب في البدروم بعد إغـلاق البابين وراءه، يختلق مبررات وهمية في كل مرة أضبطه فيها متأخرًا داخل الفيلا أو خلفها قرب المرسى، رأيته يتحسس الجـدران بصـورة مريبـة وبيـده عصـا كهربائيـة غريبة الشـكل، أبلغـت عباس بهواجسـي نحـوه، فزادها عندي، لمعت عيناه كمَن تذكـر ذكرى قديمة جميلة، شـجّعني علـى التواجـد باسـتمرار فـي الفيلا مـع پولا وتـرك عملـي بالنادي، حرّضني على سـرقة عصا حسـانين الكهربائية، طلب مني ترك الحبل لحسانين على غاربه لكنه قال محذرًا:

– بس اوعي يبعد عن عينك لو لقي حاجة!!

– حاجـة زي إيـه بـس؟ لو تريحنـيً وتقول لي ايـه اللي بتـدوروا عليه أنتم الاتنين من سنين!

– علبة، خزنة، ورق، فلوس.. أي حاجة مخفية يا زينب، المهم عينك عليه طول الوقت.

صمـت لبرهـة وهو يُحـدق في وجهـي وأنا مندهشـة مما يقولـه، ثم طلب منـي تفتيـش دولاب ملابس پولا والـدق على الجدار خلفـه. مصاحبتي لپولا وهـي في شـبه غيبوبة دائمة منحني وقتًا وطمأنينة كـي أفعل كل ما طلبه عباس، فتشـت فـي حاجتها لكن الجـدار كان صلبًا لـم ينبني من الدق عليه سـوى ألم كفـي، واصلت التفتيش بعدها حتى عثرت أثناء عبثي بشـكمجيتها على أوراق مطويـة بعناية ومحفوظة بكيس قطيفة ناعم، فضضتها برفق وقرأت ما دُوِّن فيها وصُعقت لما صافحته عيناي، انتفضت مسـرعة أسـتدعي عباس بالتليفون رغم تأخر الوقت، فالأمر لا يحتمل التأجيل أبدًا، هذا هو الذي يبحث عنه منذ سنين وقد وقع بين يديّ بالصدفة..

حضر عباس للفيلا متكاسلًا، راح يدور بعينيه وكأنه يتساءل عن پولا التي ماتت ولا يلاحظ أي حركة غير عادية، لما قرأ الأوراق تقلّبت ملامحه، ظل شاردًا لدقائق حتى حسبته لا يراني ولا يسمعني، فقد كان لا يرد على تساؤلي المتكرر:

- حنعمل إيه مع ناديا يا عباس؟!

طمأنني بكلامه لكنه فجأة تمتم «ينصر دينك يا زينب» ثم هرول مسرعًا باتجاه البدروم على ما أظن وسرعان ما ابتلعه، وقفت حائرة لفترة طالت قليلًا ولما هممت بدخول الفيلا وجدته أمامي فجأة في وجهي يقطع الطريق عليّ فارتبكت. أشهر مسدسًا ضخمًا في وجهي فك عقدة لساني، لم يطُل حواره معي فما أن فرغت من حكايتي حتى قيّد قدمَيّ ويدَيّ ووضع شريطًا عريضًا على فمي وحبسني في غرفة صغيرة قرب المرسى، لما أغلق بابها خلفه غرقت في العتمة وشعرت أنني قد دخلت قبري.

*****

9

«أحيانًا يكون الحل أمام عينيك ولا تراه بسبب انشغالك بالبحث عنه»

عباس المحلاوي

لا تـزال كلمـات زينب ترن فـي أذني، تذكرت مـا كتبته الصحـف بعد ليلة الحادث عن ابنة الخواجة شيكوريل التي تُدعى ناديا من زوجته الأولى، الطفلة التي نامت ليلتها ولم تشعر بنا ونسيها اللصوص، عرفت مـن پولا بعدها أنها سـافرت بعد الحادث بأشـهر قليلة لتعيش مع عمها وانقطعت أخبارها من بعد ذلك.. الآن عثرت زينب على وصية بخط اليد تحمل توقيع شيكوريل بمفرده، وورقـة ثانية توضـح الممتلكات التي سـتؤول لناديا، نسـختان باللغتين العربية والإيطاليـة، كلاهما ممهـورة بأختام حكومية من المحكمة المختلطة والشـهر العقاري في نابولي ومصلحة تسجيل أملاك الأجانب بالقاهرة، توقيعات كثيرة وتصديقات بيضاوية ودائرية ومثلثة، بالطبع كانت الممتلكات تمثّل كل شـيء، المحلات والأسـهم والأراضي والسـيارات وفيلا قلب النخلـة بالزمالك التي أبحث فيها عن الثروة المخبأة!!

لكـن أيـن ناديـا ابنته هـذه الآن؟ ولمـاذا لم تظهر بعـد وفاة شـيكوريل منذ سنوات لتطالب بميراثها؟! كل شيء تقريبًا آل إلى إخوته، وپولا حصلت على نصيبها، هدأت قليلًا لأفكر في المسـتفيد من إخفاء الوصية، لا شـك أنها پولا،

لا يوجد ما ترثه ناديا الآن سوى فيلا قلب النخلة وبضعة آلاف من الجنيهات!

أصابني وجوم غريب وأنا أتأمل الفيلا، شعرت لوهلة أنها تتضاءل أمام عيني وتكاد تختفي، حتى سألتني زينب فجأة بعفوية:

- هو ليه الخواجة سماها بالاسم ده؟ ده حتى قلب النخلة فاضي وصغير، أما راجل غريب صحيح!

كلمات زينب المستنكرة أوقفتني متسمرًا في مكاني، ثم قفزت فجأة من فرط السعادة، حتى كدت أصرخ: وجدتها.. وجدتها، التفتُّ حولي فلم أجد أحدًا، فاحتضنتها بقوة قائلًا:

- ينصر دينك يا زينب!

- يعني إيه؟!

- بعدين أشرح لك بالتفصيل.

- وحنعمل ايه في ناديا يا عباس؟

- دي وش السعد علينا يا زينب!

تركت شقيقتي تضرب أخماسًا في أسداس وهرولت ناحية مدخل الفيلا الخلفي، على أطراف أصابعي مستعينًا بمصباح كبير رحت أتبين خطواتي بالبدروم حتى لا تلفت الإضاءة النظر لوجودي بداخله، فردت الخريطة على سطح المكتب، بدأت أبحث باتجاه الأسهم عن البلاطة الصغيرة التي تحمل قلب نخلةٍ خاوٍ مثلما كشفت زينب بعفويتها، كل أرضية الحجرة من البلاط المربع وجميعها تحمل نقشًا لنخلة صغيرة، كلها متشابهات فالتبس عليّ الأمر من قبل، كل واحدة تحمل رسمًا دقيقًا في منتصف جذع النخلة لقلب أخضر، إلا واحدة بالتأكيد مثلما تُشير الخريطة ومن المستحيل بالطبع أن أجدها، لأنني لم أفكر مثل زينب ولا بد أنها على صواب!

على ضوء المصباح بحثت لأكثر من ساعة حتى تصببت عرقًا من شدة توتري ولم أجد شيئًا، عدت للخريطة فلاحظت لأول مرة أن الرسم يُشير لارتفاع البلاطة عن الأرض بنحو متر تقريبًا، تلفتُّ حولي لأكتشف مرة أخرى أنني شديد الغباء، لا بد أن البلاطة خلف المكتبة الضخمة التي تغطي الآن الجدار الأيمن للبدروم ولا بد أيضًا أن وقت رسم الخريطة لم تكن المكتبة موجودة، حاولت زحزحتها ففشلت لأنها مثبتة في الحائط، تعجبت وعُدت لحيرتي، حتى وقعت عيني على دوسيهات قديمة ضخمة في منتصف الرف الثاني، رفعتها بصعوبة لثقلها، وجدت خلفها على ضوء المصباح بلاطات مشابهة لتلك التي بالأرضية، بدأت البحث متلهفًا، دقات قلبي تتسارع، شعرت أنني سأصل حتمًا للكنز المدفون هنا، أنا قريب منه جدًا ولا أراه لكن عقلي وقلبي يؤكدان لي ذلك.. حتى وجدتها أخيرًا..

كدت أصرخ فرحًا، ها هي أمامي كما توقعتها بالفعل، بلاطة وحيدة مختلفة عن الباقيات، قلب النخلة المنقوش عليها كان بلا لون، متفردة عن الباقيات، تحسستها بلهفة، كانت غير مستقرة، دفعتها برفق لأكتشف فجوة وراءها بالفعل، ثم لاح لي مقبض خزانة معدني لامع، بدأت في محاولة نزع بقية البلاطات التي حولها بسرعة والعرق يُغرقني من فرط انفعالي وخوفي معًا، انتزعتها بسهولة من مكانها، الآن الخزانة تظهر كلها أمامي، يا للهول! كيف تفتق ذهن الخواجة اللئيم عن هذا المكان؟ ولماذا؟ ما الذي تحويه تلك الخزانة الحديدية ولماذا حجمها صغير؟ هل بعد ذلك كله يحتفظ شيكوريل بمستندات وأوراق أخرى؟!

حاولت فتحها فلم أفلح، قفلها مزود بأرقام وحروف لا أعرفها، لا بد وأنها خمسة أرقام فقط مثلما دوّن الخواجة في خريطته وبعدها أدير مفاتيح الأقفال يمينًا ويسارًا باتجاه الأسهم لتنفتح، فكرت في تكرار رقم (5) خمس مرات،

لكن كل قفل منهم لم يستجب، ضغطتها بالترتيب من واحد إلى خمسة لكنها رفضت الاستجابة مرة أخرى، بدأت أقلق وأنفاسي تعلو وعقلي يدور بسرعة ولا أجد حلًّا!

لا أعرف كم من الوقت مرّ عليّ وأنا في البدروم، لكن فجأة هبطت كفّ على كتفي اليسرى، انتفضت مكاني وقبل أن ألتفت شعرت بفوهة مسدس باردة تُغرز في رقبتي من الخلف وتلتصق بها، ثم خرجت كلمات هامسة ممّن يقف ورائي، لكنها حاسمة، وبنبرةٍ آمرة سمعت:

- اضغط حروف NADIA.

*****

دار القفل وانفتح بحروف اسم NADIA لما ضبطت المؤشرات الخمسة الصغيرة عليها بالترتيب، امتدت أصابعي المرتعشة لتجذب مقبض الخزانة الصغيرة، صافحت عيناي ماسة كبيرة بحجم قلب نخلة بالفعل إن لم تكن أكبر قليلًا، تتلألأ بعظمة على وسادة من القطيفة خضراء داكنة، ماسة شفافة أرى ما وراءها بوضوح، تخطف الأبصار، أشعرتني لوهلة أني أقف على الحافة بين الحقيقة والخيال، لم أرَ في حياتي شيئًا بهذه الروعة، بجوارها سبائك ذهبية عديدة متراصة فوق بعضها بعناية لكنها تتوارى خجلًا من أبّهة الماسة، وجدت أيضًا قطعًا أخرى متناثرة من الماس متفاوتة الأحجام لكن أغلبها صغير، تذكرت حواديت جدتي وأمي وها أنا أراها رأي العين، أشعر أنني الغلام الصغير في حواديتهما الذي عثر على الكنز، تأخرت لكنني وصلت في النهاية.

شهق حسانين من خلفي وقد تراخى مسدسه قليلًا عن رقبتي، لم أُقاومه، ظللت مشدوهًا بما أراه أمامي، فتأثيرها أقوى من سلاحه الذي يهدد حياتي، حجمها ولا شك سيُغير حالي، لم أكن قد أفقت من سكرتي بعد لما مد حسانين

كفّه الكبيرة والتقط الماسة، ثم دسها في جيبه لينتفخ ووضع بقية محتويات الخزانة في حقيبة قماشية بهدوء.

ابتعد عني بضع خطوات وهو يلوح بمسدسه قائلًا:

- أكيد حياتك أغلى عندك، امشي قدامي بهدوء!

بدا وكأنه يؤكد حقيقة مقتنعًا بها، لم يكن يُلقي سؤالًا ينتظر جوابًا عنه، قررت المقامرة بكل شيء حتى حياتي، فقد اشتممت رائحة خوف تنبعث من حسانين رغم سلاحه المصوّب نحوي، خُيّل لي أن يده ترتعش، يريدني خائفًا مثله، يبدو مترددًا لا يثق في قدرته على قتلي، جلست على أقرب مقعد وأشعلت سيجارة، تسربت الثقة لعروقي، وضعت ساقًا فوق أخرى لأُشجع نفسي أكثر قائلًا:

- اقتلني.. لأني لو خرجت من هنا حابلغ البوليس عنك!

- ويا ترى حتقول للبوليس إنك كنت هنا بتسرق الفيلا؟!

قالها بسخرية فرددت بذات الثقة:

- لأ.. حابلغهم أنك الخامس في قضية قتل الخواجة شيكوريل، أنا فاكر ملامحك كويس من أيام بار «ريكسوس»، وعرفتك من أول يوم دخلت فيه الفيلا وكنت متأكد إنك فتشت عن الماسة قبلي، أنت حرّضتهم على السرقة لكن نابك طلع على شونة، الخريطة أنا أخدتها من يومها.

أصابته دهشة في سويداء وجهه، قلبت ملامحه، فجأة سمعنا صوت عصا تدق أرضية الفيلا الخشبية آتيًا من بعيد لكنه مسموع، اقترب مني حسانين وهو يُشير بإصبعه على فمه كي لا أُحدث صوتًا، التصق كتفانا، أرهفنا السمع، الدقات منتظمة لكنها لا تزال بعيدة وكأن صاحبها يدق في مكانه بعصاه ليُخيفنا، فهمست له:

- يمكن تكون زينب بتنبهنا!!

هز حسانين رأسه بالنفي على تفسيري، عُدنا للخلف قليلًا حتى أصبحت الخزانة الخاوية وراءنا تمامًا، تنبّه حسانين لها ووضع فيها الحقيبة ثم وارب بابها بهدوء، سكن الصوت فجأة، ظللنا على حالنا لخمس دقائق متوترين حتى تنهد حسانين مطمئنًا وابتعد عني وهو يُردد:

- أنا كنت متأكد أنك سرقت الخريطة، لكن ماعرفتش عملتها إزاي وإمتى، شكّيت فيك أنا ومدام پولا من أول يوم وتظاهرنا بأننا قبلنا عرضك الخايب بتجديد الفيلا على أمل توصلنا للماس والدهب، لكن أنت اتأخرت كتير يا عباس، كل مرة بتدخل فيها البدروم كنت باراقبك ومنتظر اللحظة دي من سنين وآهي جت، أنا كان عندي شك كبير فيك لأن آرنستي قال لي وأنا بازوره إنك هربت منهم وبلّغت عنهم..

- آرنستي اللي تركت له مفتاح البدروم تحت الدواسة يا حسانين والا كنت فاكرني مغفل؟!

ضرب جبهته بكفّه وندم لتسرعه وندمت أنا أيضًا بعدما شعرت بأنني تسرعت في الكلام مثله، انكشف ورقنا بالكامل على طاولة اللعب، لا دور للذكاء أو الحظ الآن، الغلبة للأقوى، تصبّب عرقي من اضطرابي، ارتعشت كفاي قليلًا، تخوفت من انفلات لساني مرة أخرى ثم غمرتني الدهشة لشك پولا فيّ من البداية، إذن كانت شريكة حسانين وتبحث عن الماس أيضًا وتظاهرت بالبلاهة مثله!!

هدأت قليلًا لما شعرت بأن الخوف أغشى عينَيّ حسانين عن جزعي وتوتري، لم يعُد يرى سوى نجاته الآن من حبل المشنقة مثل مَن حرّضهم منذ سنوات بعيدة، بالتأكيد لن يُضيف لجرائمه جريمة قتل جديدة تحمل أوراقها اسمي كمجني عليه، لن يتهور ويُطلق النار، سادت فترة صمت تخللها صوت

آخر لكنه لطرقات مكتومة آتية من بعيد، قلقت.. ابتسم هذه المرة ببرود وهو يقف على صندوق قديم دافسًا وجهه في طاقة زجاجية صغيرة تطل على الحديقة، أخبرني أن زينب اعترضت طريقه قبل دخوله البدروم وافتعلت مشادّة معه فاشتعل الشك بداخله، اضطر لقيدها ولصق شريط طبي على فمها وأخفاها في كشك خشبي قرب المرسى. عادت فترة الصمت تسود حتى كدنا نسمع أنفاسنا بوضوح، قطعها حسانين بهدوء لا يخلو من تخاذل واستسلام، أو هكذا خُيل لي:

- خلاص نقسمها بالعدل بيني وبينك!

ارتحت لردّه، ها هو بدأ يلين ويريد أن ينتهي الأمر بأقل خسارة ممكنة، قبل أن أُجيبه استرد جرأته فجأة كمَن استدعاها من مكمن خفي وهو يستكمل:

- مافيش عندي حلول تانية ما تفكّرش كتير!

- ومين يضمن لي حقي؟

- مافيش ضمان غير كلمتي، أنا حاتصرف فيها خلال يوم أو اتنين بالكتير، وبعدها تغور من الزمالك كلها وترجع بلدكم تاني..

وجدتها فرصة للمساومة، هززت رأسي رافضًا عرضه، اقتربت منه ببطء، عاد مستسلمًا مرة أخرى كأنما مسّه الجن فبات ليّنًا ساكنًا منتظرًا تشكيله بمعرفتي، تشجعت وخفضت قبضته المرفوعة بالمسدس بهدوء قائلًا وأنا أشعر بأنفاسه المتلاحقة تلفح وجهي:

- الماس والدهب مدام پولا لها نصيب فيه، يعني القسمة المفروض تكون على تلاتة مش اتنين، ولو فكّرت تبلّغ عني فزينب أختي عارفة كل حاجة عنك وهي كمان لها نصيب، وحتبلّغ البوليس ضدك لو حصل لي مكروه، يعني أنت نصيبك الربع!

رفع حسانين حاجبه الأيسر مستنكرًا، لكن قبل أن يرد على كلامي قلت بحسم:

- وبعدها أنت تغور من الزمالك ومن مصر كلها كمان!

اضطر حسانين للجلوس بعدما تعب من الدوران بالبدروم، فقد بدا لي شبه منهار وهو يتهاوى على مقعده، فظللت أضغط أكثر وأهدده لأُخيفه، لكنه ظل شاردًا لفترة طالت شعرت معها أنه لا يعي جيدًا كل ما أقوله، بدأ يحكي بصوتٍ رخيمٍ وكأنه يقرأ من كتاب قديم أخرجه من السندرة، روى لي أنه عرف بالمصادفة البِحتة من پولا بموضوع الخريطة التي رسمها شيكوريل قبل مقتله وكان ينوي تسليمها لابنته ناديا التي أنجبها من زوجته الأولى بعدما وهبها كل شيء، لم يكن يريد أن يرثه أشقاؤه أو زوجته الجديدة پولا، فهمت من حديثه أنه اتفق مع آرنستي على سرقة الخريطة لكنه لم يخطط للقتل أبدًا.

- يعني آرنستي يعرف موضوع الخريطة؟

- طبعًا لأ.. هو كان عاوز فلوس، أنا اتفقت معاه يجيب لي أي ورق يلاقيه والباقي له لكن أنت سرقت الخريطة!

- ومدام پولا كانت عارفة بموضوع السرقة؟

- مش شغلك تعرف تفاصيل، تقدر تقول إنها اتفاجئت وسكتت وأنا بعد كده كان شاغلني الخريطة أكتر من أي حاجة تانية، أما پولا فأيامها في الدنيا معدودة، خرّجها من حساباتك.

تنهد حسانين بعمق وهو يُكمل حديثه قائلًا:

- والباقي أنت عارفه لما دخلتم وقتلتم الخواجة، بعدها پولا سألتني عن الماس والدهب لما شافتني بافتّش في البدروم ومن يومها وإحنا بندوّر لغاية ما ظهرت أنت فشكّيت فيك وراقبتك وهي افتكرت ملامحك بسرعة رغم

النضّارة والدقن والبرنيطة اللي ما قلعتهاش غير لما اطّمنت لنا، لكنها عرفتك ووافقت أنك تدهن الفيلا وتصلحها وتقعد معانا كتير رغم أن الشغل خلص ووافقت على وجود زينب وشكت أنها أختك كمان على أمل إنك تلاقي الألماظ والدهب وبعدها نخلص منك، لكن مع الوقت يئست واتعودت على زينب واتعلقت بيها لما ريّحتها ومع الوقت نسيت الموضوع وكمان المرض هدّها وحركتها بقت قليلة.. لكن أنا عمري ما نسيت!

- مش أنا اللي قتلت شيكوريل، أنا أخدت الخريطة وهربت منهم وده حقي، أنا تعبت ودوّرت سنين على الخزنة ومش حاسيبها لك يا حسانين إلا على جثتي!

فرد ساقيه فوق سطح المكتب بحيث أصبح حذاؤه في وجهي وهو يقول باستهزاء:

- طبعًا كنت مخبي إن زينب أختك علشان طمعان تتجوز پولا يا أجرب!

لم أردّ على كلامه، جززت أسناني بغيظ وأعدت تهديدي على مسامعه، قاطعني وهو ينظر للفراغ قائلًا:

- آخر كلام عندي نبيعها الأول وبعدها نتفاوض وحقك مضمون لأننا حنروح مشوار البيع مع بعض، ولو مش عاجبك كلامي حابلّغ البوليس وپولا تاخد الخزنة وما فيها أو ناديا بنته لو كانت عايشة، واحنا نخرج ملط من الموضوع.. فكّر كويس.. پولا بتموت خلاص وناديا في علم الغيب وما تعرفش حاجة عن الوصية، إنما احنا العمر لسة قدامنا طويل!

- ولو ناديا بنت شيكوريل رجعت حنعمل إيه؟

- كانت قعدت لما أبوها مات وطالبت بحقوقها، ناديا سافرت سويسرا مع عمها ولما مات من كام سنة ورثته لأن معندوش أولاد وعمرها ما حترجع لأن پولا موش أمها ولا ليها حاجة هنا، شيل ناديا من حساباتك خالص.

عُدنا لنقطة البداية مرة أخرى، اعتدل في جلسته وهو يلوّح بمسدسه، بدا ملولًا عجولًا، فاقترحت عليه اقتسام الماسة الكبيرة بقطعها نصفين متساويين والباقي سهل اقتسامه بالعدد، ابتسم حسانين لأول مرة قائلًا:

- أنت باين عليك غشيم، فعلًا فلاح من محلة مرحوم وعمرك ما حتنضف على رأي مدام پولا!

هبّ واقفًا، اقترب مني وهو يُحدق في وجهي، شرح لي أنه لا يمكن اقتسامها بسهولة هكذا، لابد من ماسة أخرى وجهاز مخصوص للقطع وخبير يفهم في كيفية قطعها وإلا فقدناها للأبد، أجلسني كصبي خائب أمام معلمه الذي يُلقنه أصول المهنة، شارحًا أن الخواجة شيكوريل كان يضع ثروته كلها في الماس والذهب، يُلقي الفتات في البنوك ليُدبر سيولة تُسير تجارته مع إخوته، أما الثروة فتُجمّد أولًا بأول في تجارة الماس وشراء السبائك، دار برشاقة نصف دورة كلاعب باليه محترف رغم سمنته وفتح الخزانة مرة أخرى، عبث بها قليلًا وأخرج الفواتير، ألقاها بحجري زاعقًا:

- شوف قيمتها الحقيقية، بلاش طمع يا عباس إحنا ممكن نبقى مليونيرات بعد شهر بالكتير.. المشوار خلص خلاص!!

قلّبت كلامه في رأسي، أفاض وأوضح أنه يعرف الخواجة يعقوب زنانيري الذي كان يُصرّف الماس لشيكوريل ويتاجر فيه معه، أخبرني أنه محطتنا التالية، سيشتريها منّا، تُقطع وتُباع في بلجيكا ونحصل على مبلغ محترم.

- ربع مليون جنيه نصيب كل واحد منّا على الأقل يا مغفل!

شهقت على وقع قيمة الماس والذهب، عُشر هذا المبلغ لم أكن حتى أحلم به ولن أحصل عليه حتى ولو بنيت الزمالك كلها مع عبد النعيم أو رضي عني بوللي!

تأهب حسانين للمغادرة بعدما لملم الماسات الصغيرة المتناثرة بالخزانة في كيسها المخملي ووضعه مع الماسة الضخمة والسبائك الذهبية في حقيبة قماشية واسعة حتى لا يظهر انتفاخها فيلفت الأنظار إليها، ما زال مسدسه مشهرًا، أحكمت إغلاق الخزانة وأعدت البلاطات مكانها بعشوائية غير مكترث، مضيت بدوري أمامه حائرًا في كيفية الخلاص منه بعدما تيقنت الآن أنه يدبّر لقتلي، فلاعب القمار لا يقبل الخسارة بسهولة هكذا، كما يردد هو دائمًا!!

ذهبنا للمرسى وفككنا وثاق زينب، كانت غارقة في الذهول، لم تنطق حرفًا، سارت خلفنا، ودعتنا عند الباب ونظراتها معلقة بعينَيّ وشفتَيّ لعلها كانت تنتظر مني أن أقول لها شيئًا، ليس لديّ ما أقوله الآن فلم أُقرر بعد محطتي القادمة، حذّرها حسانين من إبلاغ مدام پولا أو البوليس وهدّدها بفقد حياتها قبلي، بدا جادًّا في تهديده، أومأت لها كي تستجيب، استقلينا سيارتي الفيات الصغيرة، في طريقنا للبيت الذي نسكنه بالزمالك البحرية طلب مني حسانين التوقف عند بقالة صغيرة لشراء مستلزماته، أخبرته بأنني سأبيت الليلة عنده وسأظل ملازمًا له كظله حتى نصرف الماسة الكبيرة غدًا وأحصل على نصيبي ونصيب زينب، تركني بلا جواب لكنه ابتسم، توقفنا مرة أخرى أمام صيدلية لشراء دواء لإيقاف سعاله، دخل هو وانتظرته بالخارج، تأخر فساورني الشك أنه خرج من بابها الخلفي، هرولت أبحث عنه فلم أجد أحدًا بالصيدلية، فجأة لمحته يخرج من وراء ستار حاملًا كيسًا صغيرًا به علبة دواء وهو يستعدل ملابسه وخلفه الصيدلي، ابتسم حسانين ببرود قائلًا:

- آسف اتأخرت عليك.. كنت محتاج حقنة في العضل!

وصلنا إلى شقته، وضع الحقيبة التي تحوي ثروتنا أمامي على طاولة القمار، اتصلت بزينب أخبرها بأنني سأبيت في الإسكندرية ليلة أو اثنتين بسبب العمل،

كانت قلقة كثيرة الأسئلة على الطرف الآخر، علا صوتي وأنا أؤكد عليها إبلاغ البوليس لو رأت حسانين في الفيلا بمفرده غدًا، ثم وضعت السماعة بهدوء حتى لا أُشتت ذهني، عُدت للجلوس بجواره أفكر في وسيلة الخلاص منه، أعدت على مسامعه تهديدي بأن شقيقتي تعرف كل شيء وستُبلغ البوليس لو غدر بي، لكنه ظل على بروده، أخرج مسدسه وأفرغ منه رصاصاته الست بجيبه ثم وضعه في الحقيبة ليُطمئنني لكنني ظللت متوترًا، أخرج السبائك وقطع الماس الصغيرة وقسمها بيننا، وضع نصيبي أمامي على المنضدة وهو يشير إليه باسطًا كفه محافظًا على ابتسامته اللزجة، بدأت أطمئن قليلًا، سألته عن زوجته، أخبرني أنها سافرت إلى الإسكندرية عند أهلها لتضع مولودهما الأول، تثاءب ثم ابتسم قائلًا:

- تحب ناكل لقمة مع بعض ويبقى عيش وملح؟

لم ينتظر ردي، دخل المطبخ وأعد لنا طعامًا خفيفًا هرولت خلفه ووقفت بجواره طوال تجهيزه، تركته يأكل منه أولًا خوفًا من أن يكون قد دسّ لي سمًّا به فقد كانت أصابعه تعمل بسرعة وهو يجهز السندويتشات مثلما يمسك بكروت اللعب ويقلّبها في لمح البصر، أكلت بعده بنحو خمس دقائق كي يطمئن قلبي، أعدّ بعدها حسانين كوبين من الشاي الثقيل حتى لا نغفو ونظل ساهرين، كي نذهب لتاجر الماس في الصباح وفقًا لاتفاقنا.. فلا أحد فينا يثق في الآخر كي يُغمض عينيه أمامه!

- إيه رأيك نلعب كارت على الفيلا واللي فيها؟

كان يقولها وهو يحرك كروت الكوتشينة بسرعة فائقة بين أصابع يديه، أعاد الحركة عدة مرات حتى شعرت بزغللة خفيفة بعينَيّ، تثاءبت قليلًا وقلت ضاحكًا:

- تلعب على حاجة مش بتاعتك بأمارة إيه؟

- مـا هي برضـه مش بتاعتك يعنـي مش حتكون خسـران حاجة لو راحت منك، وأهو كله أحسن من السجن يا أعور!

أشرت له بيدي رافضًا اللعب، فهزّ كتفيه ومطّ شفتيه مستنكرًا وهو يتمتم:

- طبعًا ما أنت لهفت 10٪ إيراد الترابيزة ليلة لما كشفتنا بسبب سالم الغبي، عندك حق تتنمرد وتتشرط..!

لـم أعبأ بكلامه، فبدأ حسـانين يتحدث في أمور شـتى غيـر مترابطة، طلاق الملـك فاروق من فريدة، وحادث سـير أدّى لموت أحمد حسـانين باشـا على كوبـري قصـر النيل منـذ عامين أو أكثـر دبّـره الإنجليز كما قال، ثـم حكى عن صداقته بالإيطالي بوللي ولعب الورق معه في نادي السيارات، شرح لي كيف يغش الملك في لعبة «الباكاراه» حتى شردت منه تمامًا، كان يتحرك أمامي وهو يرتـدي فانلة داخلية بحمـالات وبنطلون بيجامة بخطوط طوليـة زرقاء، بعدها خلع فانلته لاعنًا الحر والرطوبة، جلس متربعًا بجوار الراديو الكبير وظل يعبث بمحرك الصوت محدثًا ضوضاء مزعجة ولا شيء أكثر.

*****

10

«طفولتنا تنقش على حجر ذاكرتنا فلا تغيب عن عقولنا أبدا»

ناديا

كان عمري خمس سنوات ونصف تقريبًا لما قالوا لي إن الملك فاروق ترك الإسكندرية مسافرًا بيخته المحروسة، التففنا حول طاولة الغداء الخشبية الصغيرة في كابينتنا الصيفية بشاطئ سيدي بشر، كل برهة أرقب قصوري الرملية على الشاطئ، لا تزال صامدة أمام نهايات الأمواج المتكسرة، في إحدى التفاتاتي لمحته من بعيد، ثم سمعت نداءاته المنغمة تقترب، صعدت فوق الأريكة القماشية كي أراه بوضوح، تعلقت عيني ببائع الفريسكا حاملًا صندوقه الزجاجي المطعم بالخشب، رحت أُشير نحوه بلهفة، ظهر في نفس اللحظة فهيم أفندي سكرتير أبي آتيًا من ذات الاتجاه، مرتديًا جلبابًا وطربوشًا، هيأته مميزة للغاية لم يغيرها أبدًا طوال حياته، كان ممسكًا بصحيفة ليزف إلينا الخبر..

- مكتوب هنا أنه طلب منهم يسافر ووافقوا على طلبه وفي ناس بتقول حيسافر نابولي!

قال فهيم أفندي بصوتٍ عالٍ مجيبًا على استفسار والدي عن وجهة الملك الوحيد قليل الحيلة كما وصفه، مغطيًا على ندائي لبائع الفريسكا فاغتظت،

عاد أبي يسأل بلهفة عن مصير شخص يُدعى بوللي على ما أذكر وهو يجذب الصحيفة من يدي فهيم، لم أفهم كل ما قالوه بالتفصيل، فالصورة مشوشة مهزوزة لصغر سني، يومها لفتت كلمة «نابولي» فقط انتباهي مع صورة للملك البدين كما استقرت بذاكرتي في الصحيفة وهو يرتدي زي بحّار، سألت عمتي زينب فلم تُجبني، بدت غاضبة من شيءٍ ما وتدخن بعصبية، التفتُّ ناحية أبي الذي احتضنني وقبّلني بحنان كعادته، أفهمني أنها مدينة قريبة في إيطاليا ثم حملني برفق وأشار ناحية البحر، فرد ذراعه لآخرها وقال إنها هناك، لكني لا أرى شيئًا!

عاد يقول بهمس إنها بلدة أمي.. پولا، تركت طعامي وابتعدت مع مربيتي العجوز هيلجا وجلست على الشاطئ صامتة، أنظر للبحر بشرود حتى حان موعد انصرافنا، نادوني وأنا أروي قصر الرمال الذي بنيته بدلوي الصغير فتجاهلت نداءهم، حتى جاء فهيم وأبي وعمتي ودهسوه بالكامل بأقدامهم الكبيرة وهم يلملمون مقاعد البحر الخشبية، ظللت أنظر ورائي لأطلال قصري أثناء صعودنا على السلم لنصل للطريق العمومي ونستقل السيارة، متشبثة بيد عمتي حتى غابت كلها عن نظري! ما زلت أذكر هذا اليوم جيدًا لأن أبي أخبرني فيه بالتفصيل عن وفاة أمي لما عدنا لفيلتنا، قال إنها مرضت لسنوات وعانت كثيرًا، كانت تحبني أكثر من الجميع، وتحت إلحاح أسئلتي المتكررة أجابني بعدما نفد صبره أنها الآن «عند ربنا»، فزادني حيرة! خرجت للشرفة ونظرت للسماء طويلًا، ناديتها باسمها ثلاث مرات، لكنني لم أتلقَّ جوابًا حتى جذبتني عمتي زينب بغلظة من يدي، نمت بعمق ليلتها محتضنة صورتها الجميلة بقبعتها الكبيرة البيضاء التي كانت ترتديها في صورها القليلة. لم أكن أدري يومها أنني أودع فيلتنا بالإسكندرية للأبد!

رحيل الملك بيخت المحروسة كان إيذانًا بانتهاء مصيفنا مبكرًا تلك السنة وعودتنا للقاهرة أوائل أغسطس، بدا أبي قلقًا للغاية على غير عادته،

جلست صامتة طوال طريق العودة الممل الذي لا أرى منه إلا رمالًا صفراء على الجانبين، نسير في شريط أسود ضيق ملتوٍ لعدة ساعات، أحببت الجلوس دومًا بالمقعد المسحور خلف السائق في السيارة الكاديلاك السوداء كي أرى الطريق بالمقلوب، صنعت لعروستي غطاء رأس من قطعة قماش قديمة تُشبه قبعة أمي، نامت في حضني طول الطريق لتسلّيني، لم يزعجني سوى أنفاس عمتي العالية المنتظمة ثم صوتها الحاد كلما تكلمت، فنمت حتى وصلنا إلى فيلا قلب النخلة!!

هنا وجدت نفسي في الدنيا، هنا عشت حياتي كلها في حي الزمالك.. لما أتممت العاشرة حرصت مدام مايسة على تلقيني دروسًا يومية في البيانو بالمدرسة، لكن عمتي زينب اعترضت بحجة تأخري في العودة للبيت وقررت اختصارها ليوم واحد كل أسبوع حتى توقفت، وفي المقابل أصرّت على تعليمي فنون الحياكة والتطريز والوقوف بجوارها في المطبخ كل يوم لساعات مملة مزعجة، قالت لي يومها:

- يا عبيطة البيانو يطفّش منك العرسان لما تكبري إنما الأكل يحببهم فيكي، حتى شوفي الست مايسة اللي بتملا ودانك بكلام فارغ بايرة ومش متجوزة!

لم أفهم شيئًا مما تقوله، دائمًا أتعجب من طريقة كلامها ومفرداتها الغريبة التي لا أجدها أبدًا بين أمهات صديقاتي بالمدرسة، ظلت مثار دهشة الكثيرات منهن، يضحكن على كلماتها وأمثالها التي لا تتوقف عن إلقائها، لم تكن تحبهن ولا تستقبلهن أبدًا بنفس الترحيب الذي تستقبل به صديقاتها!

خرجت لعالمي الصغير تصطحبني مربيتي السويسرية «هيلجا»، رأيت الزمالك لأول مرة في نزهة على الأقدام، نكررها كلما كان الطقس لطيفًا، نسير من بيتنا في نهاية شارع شجرة الدر حتى نصل لنادي الضباط في شارع فؤاد، نشاهد بعضهم أثناء دخولهم وخروجهم بزيهم الكاكي وطرابيشهم الحمراء

الطويلة وأجسامهم الممشوقة، يسيرون متجهمين متعجلين على الممرات المفروشة برمال تشوبها حُمرة، نسمع البروجي عاليًا إذا ما كان أحد القادة قادمًا أو مغادرًا والجنود يرفعون السلاح للتحية، تأخذني اللهفة لرؤيتهم عن قرب، أشعر أنهم أقوياء، مختلفون عن أبي المنشغل بأوراقه ودفاتره وأعماله طوال الوقت وكتفيه المتهدلتين، هم أشبه بأبطال الحكايات التي ترويها لي عمتي..

نتخذ طريقنا للنادي عبر الفيلات المتناثرة على جانبي الطريق قرب النيل لندخل من باب سباق الخيل، نمر مسرعين، فممنوع تواجد الأطفال والمربيات في هذه المنطقة التي تثير خيالنا لأقصى درجة، نسمع التعليقات والصيحات من بعيد ولا نميّزها، نرى قبعات تتناثر في الهواء غضبًا، رجال يقفزون فرحًا وبأيديهم نظارات مكبرة، كهول يلوون شفاههم ضيقًا وحسرة، يشعلون سجائر بينما هم يدهسون أخرى، نهرول في طريقنا لحديقة الأطفال لنمضي بها اليوم كله حتى قرب الغروب. يومنا كأطفال ينتهي مبكرًا دائمًا!

على بوابة فيلتنا كل يوم في طريقي لاستقلال أتوبيس مدرستي كان لا بد وأن أقف قرب فيلا صديقة أمي مدام مايسة أو الست مايسة كما تلقبها عمتي باعتبارهما جيرانًا منذ زمنٍ بعيد، السيدة الراقية ومعلمة اللغة الفرنسية بمدرستي، أشاهدها كل صباح وهي تستقل سيارتها مع سائقها في طريقها لمدرستنا، ووددت لو ركبت معها وألحت عمتي عليها أيضًا كي لا أصحو مبكرًا، لكنها ظلت طوال سنين الدراسة ترفض طلب عمّتي بصرامة رغم بشاشتها معي!

في الطريق إلى المدرسة كنا نمر على بيت جارتي وزميلتي في الفصل سارة يوسف ميزار.. سارة من عائلة يهودية كما أخبرتني عمتي وحذرتني من الاقتراب منها، لكنني كنت أحبها، أمها تصنع أشهى بسكويت بالعالم في رأيي

وتهادينا بـه كثيرًا، لكن عمتي زينب تقول عنها إنها نذير شـؤم وتطعم به أرانبها بعد تفتيته لقطع صغيرة جدًّا، كانت تصف مدام ماري صديقة مايسـة بأنها نذير شـؤم أيضًـا باعتبارهـا قبطية، احتـرت أكثر، فغالبيـة زميلاتي في المدرسـة من الأقبـاط، في يوم ذهبت مع المربية السويسـرية والسـائق لزيارة سـارة في بيتها بعد فترة غياب عن المدرسة، لم أجد سارة ولا أمها، لم يجبني حارس العمارة إجابة شـافية. عدت حزينةً مندهشـة ولم أكفّ عن السؤال لفترة، حتى أجلسني أبي على حِجره وشرح لي بتفصيل فاق قدرتي على الفهم، قال إن أعمار الناس ليست بأيديهم، وإن هناك أشياء تحدث في دنيانا تحرمنا من الأهل والأصدقاء وممّن نحبهم، روى بحزن شديد وهو ينظر لعينَيّ كم يفتقد صديقه اليهودي لما مات في حادث طائرة منذ سنوات حتى دمعت عيناي لتأثره.

بعـد فترة غادرت العائلة الزمالك كلها بعدما ذهبت أم سـارة إلى الله مثلما رحلت أمي پولا قبلها، أنا أشـعر بشـعورها الآن، لكن ربما هي أكثر مني حزنًا، فأنا لم أرَ أمي أبدًا، بينما سـارة عاشـت مع أمها عشـر سـنوات على الأقل حتى فقدتها، ثم سافرت للأبد مع أبيها وأخيها لبلدتهم البعيدة، لا بد وأنها تتألم أكثر مني، الحمد لله أنني لم أرَ أمي حتى لا أتألم مثلها!

في صغري كنت أحسـب أن عمتي زينب هي أمي، بسـبب صورها الكثيرة المنتشرة في فيلتنا خاصة لوحة زيتية كبيرة بالحجم الطبيعي في البهو الرئيسي، أيضًـا لأنها الوحيـدة التي تعتني بـي وتعيش معي، لما كبرت قليـلًا فهمت أنها أقامـت معنـا بعد طلاقها، ثم أخبرني أبي تباعًا بأن أمي ولدتني في سـن متأخرة وأتعبهـا الحمل فغادرتنا بعد وصولي للدنيا بأشـهر قليلة وتولت عمتي تربيتي، ومع ذلك أخفوا عني الخبر لسنوات! عرفت أيضًا أن عمتي كانت لها ابنة ماتت صغيرة فتعلقت بي أكثر!

- ربنا لما يحب حد بيفتكره بسرعة، قولي الحمد لله وبلاش أسئلة كتير.

قالتها عمتي زينب بنبرة حادة وظلت واقفة تنتظر مني أي استجابة أو علامة خنوع كعادتها فسألتها:

- يعني لازم أموت وأنا صغيرة علشان ربنا يحبني؟ يعني ربنا مش بيحبك وبيكره بابا كمان، صح؟ لأنكم عايشين!

لم ترد على أسئلتي لكنها نهرتني، رغم قسوتها الظاهرة وتحكّمها في كل صغيرة وكبيرة إلا أنني كنت متعلقة بها جدًّا، ولا أتخيل البيت من دونها، بل الحياة كلها، طفولتي ومراهقتي ربما كانتا أجمل أيام حياتي، كل شيء كان سهلًا، لدى أبي كلمة أثيرة يقولها لكل الخدم ولفهيم أفندي سكرتيره:

- لو ناديا طلبت لبن العصفور يتوفر فورًا!

الوحيدة المستثناة من هذه المقولة هي عمتي، على الفور تمط شفتيها، تهز رأسها استنكارًا، تزفر بضيق، ثم تختلق أي شيء لتكلفني به بلهجة آمرة، الحقيقة أيضًا أنها الوحيدة التي ضربتني صغيرة وقصّت مرة إحدى ضفيرتَيّ عقابًا على ردّي عليها، وأحيانًا كانت تقذفني بما تطوله يداها إذا ما تركتُ شعري ينسدل على كتفَيّ فجأة وأنا أرقب شعرها القصير المجعد وأكتم ضحكاتي، تنقلب فجأة من سيدة هادئة لأخرى متوحشة لا تتوقف عن السب واللعن، تتغير ملامحها ومخارج ألفاظها ثم تختفي لبرهة طويلة في حجرتها، لتعود بعدها طبيعية مرة أخرى، دائمًا كان أبي خارج الصورة، يتبخر تمامًا من أمامنا، لا يظهر إلا بعد انتهاء العقاب وبدء العذاب وتجرع مرارة الألم، أشكو إليه ليعطيني جرعة الحنان التي يتفوق فيها على الجميع، له قدرة هائلة على الإقناع وحلو الحديث لكنه لا يذهب لأبعد من ذلك، فلم يقترب من زينب أبدًا!

- على فكرة.. مدام پولا كانت ست جميلة أوي!

قالها لي طارق مرة ونحن جالسان أسفل الشجرة الكبيرة بحديقتنا، لا أعرف متى وأين رآها، حسدته لرؤياها بالطبع حتى ولو كان كاذبًا، أنا متأكدة أنه يكذب، كان صغيرًا للغاية لما رحلت وربما لم يرها، لكنه على الأقل يجاملني!

طارق حسانين المصري، هذا الطفل الرقيق الهادئ ثم الشاب الوسيم المنطوي الذي كان أبوه مديرًا لأعمال أبي حتى هاجر فجأة، تاركًا وراءه ابنه الوحيد صغيرًا مع والدته وسافر لبلاد بعيدة، كبرت قليلًا فوجدته يلعب معي في حديقتنا عندما يأتي مع أمه، تلك السيدة البسيطة التي تعتني بأمور عمتي الشخصية، لا نعتبرها خادمة أبدًا وإنما أقرب إلى أن تكون Femme de compagnie لعمتي زينب، تجلس معها وتسلّيها وتساعدها في شئون الفيلا، بيته قريب إلى حدٍّ ما من فيلتنا، لكنهما يسكنان في شقة بطابق أرضي في الزمالك البحرية ناحية النيل المواجه لمنطقة إمبابة!

أشعر دومًا من داخلي أن أبي يكره طارق، يعنّفني لمجرد الاقتراب منه، ينهرني عن اللعب معه، دومًا يعامله بجفاء ولا يرتاح له، يُجزم بأنه يُبطن غير ما يُعلن، لكنه لم يتوقف أبدًا عن العطف عليه وعلى أمه، ربما الفتى الوديع طارق يُبادله نفس الشعور، هكذا أحسست.. لكنني لست متأكدة، فلم يقُلها طارق أبدًا رغم كل سحب الكراهية التي كان أبي يُظلله بها عند قدومه إلى فيلتنا!!

كان طارق مختلفًا عن كل الأولاد والشبان الذين يحيطون بي ويظهرون تباعًا في حياتي، سواء في مدرستي أو نادي الجزيرة، وحتى الجامعة بعد ذلك، خجول رغم شقاوته، في عينيه مسحة حزن رغم ابتسامته الصافية التي لا تغيب أبدًا وتضيء وجهه كلما تحدث، لكن غضبه مريب لا يمكن توقعه، عاصف بكل ما حوله، يسود وجهه وتبرق عيناه، يختفي من أمامي ثم يظهر متوترًا بلا سبب!!

كبرت فوجدته شبه يعيش عندنا، متواجد في مكانه المفضل بالحديقة قرب بدروم الفيلا حيث يحلو له عزف مقطوعاته على الجيتار الذي صنعه بمدرسته من كرتون علب الأحذية القديمة لكنه احتار في تدبير أوتاره، لم ييأس فقد كان ماهرًا في تصنيع أي شيء أو إصلاحه، حاول تجربة خيوط من السلك والنايلون فلم تُعطه النغم المطلوب، يومها نزعت من شعري ثلاثة «أساتك» بُنية رقيقة ومددت يدي له بها، لفّها حول هيكل الجيتار الكرتوني الذي صمّمه وبدأ يعزف أول لحن بملعقة فضية قديمة.. لا تزال نغماته ترن في أذني كلما تذكرت ذلك اليوم، وقتها قال إنها لحن جديد لأم كلثوم لم أكن أعرفه، لما كبرت وسمعتها كلها عرفت أنها أغنية «أروح لمين».

انتهزت أقرب فرصة لمفاجأته لما سألتني مدام مايسة عن هدية عيد ميلادي فطلبت منها جيتارًا، وافقَت بسهولة لم أتخيلها، لو كانت عمتي مكانها لحاصرتني بالأسئلة ولاحقتني بالشكوك حتى كرّهتني في الجيتار والموسيقى كلها، ذهبت معها لأحد محلات الأجهزة الموسيقية بوسط البلد لشرائه، لكنني وجدت حجمه الحقيقي كبيرًا جدًّا، لم أتخيله هكذا أبدًا، يكاد يكون مقاربًا لحجم طارق نفسه، أيضًا وجدتني حائرة في كيفية إخفائه بعيدًا عن عيني عمتي وهو أطول مني!

لما وجدتني مايسة مترددة حائرة اقترحت شراء آلة كمان خشبية صغيرة، رقيقة للغاية لكنها تُصدر أصواتًا عالية، وجدت أنها ستفي بالغرض وتسعد طارق، أخفيت الكمان في حجرتي حتى نجحت في تسليمه له بالحديقة دون أن يرانا أحد خصوصًا عمتي، من يومها لم تتوقف موسيقى طارق وقت العصاري كلما عدت من مدرستي، شكّلت موسيقاه غالبية ذكرياتي وغلّفتها كلها بخلفية رائعة من النغم الجميل حتى توقف العزف فجأة!

- على فكرة أبويا كان صاحب فيلا قلب النخلة لكنه خسرها في القمار!

تلك الجملة ظل يردّدها طارق لما كبرنا نقلًا عن حكايات أمه وخاله سالم لـه، يصـب غضبه كله علـى رأس أبيه المقامر الذي لم يـرَه، هاجر وترك والدته تعيـش كمـدًا وفقرًا مـن بعده، تلمع عينـاه بعدها ببريق غريـب، مزيج من ضيق ودموع وندم ثم نظرة للا شـيء، كلماته عن أبيه تشـي بكراهية شـديدة وغضب أشـد يجعلـه دومًـا يريد تحطيـم أي شـيء أمامـه، ينقلـب الحليم فجـأة، يثور ولا يهدأ إلا لما أقترب منه وأطلب أن يعزف لي موسيقاه، لا يستجيب بسهولة، يبتعد عني، يختفي قرب المرسـى حيث تمرح الأرانب التي تربيها عمتي بعدما تخلصـت من الكلاب التي ربتها أمي لأنها نجسـة كما تـردد دومًا، يعود طارق متوتـرًا، أنظـر في عينيه ولا نتبادل حديثًا، يهدأ ويمسـك بالكمان، ينظف عصاه بين فخذيه من شـيءٍ ما علق بها، يبدو أنه كان ينظف قفصهم ويطعمهم كعادته مثلما كان يسـتخدم علب الصفيـح الصغيرة ليضع فيها المـاء للعصافير وقطط الشـوارع، يعود هادئًا ليعـزف ويخرج الطفل البريء من داخله ويتلبسـه، حتى جـاء يـوم ولم أفلح فـي السيطرة على غضبـه فحطم الكمـان وتناثـرت قطعه الخشبية وأوتاره في أماكن متفرقة يصعب لملمتها!

لـم تكـن صفعات عمتـي وقص ضفيرتـي عقابًا على سـخريتي منهـا نهاية المطاف معها، ذبحتني صغيرة بسـكين «تِلـم» لما طلبت منها اقتناء جرو صغير مثل بعض صديقاتي، رفضت رفضًا باتًّا وسـبّتني على مجرد طرح الفكرة، طار صندلهـا باتجاهي لما خرجت باكية أتمتم بكلمـات غاضبة، لكنه أخطأني، في مدرسـتي، اليوم التالي، سـألتني مدام مايسـة عن سـبب انتفاخ عينَيّ وشرودي طوال الحصة فحكيت، ابتسمت قائلة:

- ولا يهمك أنا حاتصرف..

وكأنهـا تفتـح صندوق الدنيا، طلبـت مني أن أمر عليها فـي فيلتها بعد نهاية الدراسـة، أهدتنـي يومها كلبًا صغيـرًا للغاية في حجم فأر لكنـه لطيف جدًّا، لم

أكن أعرف نوعه، له شعر كثيف قرب رأسه بعضه أصفر، كثير الحركة وله عينان حزينتان قليلًا، فتحت مايسة حقيبتي وهي لا تزال على ابتسامتها ووضعته بها وأغلقتها بغير إحكام، فرك قليلًا ثم حاول أن يطل من إحدى فتحتيها وهو ينبح، ألقت له بحبة لوز مقشورة ليسكت ثم ملأت كفي بالكثير منها كي أضمن له دخولًا سالمًا إلى قلب النخلة، هممت بالمغادرة متعجلة لألعب معه في حجرتي، قبل أن أخرج التفتُّ لها ضاحكة وأنا أسألها عن اسمه.. قالت وهي لا تزال تبتسم:

- Fendi وده اسمها موش اسمه..

عاشت الكلبة بصحبتي خمسة أشهر دون أن تدري عمتي عنها شيئًا، الوحيدة التي عرفت كانت هيلجا لأنها التي تخبئها وقت ذهابي للمدرسة، نجحنا بالتدليل المبالغ وكميات هائلة من اللوز المقشور في إسكاتها إلا قليلًا، وفي المرات التي نبحت فيها عاليًا ظنت عمتي أن الصوت آتٍ من فيلا شيكوريل أو كلاب مايسة وفي مرة أخرى أخبرتها أن هناك كلبة في الشارع وضعت كلابًا صغيرة وتعوي طوال الليل بجوارهم، حتى جاء يوم ذهبت مع صديقاتي في مغامرة نيلية دون استئذان عمتي، كنت أعلم أنها سترفض لكنني أخبرت أبي لأستأذنه، هز رأسه ولم يُجب، كان وجهه مبتسمًا فاعتبرتها موافقة منه واصطحبت كلبتي الصغيرة وخرجت، كان معنا شقيق إحدى صديقاتنا والذي يكبرنا بعدة أعوام، استأجر لنا فلوكة صغيرة في النيل وظللنا نمرح بها واقفين حتى اختل توازننا وسقطنا في الماء. عدت مبتلة رغم بقائي ساعتين على الشاطئ كي تجف ملابسي دون جدوى، بسبب تأخيري وجدت عمتي تنتظرني في الحديقة الأمامية وخلفها الخدم الثلاثة ومساعدتها والدة طارق متقدمة عنهم بخطوة، وقفتهم متحفزة وكأنهم كتيبة عسكرية تستعد لتدميري، ما أن رأتني زينب حتى برقت عيناها بشدة لكن قبل أن تسألني عمّا حدث وجدتني أقول بثقة:

- الدنيا مطرت جامد يا عمتي وهدومي كلها غرقت!

اقتربت مني بهدوء واشتمت رائحة ملابسي بعمق ثم هوت كفها على وجهي، في ذات اللحظة قفزت كلبتي من حقيبتي الصغيرة وهي تعوي بشدة باتجاه عمتي التي فقدت توازنها من المفاجأة وكادت تسقط على الأرض لولا أن والدة طارق أمسكت بها في اللحظات الأخيرة، تلك كانت الفرصة الوحيدة لكي أنجو بنفسي من هذا الكمين، تركت كلبتي تتقافز على سيقان عمتي وتنبح عاليًا ضدها وكأنها تحذرها من الاعتداء عليّ، لُذت بأبي في مكتبه، ربما هي المرة الأولى التي وقف فيها بجانبي ومنع عمتي من مواصلة ضربي لما اقتحمت علينا غرفة المكتب، تراجعت زينب أمام أبي لكن علا صوتها وهي واقفة في الشرفة:

- امسكوا الكلب واربطوه في الجنينة وإلا أحبسكم كلكم مكانه يا ولاد الكلب!

ظلت «فندي» تنبح طوال الليل وأنا واقفة خلف نافذتي ولا أملك أن أفك أسرها حتى خفُتَ نباحها فغلبني النوم، في الصباح قبل موعد المدرسة ذهبت كي أطمئن عليها وأضع لها طعامًا لكني لم أجدها. جُن جنوني، سألت مربيتي فبكت في صمت، التفتُّ ناحية عم بشير النوبي فرفع عينيه وأدار وجهه وهو يرطن قائلًا:

- أوامر الست الكبيرة.. حكم القوي يا بنتي حنعمل إيه!

لم أدرِ بنفسي وربما سقطت مغشيًا عليّ في الحديقة، منعت عمتي مدام مايسة من زيارتي، بكيت لمدة أسبوع تقريبًا بعدها لما رأيت بشير النوبي حاملًا كلبتي وهي جثة هامدة، عرفت أن عمتي وضعت لها السم ليلًا في الطعام. دفنّاها في نهاية الحديقة قرب المرسى. الوحيد الذي حكيت له كان طارق، شعرت يومها أن عينيه تلمعان، ربما كانت دموعًا، لا أعرف، لكنه بعد ثلاثة أيام

أحضر معه لوحًا خشبيًا وضعه على قبر كلبتي ودوّن عليه كلمات رقيقة ما زلت أحفظها حتى يومنا هذا حتى بعدما نزعته عمتي وحطمته، كتب طارق..

«إلى فِندي صديقتي الرقيقة.. وترحلين وترحل أيامي الجميلة في رحيلك الحزين.. وتبقى دموعي نهرًا جاريًا يوقد في قلبي الحنين.. وفي دمي وعروقي تبحرين..» ناديا

*****

ما زلت أذكر أول قبلة بيننا، أول لمسة من كفّه لأناملي، أطبق على اثنتين منها برفق ثم اجتذب الثلاث الأخريات، رفعها نحو شفتيه وعيناه مثبتتان على عيني، لثم باطن يدي بقُبلة حانية طويلة وترك يدي على خده، لم أشعر بالزمن وقتها، وكأنما ثبتت الصورة علينا، تمنيت ألا تقفز عقارب الساعة لثانية أخرى رغم أن قلبي كان يفوقها سرعة بدقاته المتتالية، احتضنني طارق أسفل شجرة ضخمة قرب السور الغربي، تمايلت أغصانها فسقطت بعض وريقاتها على رؤوسنا، ربما تحيينا على فعلتنا البريئة أو تشجعنا على الاستمرار، تكاد تنطق وهي تحفّزنا على نطقها وراءها.. اختاروا بقلوبكم، قولوا بأعلى صوت أنكما تحبان.. لكننا كنا صغارًا مثل بعض أغصانها الخضراء نلتوي على نزواتنا ولا ندري ما يخبئه لنا القدر، يا ليتنا ظللنا أطفالًا!

التصق جسدانا لأول مرة، انتفضت ثم ارتكنت بظهري على جذعها وأنا أتشبث بذراعيه، تمنيت وقتها أن أغيب في قبلة طويلة معه، استدعيت كل مشاهد قبلات السينما من أعماق ذاكرتي، أغمضت عينَيّ وارتخى جسدي رغم نبضاته الداخلية العنيفة التي ترجّني، قبّلني طارق قبلة واحدة شبه خاطفة، لم أرتوِ، أردت المزيد لكنه وضع رأسي على كتفه ومسح شعري الطويل وهو يهمس في أذني بصوته العذب:

- بحبك..

ومن يومها لم أنسَ طعم تلك القبلة أبدًا.

يسبقني طارق في الدراسة بعام مع أنه أصغر مني بمثله، مدرسته في نهاية شارعنا، أعود في الرابعة عصر كل يوم، أجده ينتظرني في ركن بمدخل البدروم من ناحية الحديقة حيث مكتب فهيم أفندي سكرتير أبي، يضع الكمان الصغير على كتفه وما أن يراني حتى يبدأ عزف لحن الدانوب الأزرق مرحبًا بقدومي، أحتضن حقيبتي وأتراقص معها أمامه بعد نظرة خاطفة للشرفة العلوية حيث حجرة عمتي زينب كي يطمئن قلبي أولًا. بعد برهة تسمع عمتي موسيقاه التي تصاعدت إليها رويدًا، تتراءى لنا من وراء زجاج نافذة حجرتها، تبدو ضخمة ومخيفة من علٍ، تكاد سهام نظراتها الغاضبة أن تخترقه، تهرول أمه بعد قليل مشحونة من عمتي.. تنهره وتدعو عليه، تحاول صفعه، يتفاداها مهرولًا، تطرده، يبتعد لكنه قبل البوابة يلتفت دائمًا نحوي ويبتسم، لكنها ابتسامة تحمل الكثير من المرارة بقدر اتساعها!

كنت في الخامسة عشر من عمري لما همس لي بمشاعره لأول مرة، تنزهنا سويًّا مرات في شوارع الزمالك قرب النيل باقتراح منه، نلتقي أمام محل توماس، نجلس فيه لكن واجهته الزجاجية المكشوفة على الشارع توترنا قليلًا، ننطلق لنمشي على الكورنيش القريب، أحيانًا يصرّ على أن نعود لتوماس مرة أخرى لتناول طعامنا فيه، طارق يحب البيتزا الإيطالية التي يقدمونها هناك ويرى أنها أعظم اختراع عرفته البشرية لسد الجوع، مع أن عمتي كانت تراها فطيرة «بايتة» مصنوعة بيد امرأة «خايبة»، أتذكر كلماتها معه ونضحك!

اصطحبته مرتين بالكاد معي للنادي بعد إلحاح شديد مني، كان يقترح عليّ حديقة الأسماك أو الحيوان لكن صديقاتي اعتبرنها أماكن دون مستواي وسخرن مني، أخبرني بأنه يريد أن يختلس قبلة في الحديقة مثل عبد الحليم حافظ مع زبيدة ثروت، أصبحت مادة أساسية للنكات والسخرية كلما رأينني

بصحبته، لم يرُق له نادي الجزيرة على الإطلاق، وأيضًا سخرت بعض زميلاتي في مدرسة الميـر دي ديو من ملابسـه وهيأتـه ونظارته السـميكة وخجله، كنا نجلس بالليدو قرب حمام السباحة، يومها كان متوترًا ووصف المكان بمستنقع انحلال، لم أفهم معنى الكلمة بالتحديد لكنه بدا غاضبًا بعدها، شعرت أنه معقد قليلًا أو ربما منغلق لكنني تمسكت بعلاقتي به بعيدًا عن صديقاتي، ظلت رقته تسـحرني رغم تقلباته غير المفهومة أحيانًا، بقيت وداعته وطيبة قلبه وتسـامحه يأسروني حتى التحقت بالجامعة، وجدتني بعد أسابيع قليلة أميل قليلًا للابتعاد عنـه، ثم صرت أتحاشـاه، بدأت أكذب عليـه لأتفادى لقاءه، يظهـر قادمًا فجأة من ناحية كلية التجارة كأنما الأرض انشـقت عنه ليقف وسـطنا، يكشف كذبي ولا يواجهنـي، يسـامحني ولا يغضـب لكنه صار يعاتبني برقـة، بدا دخيلًا على الصورة التي تجمعني مع أصدقائي، شـعرت لوهلة أنه بات رجعيًّا منتقدًا لكثير من تصرفاتي وانتهاك زملائي لما أسـماه مسـاحتي الخاصة وتقرّبهم مني، أهي غيرة منه أم صار حبّه مجرد حب تملُّك؟! لست أدري!

في نهاية عامي الأول في كلية الآداب لم أعد أفتقده ولم يعد فتى أحلامي، فمنذ زيارتي له بشـقته في الزمالك أشـعر أننا نقف بمفتـرق طرق، كان عليّ أن أختار طريقًا مختلفًا، لكنني أشـبه بمَن تسير وهي تنظر وراءها كل برهة لتتأكد أنـه لـم يعُد يتبعهـا، هل كان ذلك شـعوري الحقيقي؟ أم تمنيت مـن داخلي أن يفعلها؟!

من قبل زيارة منزله بشـهور كانت إرهاصات الفـراق وبدايات الملل، لكن يومها شـعرت بضيق شـديد وراح صـدري ينقبض، لم أسـتطع التنفس بصورة جيـدة وأنـا أهبط سـلمًا صغيرًا لأدخل شـقتهم، أرى من حجـرة الضيوف التي أجلسوني فيها سيقان المارة وكعوب أحذيتهم فقط، إطارات السيارات، بعض القطط الهائمة أو كلبًا ضالًّا يتشـمم الطريق ولا شـيء آخر، شـعرت بأنني أرقد

في مقبرة واسعة لكنها فقيرة للغاية، ستجعلني أعيش بانتظار موت مؤجل لأُدفن بعدها في مكاني.

اتخذت قراري بالابتعاد بعدما زرته وقت وفاة أمه، دخلت غرفة نومه ومطبخهم وأيضًا الحمام، شعرت بفارق كبير بيننا في كل شيء، ذاب طارق وسطه وغرق بين ثناياه حتى تلاشى من أمام عينَي، ورغم مراسم الحزن وطقوس العزاء، كان عقلي يحرضني على ترك المكان بأقصى سرعة، لم أتحمل البقاء كثيرًا، نسيته بعدها لسنوات، لكن ظل بداخلي حنين لموسيقاه، لابتسامته الهادئة، وكلما سمعت اسمه حتى ولو لم يكن هو المقصود سرَت بي رجفة عابرة لا تفسير لها عندي، هل ما زلت أحبه؟ أم أفتقد بعضًا من مميزاته دون أفكاره؟

أحبه؟! أكان ذلك حبًا حقيقيًا وحيدًا في حياتي؟! لست أدري! لكنني نادمة الآن بعض الشيء، فقد ظلت مشاعري نحوه تتأرجح برفق، مثلما تتلاعب نسمة عصاري بأرجوحة قديمة مثقلة بالصدأ، يعلو صوتها وتبطئ حركتها حتى نملّ منها ونضجر..

بعدها بعامين التقيت طارق مصادفة قرب فيلّتنا، أكان يحوم حولها أم مجرد طريق يسلكه إلى بيته؟ لا أعرف، لم يكن قد تخرج بعد بسبب رسوبه، بدا عليه الضيق واضحًا حتى كاد يخنقه فبادرته قائلة:

- تعالَ نقعد في توماس ونكمّل كلامنا..

رفض عرضي بغلظة، بدا متململًا يريد الرحيل وأنا التي تمسك بتلابيبه وتستخرج الكلمات من أعماقه بالكاد، شعرت أنني أرى شخصًا آخر لا أعرفه، وجهه صار صارمًا وربما قاسيًا، ترك لحية خفيفة تنبت بوجهه بغير تهذيب، راحت الوداعة، ماتت الابتسامة وشيعتها الجدية لمثواها الأخير على ما يبدو، ظننت يومها أن طارق فقد آخر بريق له معي وراح تأثيري عليه، لكن رغم ذلك

كله ظل شيء ما بعينيه العسليتين يناديني من بعيد، خيط رفيع يربطنا، أو هكذا خُيل لي، يُخاطب بهمس الحنين مشاعر كامنة في أعماقي، يُحرّضها بغير إصرار كأنه يتفاداها أو يخشى فورانها، فساعدني على أن أفشل دومًا في استدعائها لعينَيّ كي يراها ويشعر بها فلم تنطق بها شفتاي أبدًا، تركني طارق هذه المرة في منتصف الطريق، غادر مستجيبًا لنداء آخر بداخله ذهب به لأقصى اليمين.. لكن لم ينقطع الخيط بعد!

ابتعد عن الفيلا حتى صار نقطة سوداء في نهاية الطريق، ربما النفوس تغيرت، ومن المؤكد أن شيئًا ما قد رحل حاملًا معه الكثير من المشاعر والبريق وقد لا يعود، لا.. لا.. لست نادمة لكنني حائرة، لو عاد بي الزمن لن أوقف عقارب ساعة الفراق.. ربما فقط أبطئ من حركتها قليلًا لعلني أتمهل!

بعد هذا اللقاء بشهور تبدّلت حياتي كلها لأول مرة، ظهر مَن أنساني كل شيء.. طارق والموسيقى وصديقاتي، نسيت مؤقتًا رجفة القُبلة الأولى، علا أنين الشوق وبقيت لهفة الحنين ولوعة الفراق لأول مَن فك ضفائري.

*****

11

«إذا هرب منك كلب، أطلق خلفه كلابًا مثله، هم الذين سيعرفون مكانه»

عباس المحلاوي

- اللـي قبلنـا قالوا لـو كان عـدوك نملة ما تناملـوش.. ما بالك وحسـانين صاحبك طلع ضبع خسيس!

جلدتني كلمـات عبد النعيم وأشـعرتني بخيبتي الثقيلة لكننـي تقبلتها، هو الوحيـد الـذي وقف بجانبي، العمـل الذي جمعنا وثّق صلاتنـا أكثر خاصة لما كتب أوراقًا صورية ببعض ممتلكاته باسمي ليتهرّب من حمل الضرائب وطمع أقاربه فيه، وثق فيّ فحفظت عهده، رويت له حكايتي مع حسانين وغدره، تفهم الرجل ولم يطمع في شيء، كل منّا يعرف أسرار الآخر الآن، قال لي ما شجعني على الاقتراب منه أكثر:

- أنـت كنـت راجـل معانـا فـي الشـغل يا عبـاس وعمـرك ما طمعـت فينا ولا خُنتنا حتى لما عسران ابني اتجوز على أختك زينب، إحنا أهلك وسـندك ليوم الدين.

لـم أتوقـع أن حسـانين ابتاع يومهـا منومًا قويًا مـن الصيدلية ليدسّـه لي في الشـاي دون أن أراه مـع أنني كنـت واقفًا بجـواره، ليتبخر بعدهـا بالحقيبة وما

فيهـا، بحثـت عنه في كل مكان كان يتردد عليه من قبـل، لكنه فص ملح وذاب، أفهمنـي عبد النعيم أن حسـانين سـيدبّر لقتلي لا محالة عـن طريق قاتل مأجور ومـا أكثرهـم، باعتبـار أنني أعـرف الكثير عنه وسـيفعلها بعـد تصريف الماس والذهب، ورغم تشككي في أن حسانين سيقتلني تظاهرت بالاقتناع مؤقتًا حتى أضمـن حراسـة رجال عبد النعيم وأجد حسـانين قبل أن يهـرب من مصر، هذا هو التفكير المنطقي لحسانين، الهروب لا القتل، دبّر لي عبد النعيم مسدسًا لم يعُد يفارقني، ووضع أحد رجاله ملازمًا لي كظلي وأعطى تعليمات لكل رجاله بطاعتي دون مناقشة، وبدأنا البحث عنه في كل مكان.

- هو صاحبك قلبه كان بيميل على أي جنب؟

نظرتُ لعبد النعيم حائرًا، لم أفهم سؤاله، فعاد يقول بحنكة المُجرّبين:

- يعني بتاع نسوان والا غاوي كيف والا صاحب كوبّاية؟

- كان بيلعب كارت كل يوم تقريبًا، وبيكسب فلوس كتير من القمار.

- يبقى تاهت ولقيناها!

أطلق عبد النعيم رجاله يجوبون القاهرة وراء حسانين بدءًا من مقهى الجيزة الذي يتواجد فيه أحيانًا ودلتنا عليه سيدة عجوز استأجرت منه شـقة الزمالك، فتّشوا كل ثقب حتى عرفوا مكانه بعد أسبوعين فقط، يومها شعرت بأنني أتلقى البشارة لما زفّ لي عبد النعيم الخبر عبر الهاتف:

- صاحبـك ظهر، بيلعب ورق كل يومين عند جماعة خواجات في جاردن سيتي والليلة عنده بارتيتة!

بعد العشاء كمن ثلاثة من رجال عبد النعيم قرب مدخل العمارة الضخمة في حي جاردن سـيتي الهادئ، واثنان في سيارة أمامها مباشرة أحدهما فهيم، بينما جلست أنا وعبد النعيم في سيارتي على الناحية الأخرى، ظل يروي لي علاقاته

ببعض رجال حكمدارية البوليس الذين ساعدوه في تحديد مكان حسانين لما ادعى لهم أنه سرق منه مالًا وهرب به ولا يريد حقّه بالطريق الميري، أعطاهم أوصافه ودلّهم على كيفه في القمار فعرفوا من بعض مصادرهم الكثيرة مثل السفرجية والخدم بالبيوت مكانه، علاقات عبد النعيم الوطيدة كانت تسهل لنا الكثير من الأعمال، لكن هذه المرة كانت بالنسبة لي ضربة العمر كله كما يقولون..

انتظرنا قرابة خمس ساعات حتى خنقنا الملل، دفعني التوتر لقضم أظافري العشرة حتى أدميت إحدى أصابعي. بعد منتصف الليل بخمس دقائق ظهر حسانين أخيرًا مترجلًا من سيارة تاكسي، أضاء فهيم مصباح سيارته بصورة متقطعة، لمحت على نورها وجه حسانين وهو يُضيق عينيه عندما ضايقهما الضوء ويزم جبهته، في ثوانٍ انقضّ عليه الرجال الثلاثة وضربوه على رأسه، ثم أودعوه في صندوق العربة الخلفي وانطلق الركب لبيت عبد النعيم في إمبابة.

أفاق حسانين ليجد نفسه جالسًا على مقعد خشبي مقيّد الساقين ويداه مشدودتان خلف ظهره بإحكام وفي مكان غريب عليه من كثرة تلفته حوله، بدا خائفًا مرتعشًا، ينتفض كل برهة كلما دُرت حوله، يظن أنني سأصفعه، لكنني لم أفعل، يتلفت حوله مذعورًا كالفأر يتفرس في وجوه عبد النعيم ورجاله ويُعيد البصر لي وهو حائر، اقتربت منه أكثر قائلًا بهدوء:

- فين الأمانة؟

- اتصرفت فيها لكن ما قبضتش الفلوس، صدقني نصيبك محفوظ أنا كنت خايف البوليس يكون مراقبنا و...

- الأمانة فين يا حسانين؟

عاد يكرر قصته الخائبة مرة ثانية ثم ثالثة وهو يتلعثم في كل جملة، يضيف ويحذف من روايته حتى فُضحت كذبته وتعرّى تمامًا، لما فرغ مخزون أكاذيبه

طلب مهلة أسبوعًا لتسليمي نصيبي على أن يُعطيني الليلة سبيكة ذهبية ضمانًا لجديته، ضحكت وتبادلت نظرات مع عبد النعيم فأشار لأحد صبيانه، أخرج الصبي مطواة قرن غزال من جيبه وقطع شحمة أذن حسانين بلا تردد، اندفعت الدماء بغزارة وغطّت قميصه، صرخ بشدة حتى بدا الفزع القافز من عينيه كافيًا لحل عقدة لسانه، كبس عبد النعيم الجرح بقليل من البُن وقبل أن يشرع الصبي في قطع الثانية مال رأس حسانين على رقبته وبدا كمغشي عليه، سكب أحد الصبيان دلوًا كبيرًا عليه فانتفض من برودة المياه ومفاجأتها، لمح المطواة في يد الصبي وهو يقترب من أذنه اليمنى، صرخ عاليًا:

- حاقول.. والله العظيم حاقول!!

أخبرنا حسانين وهو يلهث عن العنوان الذي يقيم فيه بالجيزة، حدّد مكان الحقيبة حيث أخفاها بغرفة نومه أسفل بلاط الحجرة تحت سريره. أخذنا المفتاح من جيبه وانطلق رجال عبد النعيم إلى هناك، وضعت له ضمادة طبية مؤقتة لإيقاف نزيفه وإسكات عويله، اقتربت منه وأنا أُقلّم أظافري بالمطواة، جذبت مقعدًا وجلست في مواجهته قائلًا:

- مين بيساعدك لتصريف الألماظ برة مصر؟

- الخواجة يعقوب زنانيري مفيش غيره وبيساعد مسيو شيكوريل من زمان.

شعرت أنه نطق بالصدق بسرعة هذه المرة، ما زالت أذنه تؤلمه بالتأكيد، أحضرت الهاتف ومددت يدي بالسماعة، وضعت أصابعي على القرص وطلبت من حسانين إملائي الرقم لأتصل بزنانيري، أمرته أن يطمئنه من جانبي ويحدد لي موعدًا معه بسبب سفره للخارج الفترة القادمة وقد يغيب طويلًا، رغم اندهاشه من موضوع سفره هذا إلا أنه نفّذ كل ما طلبت بالحرف، كان وديعًا مستسلمًا للغاية. عاد الرجال بالحقيبة بعد ساعتين شعرت أنها بضع

ساعات، فتحتها متوترًا، وجدت محتوياتها كما هي لم تُمس ما عدا كيس الفصوص الصغيرة فقد نقص نصفه، يبدو أنه تصرف في بعضها تباعًا أو خسرها في القمار، تعثرت أصابعي بتذكرة سفر بالباخرة لمرسيليا يحلّ تاريخها بعد أيام قليلة، كانت تحمل اسمه ورقم جواز سفره، لم أهتم بسؤاله عن فصوص الماس فقد سرت الطمأنينة والراحة لأول مرة في عروقي بعد أيام طويلة أطار فيها حسانين النوم من عيني ومزق أعصابي إربًا، أمسكت بالتذكرة ولوحت بها أمام عينيه ثم بصقت في وجهه وقطعتها نصفين وأنا أقول باستنكار:

- يعني كنت مسافر فعلًا، كويس أنك ماكذبتش على الخواجة زنانيري!

التفتُّ بعدها لعبد النعيم قائلًا:

- كله تمام يا حاج!

أومأ عبد النعيم لرجاله فهمّوا بالاقتراب منه، صرخ حسانين بتوسل:

- صدقني يا عباس أنا مش خاين، صدقني نصيبك محفوظ أول ما اتصرف فيها برة مصر.. صدقني أنا كنت عاوز مصلحتنا.

- أنت ميت يا حسانين، كده كده كنت حتتعدم مع زمايلك زمان، بس يومك اتأجل..

- ارحمني يا عباس وأنا مستعد أكون خدامك العمر كله!

- عمرك خلص خلاص يا حسانين، أنت المرة دي راهنت عليه كله وخسرت!

لم أكن مستعدًّا لسماع بقية توسلاته، اتخذت القرار منذ عرفنا مكانه، انتظرت فقط وضع يدي على الذهب والماس، كمّم أحد رجال عبد النعيم أنف حسانين بقطعة قماش فغاب عن الوعي بعدها، لصق آخر شريطًا عريضًا على فمه ثم وضعوه في صندوق السيارة مرة أخرى لنذهب به إلى الزمالك حيث

نشيّد فيلا جديدة، اختيار موفق من عبد النعيم وعرض يستحيل عليّ رفضه، قبل الفجر بقليل أدركنا آخر ستائر الليل، وقفت مع عبد النعيم ورجاله حول الهوّة السحيقة، بعدما ألقوا حسانين فيها مقيدًا وهو ما زال مُخدّرًا، وضعوه في جوال من الخيش أحكموا إغلاقه، دارت الماكينات وزمجر الخلاط واقترب منه حتى صار فوقه، انسكب خليط الخرسانة اللزج عليه، وبدأ الأسمنت يغطّي الجوال حتى أخفاه كله تحته فأشار لهم عبد النعيم ليتوقفوا كي لا يستيقظ السكان من الضجيج..

قذفت عُقب سيجارتي وسط الصَّبة المسكوبة بالحفرة الكبيرة والتفتُّ لأنصرف، تسمرت في مكاني لوهلة، فقد لمحت خيالًا يتحرك داخل غرفة علوية في الفيلا القريبة منّا والمُطلة على موقع البِناء مباشرة، انطفأ نور الحجرة الخافت ثم أعقبه وميض لضوء قوي ثلاث مرات متتالية وبعدها سكن كل شيء.

*****

سادت حالة من التوتر، نقلت بصري لعبد النعيم، يبدو أنه رأى شبح الرجل الذي تلصص علينا ولا بد أنه لمح وميض فلاش الكاميرا مثلي، فقد اقترب مني مطمئنًا وهو يربّت كتفي بعدما أشار لأحد رجاله وهمس له ببضع كلمات، اختفى الرجل بعدها بسرعة مهرولًا، هممت بالتحرك خلفه لاكتشاف الأمر لكن عبد النعيم جذبني من رسغي قائلًا:

- اتقل.. حنعرف المستخبي ولو في بطن أمه.

وقفنا في نهاية الموقع قرب الطريق العمومي، المعدات كلها هدأت والسكون لفّ المكان بغموض وصمت مريب لا يريح، زقزقة عصافير متقطعة تبدو متوترة هي الأخرى في أعشاشها، وقطة صغيرة تُخرج رأسها من أسفل سيارة كبيرة تتلمس عبورًا آمنًا للطريق، تلمع عيناها في الظلام، يبصق عبد النعيم نحوها بضيق وهو يُغمغم:

- قبر يلمك.

تفزع القطة وتختفي، يهمس هو دون أن أسأله بتشاؤمه من القطط السوداء، يظهر من يسارنا فجأة صبي عبد النعيم الذي أرسله لاستطلاع الأمر، يتجاهلني ويهمس لمعلمه فيصرفه بإشارة من عينه ثم يمشي معي ناحية اليمين، أقل من عشرة أمتار ثم توقف أمام البوابة الكبيرة مباشرة، التفت ناحيتي ومن خلفه تظهر لافتة «قلب النخلة»، راح يشير للدور العلوي قائلًا:

- عدوك من هنا.. واحنا حدودنا لغاية هنا، لكن لو احتجت لنا حتلاقينا.

تركني الرجل وانصرف مع رجاله وصبيانه، تحسست مسدسي لأُطمئن نفسي، وعقلي يدور مثل بندول الساعة، ما بين بشير النوبي وهيلجا الجريجية، مَن منهما تجسّس من وراء النافذة ورآنا والتقط لنا صورة وربما أكثر، اجتزت البوابة ودرت حولها دورة كاملة، السكون يغطيها بالكامل، اقتربت من باب البدروم وحاولت دفعه برفق لكنه كان موصدًا من الداخل، وقفت بجوار عمود كبير، أشعلت سيجارة مراقبًا نوافذ الطابق العلوي، خُيل لي أن هناك حركة وراء الستائر، ظهرت من مكمني لأكشف نفسي للواقف خلفها، لكن الستائر بدت ساكنة تلك المرة، ومض في رأسي خاطر غريب، رحت أرتب الخيوط مع بعضها البعض بهدوء حتى أنهيت سيجارتي الثانية. دهستها بحذائي وغادرت فيلا قلب النخلة إلى شقتي مطمئنًا لما توصلت إليه، لمحت في طريقي أحد رجال عبد النعيم، ربما تركه ناضورجيًا، حييته بإيماءة خفيفة ولم أطلب منه الانصراف، بقاؤه يقلقها وهو ما يريحني!

أنا على يقين الآن أنها رأت كل شيء منذ بداية وصولنا لموقع البناء، من نظراتها ووجهها الجامد ثم إصرارها على إظهار دهشة مصطنعة لما سألتها صباح اليوم التالي عن سبب نومها متأخرة، فهمت أن وميض الضوء بسبب التقاطها الصور لي وأنا أدفن حسانين، لا شك عندي لما وجدت الكاميرا

خالية من الفيلم، ظلت متوترة لم تسترسل في الحديث معي، ولم تسألني عن الأمر وسبب تفتيشي في متعلقاتها، حيرتي لم تطُل، فما أن بدأت أذكر لها غدر حسانين وأروي قصته على حلقات حتى بادرتني زينب قرب نهايتها التي باتت تعرفها قائلة باستنكار:

- الله يرحمه.. ويا ترى مين عليه الدور بعده؟!

صمتت برهة ثم أضافت متنمرة:

- ربنا يرحمنا مقدمًا.. لكن لازم يبقى في بينا اتفاق جديد يا عباس!

- فين الفيلم يا زينب.. خفيتيه فين؟! اعقلي وبلاش جنان حنروح في داهية كلنا.

- اقتلني يا عباس.. أنا الخوف مات في قلبي ومش خايفة منك!!

أعلم جيدًا أنها تفعل ذلك لاعتقادها بأنني قتلت ساندرو، لا رقة قلب منها على زوجة حسانين أو طفله، لكنها لا تعلم أن هذا الحقير ساندرو كما تنكّر لها حاول أن يخدعني ليتخلص من شراكتي ويستولي على أرضي التي أقمنا عليها شركة الدواء فسبقته، لم أستطع أن أروي لها تفاصيل اللقاءات الكثيرة التي دارت في الإسكندرية ومن قبلها في القاهرة مع بوللي باشا، عندما عرفت أن ساندرو حصل بعلاقاته مع السراي على توكيل كبير للدواء ليكون ممثل الشركة العالمية في مصر كلها، فعرضت عليه المشاركة بأرض أمتلكها في الإسكندرية مع عبد النعيم لكنه تهرّب مني، عرفت بعدها أنه يبيع أسهم الشركة لآخرين من اليهود فدخلت له من مدخل علاقته بزينب وابنته هانم، هدّدته بالقتل ووجدت أنها ورقة ضغط قوية، بدا خانعًا أمامي لكنه راوغني بعدها وباع بقية الأسهم لليهود ونوى الرحيل لإيطاليا. لم يكن أمامي وقتها مفر من الخلاص منه حتى لا أخسر كل شيء، استغليت علاقات بوللي وطمعه فأصبح هو شريكي، صار

هو مالك الأرض والمصنع وأنا مجرد مدير بماهية، استعاد بوللي الأرض وكل الأسهم التي باعها ساندرو بعدما تدخل لإيقاف نقل الملكية بالبورصة وسجل الشركة. لا يهم فكل ما كان يهمني ألا يحصل ساندرو على مليم واحد من هذا التوكيل ويُطرد من مصر مفلسًا كما أتى إليها، وقد كان، بعدما تحمل الخسارة كلها وأعاد المال الذي حصل عليه.

لأول مرة أشعر بقلق من زينب، هززت رأسي رافضًا الفكرة لكنها عادت تنقر عقلي بقوة، يبدو أنني أصبحت أخاف منها لأول مرة في حياتي، كيف انقلبت الأوضاع هكذا؟!

استجمعت ما تبقى لديّ من ثقة ونحيت كل هذه المخاوف جانبًا الآن، موعدي مع الخواجة يعقوب زنانيري هو ما يشغلني، وبعدها سأتحدث من منطق قوة كما كنت وسيكون لي مع زينب كلام آخر، ارتديت ملابسي وحملت الحقيبة في طريقي للخروج، استوقفتني زينب قرب الباب قائلة بسخرية:

- بدلة بصفين ومنديل وجزمة بيضا وكمان برنيطة نفس اللون، على فين العزم وأنت على سنجة عشرة كده؟

- حابيع الألماظ علشان نقبّ على وش الدنيا.. خلاص هانت يا زينب.

- وحتبيعه فين بالصلاة على النبي كده في عز الضهر؟!

ابتسمت وأنا أقول لها:

- في دار المعارف يا زينب، سمعتي عنها؟

صفقتُ الباب خلفي بشدة حتى تتراجع لو فكّرت في الوقوف بعتبته وتكرار سؤالها، تركت سيارتي وأشرت لأقرب تاكسي يمر أمامي قائلًا:

- وسط البلد يا أسطى.

*****

- بونسوار مسيو زنانيري!

لا تزال تلك النظرة المندهشة التي رأيتها عندما التقيته أول مرة مُطلة من عيني يعقوب زنانيري وهو يتأملني جالسًا في صالون بيته الأنيق بحي شبرا، اتصلت به بعد خلاصي من حسانين بيومين وقابلته في مكتبه بدار المعارف التي يعمل مراقبًا لحساباتها، يومها أنهى اللقاء مبكرًا بعدما استمع لكلامي عن تصريفه للماس والذهب خارج مصر مع الخواجة شيكوريل، توتر وارتبك لما رأى الحقيبة بيدي مع أني لم أفتحها، نهض ليتأكد من إحكام غلق باب مكتبه، طلب من سكرتيرته ألا يدخل أحد علينا لكنه لم يقُل كلامًا مرتبًا، بدا مشوشًا وكأنه ينفي عن نفسه تهمة مع أنني طمأنته، سلمني كارتًا صغيرًا وودّعني حتى باب مكتبه وهمس قائلًا:

- سأنتظرك الساعة سبعة غدًا في حمام مرجوش!

تتشابه حمامات القاهرة العامة كلها من الداخل لدرجة كبيرة وكأن الذي بناها شخص واحد. كانت أول مرة أذهب فيها لحمام مرجوش بباب الشعرية، وجدته مختلفًا، فغرفه أكثر رحابة وسقوفها أعلى، الحي كله يسكنه اليهود تقريبًا ونادرًا ما ترى غيرهم في طريقك للحمام بنهاية الحي، يومها لم أصطحب مسدسي لكنني لم أذهب بمفردي. دخلت غرف «المَسلخ» وخلعت ملابسي، لففت جسدي ببشكير كبير، تأهبت لحمام البخار المتصاعد من المغطس، ولأنني وصلت بعد موعدي بنصف ساعة فوجدت زنانيري قد سبقني لتنظيف جسده. لحقت به لكنه تظاهر بعدم معرفتي فامتثلت ربما يخشى أمرًا لا أعرفه، انتهى قبلي من حمام المغطس ورمقني بنظرة حادة وهو يغادر، على مقربة تتناثر المصاطب الرخامية المرتفعة بين جنبات الحمام التي يستنشق عليها الرواد بعض الهواء عقب جلسة البخار. تبقى مصطبة وحيدة تتوسط الحمام يستلقي

عليها الزائر للحصول على جلسة «تكييس» وتدليك بواسطة الحمّامجي الذي يستخدم زيوت ودهانات ذات روائح نفاذة ولزجة للغاية، ومن بعيد تبدو بقية غرف المسلخ، تجاوزه زنانيري ومضى في طريقه ثم دخل ممرًّا ضيقًا لا يتعدى المترين يقود إلى ردهة تتصدرها الأرائك الخشبية وهو يتلفت خلفه كل برهة، لحقت به وأنا أُسرع الخطى، ارتكنّا بظهرينا على الجدار الرطب، الفضاء تغطّيه سُحب مكثفة من البخار المنعش تحجب الرؤية كشبورة الصباح، يبدو المكان وكأنه استراحة للخاصة ولا بد أن له سعرًا مختلفًا، لم يعترض الحمّامجي طريقي عند دخولي بل رحب بي بابتسامة واسعة، يبدو أن زنانيري قد غمزه بريال أو اثنين لما سبقني، من بعيد لمحت بالكاد صاحبي فهيم أفندي الذي وصل للحمام مبكرًا تحسبًا لأي بادرة غدر من زنانيري، أومأ فهيم برأسه ففهمت أن المكان آمن ولا يوجد غريب، كنت مطمئنًّا فالمسدس مع فهيم، انتظرت كي يفتح زنانيري معي الموضوع لكنه راح يحدّثني عن دولة إسرائيل التي أعلنوا قيامها منذ عامين تقريبًا وتفكيره في الهجرة إليها لتأمين مستقبل ابنته، ثم قال كلامًا كثيرًا عن كونه غير آمن للبقاء في مصر بعدما رفضوا إعطاءه الجنسية على الرغم من إقامته بها لأكثر من نصف عمره، رجع برأسه للوراء وهو يردد بأسى:

- عشرين سنة ومع ذلك يتم تجديد الإقامة كل ستة أشهر مع إني تركت إيطاليا وعايش هنا وفلوسي كلها في مصر..

- أومال بتشتري عمارات وأراضي ليه يا خواجة لما أنت عاوز تهاجر؟

بُهت زنانيري من كلامي لكنه تجاهله بينما حركات يديه وأصابع قدميه تشيان بارتباكه، تفادى النظر لي وراح يتحدث عن ابنته وأنه يريد أن يضمن لها مستقبلًا جيدًا حتى...

قاطعته هامسًا:

- يبقى لازم تبطل تلعب قمار كل أسبوع يا خواجة ولازم تحافظ على صِيغة مدام راشيل مش تروح ترهنها يا راجل، والأهم من ده كله إنك ما تشتريش أملاك تجّار ضربوا تفليسة على الورق علشان تاخد عمولة وبعدها تسرقهم وترفض ترجّع لهم أملاكهم!

اعتدل زنانيري في جلسته، مسح جبهته المتصببة عرقًا، اتسعت عيناه بقدر ما تفتحت مسام جسده، صار كل جزء من جسمه يفرز ماءً، كاد يبول على نفسه وهو يضم ساقيه بقوة وربما فعلها، ظل يردد بارتباك ظاهر لم يستطع مداراته:

- أنت بتتجسس عليا يا مسيو عباس؟ أنت بتشتغل لحساب مين؟ وعاوزين مني إيه؟

- كل خير يا خواجة، المثل بيقول حَرّص ولا تخوّنش.. اسمعني كويس.. إحنا الاتنين في مركب واحد، يا نوصل سوا بر الأمان، يا إما تغرق لوحدك!!

لم يُدرك زنانيري أن فهيم أفندي جمع معلومات كثيرة عنه، أيضًا حسانين روى لي بعض ما يعرفه وبحكم عمل فهيم بالشهر العقاري وإدارة أملاك الأجانب عرفنا أكثر عن ممتلكاته، كان من السهل ملاعبته بما عندي، لم أشأ فتح موضوع الماسة مباشرة، دُرت حوله من بعيد ثم رحت أقترب أكثر فأكثر، كل برهة أُلقي له بمعلومة جديدة عن أملاكه وعمليات التهريب التي يقوم بها، لم أهدده لكنني أشعرته بوضوح أن بإمكاني فضحه.. تعريته.. تجريده من كل ما يملكه، ربما أيضًا طاف بخاطره أن بإمكاني وضعه في السجن، هذا ما كشفت عنه نظرات عينيه الأخيرة وهو يهم بالنهوض قائلًا:

- أنا تحت أمرك مسيو عباس، المهم نبعد عن عين البوليس والحكومة والضرايب، أنا منتظرك في البيت عندي نتكلم في التفاصيل لكن صدقني مش حنختلف أبدًا وحياة بنتي ما حنختلف!

- قصدك ولادك يا مسيو زنانيري، معلوماتي بتقول إن مدام راشيل حامل في الشهر التالت!

*****

ها أنا في صالون بيته وهو يجلس أمامي متشككًا حتى لما رويت له الكثير عن نفسي كي يطمئن، بعد نصف ساعة لانت ملامحه قليلًا لكنه ظل متحفظًا في الحديث معي، عبثت بحقيبتي لأُريه الماسة، تعثّرت أصابعي بقبضة مسدسي فأخرجته، تركته ظاهرًا لبرهة لكن زنانيري لم يعلّق بكلمة رغم تيقّني أنه رآه، ملامحه تقلّصت لكنه حافظ على ما تبقى من هدوئه، وضعت المسدس وأظهرت الماسة الكبيرة دون أن أُخرجها كلها، ارتكنت بيدي على حافة حقيبتي، للغرابة أيضًا لم يهتز على الإطلاق وكأنه كان يتوقع أن يعثر عليها أحدهم، فقط زمّ جبهته قليلًا ثم سألني:

- أنت تعرف حسانين المصري كويس؟!

فهمتُ سؤاله كأنني نفذت لعقله بسهولة من لمعة عينيه وتردّده فرددت:

- طبعًا ولا أثق فيه زيك وده سبب حضوري لوحدي، بالمناسبة حسانين سافر ويمكن يغيب فترة طويلة!

أومأ بالإيجاب عدة مرات طوال إجابتي وبدا مرتاحًا لسفره، روى لي الرجل أن حسانين كان يسرق الخواجة شيكوريل وكان المرحوم يشك فيه لكن زوجته الجديدة پولا صممت على وجوده، مال زنانيري نحوي هامسًا:

- يظهر فيه حاجة مش ولا بد بينهم لأن مفيش دخان من غير نار!

رفعت كتفَيّ قليلًا ولم أردّ فلم يُلحّ، لكنه عاد يقول بمكر مفضوح عارضًا مساومة رخيصة:

- أنت عارف طبعًا إن الذهب والألماظ من نصيب ناديا بنت شيكوريل من مراته الأولى وطبعًا لازم...

قاطعته بحسم:

- ناديا سافرت من سنين طويلة وماتعرفش حاجة عن الخزنة ولا الوصية وماحدش عارف طريقها، ويمكن تكون ماتت كمان.. والحي أبقى من الميت ولّا رأيك إيه؟

سكت زنانيري وأغمض نصف عين، يا ترى هل يفكر في نصيبه أم في الإبلاغ عني؟ ربما سيُخبر بولا لكنه لا يبدو مقرّبًا منها، اتهمها في شرفها منذ قليل، لا بد وأنه يكرهها، لا أظنه سيغدر بي، قررت ألا أتركه حيًّا على أي حال لو فكّر مجرد تفكير في أن يخونني، قطع صمتنا وهواجسي صوت باب الصالون الذي فُتح فجأة، أطلّت زوجته وهي تدفع عربة صغيرة رُصّت عليها أكواب وأطباق وبرّاد للشاي وشرائح من الكيك، حيّتني بابتسامة صفراء، عرّفني بها زنانيري لكنها لم تسترسل معي في الحديث، فقد باغتنا صوت بكاء طفلة من بعيد فانصرفت مسرعة، لا يبدو عليها مظاهر حمل، ابتسمت في سري متسائلًا عن الوسيلة التي عرف بها فهيم أنها حبلى في شهرها الثالث، هذا اللئيم لديه مقدرة أكبر من قلم مباحث الحكمدارية كله في جمع المعلومات!

قدّم لي زنانيري الشاي ورصّ قطعتين من الكيك في طبقي، اختارهما كبيرتين بعناية وراح يحكي عن ابنته التي لم تكمل عامها الثاني بعد وفرحته بها، عادت الزوجة تحمل الطفلة، تهدهدها برفق لتسكت، حملها زنانيري بحرص وهو يقرّب وجهها مني قائلًا:

- بنتي باتيل..

فيما يبدو قرأ دهشتي التي انطبعت على ملامحي من اسمها فأردف بحماس:

- يعني بنت الله.. بالعبري يا مسيو عباس.

انتهزت فرصة انسياب مشاعره ومغادرة زوجته لمجلسنا وقلت:

- ربع قيمة الماسة يأمّن لباتيل وأختها أو أخوها الجاي في السكة حياة مرتاحة لو شاركتني وصرفتها بمعرفتك، ووقتها تكون بنت ربنا فعلًا وإن شاء الله يرضى عنها!

لم يبتسم لدعابتي، فقط اهتزت يده التي تحمل الطبق قليلًا، وشعرت بأنفاسه تعلو وصدره يختلج، سيوافق لا شك عندي، الآن يفكر في أرباحه بالتأكيد من وراء مساعدتي، لكنه كان ينتظر عرضي أولًا مثل كل اليهود!

أشعل سيجارة حرقها حتى منتصفها في ثلاثة أنفاس طويلة متتالية دون أن تغادر شفتيه، أطفأها بعصبية ثم أخرج ورقة وقلمًا من جيبه، راح يدوّن أرقامًا أو ما شابه، فتحت الحقيبة وأخرجت الماسة فأشار لي بكفّه لأعيدها ثانية، ودون أن يرفع عينه عن ورقته قال:

- يا حبيبي أنا عارفها زي كف إيدي وحافظها زي اسمي، اشتريتها لشيكوريل قبل ما يموت بسنة واسمها قلب النخلة بالمناسبة على اسم الفيلا ولا يمكن تتباع إلا عن طريقي.

- ليه هو اللي خلقك ماخلقش غيرك؟! بلاش طمع من أولها يا خواجة.

- موش طمع يا حبيبي، دي ألماظة معروفة لأنها كبيرة وصاحبها موش موجود فلازم تتقطّع علشان تتباع في السر.

- يبقى اتفقنا يا خواجة.

ابتلعت نصف الكيكة وأردفت وفمي محشور بالطعام:

- وأهو يبقى عيش وملح كمان بينّا!

ضحك الرجل لأول مرة منذ أن رأيته ثم بانت على وجهه ملامح ثعلب عجوز مخضرم لا يُخاطر بالعراك مبكرًا، إنما يُباغت خصمه بضربة قاتلة فحسب، قائلًا وهو يطوي ورقته ويضع قلمه في جيب سترته:

- شوف يا مسيو عباس.. أنا نصيبي خمسين ألف جنيه بمصاريف السفر والتقطيع عن ألماظة قلب النخلة وحاخد سبيكتين دهب وربع الماس الصغير والباقي حلال عليك، أنا كده باكرمك على فكرة في أول تعامل بينا وحاكتب كمبيالة أو شيك للضمان وحاسلمك فلوسك بعد أسبوع ولو تحب أحطها لك في أي بنك برة مفيش مشكلة.

استعادت ذاكرتي كلمات حسانين وهو يؤكد أن نصيب كل منّا ربع مليون جنيه من قلب النخلة فقط، حتى لو كان يخدعني في نصف هذا المبلغ فلا شك عندي الآن أن الخواجة زنانيري سيحصل على الفتات، وافقت لكنني عدت أسأله دون أن أُبدي سعادة بعرضه:

- هو الخواجة شيكوريل كان بيتصرف إزاي كل مرة يا مسيو زنانيري؟

- شيكوريل كان بيخاف من البنوك هنا وبيحوّل فلوسه لألماظ ودهب أول بأول، كان عنده مشاكل مع إخواته ومع پولا، لكن أنا أفضّل البنوك المصرية لأنها أضمن.. العالم خارج من حرب كبيرة للمرة التانية وماحدش عارف ممكن يحصل إيه تاني!

- أنا محتاج فلوسي كاش عدًّا ونقدًا، لكن اسمعني كويس يا مسيو زنانيري، الضمان عندي مش شيكات وورق!

- أومال عاوز إيه يا مسيو عباس؟ أنا تحت أمرك!

- عاوز باتيل.. بنتك.. بنت ربنا هي الضمان للعملية كلها علشان يكرمنا كلنا!

*****

12

«أستمد قوتي من وجوده، أحيانًا أشعر بأنه أضعف مني لكني دائمًا أحتمي به»

ناديا

كعادتنـا تجمّعنـا ظهر يوم جمعـة، أكثر من سـت فتيات بدراجاتنا نتسـابق بمحاذاة الرصيف في الشـارع الموازي للنيل في طريقنا إلى «جنينة الأسـماك» أو «الجروتـو» كما يسـميها أبي، ندور حولها مرتين ثم نتنـاول الغداء بداخلها، كعادتهـا أبدت عمتي اعتراضًا شـديدًا فـي البداية على تلك النزهات الشـتوية، فهـي دومًـا متحفظة.. منغلقـة.. قلقة، تبالغ فـي خوفها عليّ مثـل غضبها مني، كأننـي ما زلت طفلة، عكس ما تبدو من حديثها مـع الناس منفتحة.. متحررة.. هادئـة، لكـن فاجأني أبي بشـراء دراجـة بلجيكية بيضـاء بمناسـبة عيد ميلادي منـذ عامين فوضع زينب أمام الأمر الواقـع لتوافق على مضض، وضعت حول مقودها زهورًا ملونة كنت أُغيرها كل ثلاثة أيام، قادتني تلك الدراجة إلى طريق لم أتخيله أبدًا لكنني قطعته حتى نهايته، ويا ليتني ما فعلت!

أثناء سـيرنا بالدراجات توقفت أمامي فجأة سيارة فيات سوداء كبيرة شبيهة بسـيارة أبـي الحكومية، ظننت أن عمتي تسـتقلها، فاليوم عطلـة وأبي لا يخرج قبـل منتصف الليل خوفًا من سـاعة نحس به كما يعتقد، بـل كان يتفادى مجرد

الحديث معنا في نهار الجمعة، ارتبكت واختلّ المقود بيدي، لكن قدمَيّ دارتا أسرع وكأنهما تنبّهان عقلي للهرب نحو الخطر.

عند لحظة مروري بجوار السيارة في محاولة لتفادي الارتطام بها، انفتح بابها فجأة، لأصطدم براكبها ثم بالباب، سقطت فوقه فبدا وكأنه تلقفني، لحظات متسارعة بدت فيها الصورة مشوّشة مهزوزة، لأجد صديقاتي حولنا على شكل حلقة غير مكتملة، متلهفات جزعات. هَبَّ الرجل في ثوانٍ مبتسمًا، معتذرًا برقة بدت لي مصطنعة نوعًا ما، لكن نبرة صوته الرخيمة لفتت انتباهي نحوه، كان يرتدي زيّه الرسمي، ندت ابتسامة إعجاب من إحدى صديقاتي ببدلته الصفراء الفاتحة والنجوم المتلألئة على كتفيه، صافحته أخرى وهي تبتسم حتى أذنيها، ظلت تشكره ولا أعرِف على ماذا؟! ألأنه أوقعني؟

انفعلت بسرعة مؤنبة إياه كي لا أعطيه أي فرصة للتراجع، لمته على وقوفه يمين الطريق فجأة ونزوله من جهة اليسار وهو يبدي أسفًا شديدًا، أظهرت تأففي وضيقي وأنا أُنظف ملابسي من أتربة علقت بها، لاحظت جرحًا في ساقي، نبّهني الرجل بأدب شديد لضرورة تنظيفه فورًا، حاول أن يدعونا لبيته لسرعة تطهير الجرح، لكنني رفضت بإصرار، أشار لعمارة «لوبون» الضخمة المطلة على النيل والتي كنا نقف تحتها، لكنه لم يُلح علينا، اكتفى بأن أخرج كارتًا صغيرًا من جيبه قدّمه قائلًا:

- الرائد مراد الكاشف بوزارة الحربية!

ترددت قليلًا في مد يدي حتى سبقتني إحدى صديقاتي فالتقطته، وتبرعت أخرى بتعريفنا له، ولما جاء دوري وقد تشككت أنها تعمّدَت تركي للنهاية، قدمتني باسمي كاملًا وعنواني أيضًا:

- دي بقى ناديا عباس المحلاوي.. ساكنة في فيلا قلب النخلة بالزمالك، قريبة منك أوي!

ابتسم مراد بعينين لامعتين، ثم رفع الدراجة بيد واحدة وبالأخرى التقط إطارها الأمامي، الذي انفصل عنها من جراء الحادث، ووضعهما في حقيبة سيارته، انصرف وتركنا غارقين في صمت الانبهار، أشبه ما نكون بتماثيل جميلة تُحيط بفارسها الذي كان يختال وسطها على حصانه ومضى في طريقه دون أن يلتفت لنا.

*****

- لا يمكن أوافق يا زينب.. فرق السن بينهم عشرين سنة على الأقل ويمكن أكتر!

كلمات قليلة عبّر بها أبي عن اعتراضه على زواجي من مراد الكاشف ضابط الجيش المهيب الصارم المتجهم دائمًا، الذي تقدّم لي بعد حادث الدراجة بنحو أسبوعين تقريبًا بعدما أعادها في اليوم التالي مع أخرى جديدة لم أركبها أبدًا، ويبدو أنه تفرّغ للتحري عنّا، فلما فرغ منه أتى!

- وكمان ماحيلتوش حاجة يا زينب غير مُرتّبه، حتى الشقة مملوكة لإدارة الحراسات وهو قاعد فيها مؤقتًا، وضْع يد بالعافية، أنا أعرفه كويس وعارف أصله وفصله.

- بس الراجل واصل وله مستقبل وجارنا في الزمالك، واليومين الجايين بتوعهم يا عباس، البلد بتاعتهم، بُص لقدام، جرى لك إيه؟ وبعدين أنا موافقة!

كلمات كهذه وتلك التي قالها أبي في نقاشه مع عمتي زينب صمدت بالكاد أمام تيارات غضب العمة القوية، ثم استطاعت بجبروتها إزاحتها بسهولة جانبًا، صممَت على تحديد موعد خطوبتي في أقرب فرصة، ظلت تلح كما تتنفس، لكن أبي رغم هدوئه كان عنيدًا صلبًا لا يلين بسرعة لكنني تعجبت من وقوفه

بصفّي هـذه المرة باستماتة على غير عادته، استغرقت مفاوضات الخطوبة وإقناعي وتليين رأسي أكثر من شهر وأنا على حالي، مراد يُلح وأبي يقف ثابتًا في خندق الرفض وعمتي تُقاتل بضراوة من كل الجبهات، تستخدم صديقاتي، تعاملني برقة وحنان، تغريني بمنصب مراد ونفوذه..

قالت لي مرة بثقة وكأنها وزير الخارجية:

- بكرة يبقى سفير زي عمرو باشا جارنا، وتلفي الدنيا كلها معاه!

كانت تعرف أنني قريبة من جارتنا مايسة ورغم أنها تطيق العمى ولا تطيقها إلا أنها طلبت منها التدخل لإقناعي، لكن مايسة أبلغتني بيني وبينها برفضها القاطع لزواجي من ضابط يكبرني بعشوين عامًا على الأقل، حدقت فيّ طويلًا ثم قالت بامتعاض:

- ده ينفع يتجوز عمّتك زينب لكن أنتي تتجوزي مراد ده مش ممكن أبدًا!

قبل أن أرد هزّت رأسها باستنكار شديد وأردفت بصوتٍ عالٍ كأنها تكلم نفسها: c'est fou ça!

أغدق علينا مراد بالهدايا، حاول تقديم تسهيلات لنا بحكم منصبه في كل ما نطلبه، لكن حالة من العداء الباطن بينه وبين أبي لم أفهمها أبدًا، ظل أبي يصده دائمًا، أما عمتي فقد استفادت وطلبت منه خدمات لا تنتهي لصديقاتها ومعارفها ولنفسها قبلهم، بالطبع كان مراد ذكيًا ولماحًا، فمنذ اليوم الأول رفع شراعه باتجاه عمتي وترك أبي بمفرده على شاطئ التجاهل، صار مع الوقت يتعمد إحراجه، يتعالى عليه متكئًا على وظيفته الحساسة والمهمة، يبدو أنه عرف حدود نفوذ وعلاقات أبي فحدد علاقته به، كان مهذبًا ودودًا معه في البداية ثم متحفظًا إلى حين، حتى انتهى متبجحًا، إلى أن انفعل أبي عليه وتقريبًا طرده من الفيلا، شعرت يومها بأن همًّا ثقيلًا انزلق من فوق كتفي، بكيت وأنا

أحتضـن أبـي وأدفن رأسـي في صـدره مختبئة من سـهام نظـرات عمتي، لكن فرحتـي لم تـدُم لأكثر من ليلة، ففي اليـوم التالي اقتحم فيلتنا عشـرات الرجال قالـوا إنهـم مـن البوليس مـع أنهم يرتـدون ملابس عاديـة، بدلة صيفيـة بأكمام قصيرة، فتشـوا البيت كله إلا حجرة نومي، غابوا لفترة بالطابق العلوي ومنعونا من حضور التفتيش، أخذوا أوراقًا كثيرة من خزانة أبي ومكتبه واحتجزوه قرب المرسى، على الفور اتصلت عمتي زينب بمراد، الذي كان ينتظر تلك المكالمة بمكتبه حسـبما فهمت بعدها بسـنوات، دقائق طويلة مرت بطيئة، ثم تركوا أبي وانصرفوا مسرعين وكأن مراد يحركهم بخيوط من بعيد!

لـم تمـر ثلاثة أيام حتـى زارنا مراد مرة أخـرى طلب فيها الانفـراد بأبي في حجرة المكتب، سـبقه مختالًا فخورًا ولحقه أبي متكاسـلًا على مضض وخرج بعـد سـاعتين متخـاذلًا مُطرقًا، مـن يومها بدأ مـراد يتحدث مع عمتـي بثقة في تفاصيل خطوبتنا، وبات أبي مثل خيال الظل!

الغريب أنني في ذلك اليوم شـعرت بانبهاري من قوة شخصية مراد وتأثيره على عائلتي، إصراره على الزواج مني شجعني لرؤية جانب آخر من شخصيته.. وللغرابـة أكثـر أننـي انجذبت! لكن لمـا اقتربت وجدتـه مثل القمـر آفلًا مُعتمًا بـلا حيـاة، وبقليل مـن الحمـاس وكثير من القهـر أبديـت موافقة مائعـة، ربما لأحتفـظ لنفسـي بباب خلفي أمـرُق منه وقت الحاجـة إذا لم يُبهرنـي مراد مرة ثانيـة أثنـاء فترة قراءة الفاتحة التـي تعمّدت إطالتها. قبيل بدء السـنة الرابعة من دراسـتي الجامعية، اخترت فسـتاني من أتيليه مدام Vasso رغم امتعاض عمتي منهـا، كانـت ترغب في تفصيلـه بمعرفة خيّاطتها الشـخصية مـع إن دولابها به فسـاتين لذات الأتيليـه، رتبت مع بعـض صديقاتي أن يكون حفـل خطبتي في فنـدق هليوبوليـس في مصر الجديدة، كنت أذهب إلـى هناك مع صديقاتي في الجامعة لحضور حفلات ماتينيه موسـيقية، نشاهد فرقة «بلاك كوتس» ونسمع

المطرب بوب عزام، نرقص على أغنيته الشهيرة «أنا بحبك يا مصطفى»، أعجبنا المكان وتعلقنا به، قررنا أن نُزفّ منه واحدة وراء الأخرى، وإمعانًا في جدية العهد الذي قطعناه على أنفسنا كتبت وصديقاتي ورقة صغيرة وقّعنا عليها كلنا بأسمائنا كاملة للذكرى، وكلما تذكرناها ضحكنا واحتفظت أنا بالورقة، أسررت لأبي برغبتي فلم يُمانع لكنه لم يبدُ متحمسًا، أعرفه جيدًا من هزة رأسه ناحية اليسار وميلها قليلًا كأنه يريد سكب كلامي من أذنه!

عمتي رفضت بالطبع قبل أن أُكمل كلامي، ثارت واعتبرتها عيبة كبيرة أن تُقام الخطوبة في فندق، عبثًا حاولت إفهامها أن المدعوين يعرفوننا ويعرفون كيف نعيش ومَن نحن، لن يعتبرها أحد أمرًا مشينًا، لكنها تجاهلت كل حججي، ألقت بها جانبًا مع ورقة الذكرى التي ظننتها خالدة والمقطوعة من إحدى كراساتي عن اتفاقي وصديقاتي على زفافنا من فندق هيلوبوليس بعدما مزقتها قطعًا صغيرة دقيقة، تناثر بعضها بعيدًا عن سلة المهملات لما ألقتها عمتي بعصبية حاسمة الأمر قائلة:

- بلا خيبة، أنتي عاوزة الناس تاكل وشّنا ويقولوا بيتهم مبهدل فعملوا فرح في أوتيل؟!

يومها قررت الخروج من بابي الخلفي الذي تركته مواربًا، لكن بيني وبين نفسي أعطيت لمراد فرصة أخيرة لإثبات قوة شخصيته وتأثيره أمام عمتي بعدما هزم أبي بالضربة القاضية، فقد كنت حتى اللحظة لا أعرف لماذا لا أترك مراد، ولا لماذا هجرت طارق؟! أنا غير مهيأة للزواج الآن ولم أحلم بمراد زوجًا، لكن الغريب أن بداخلي شيئًا ما يدفعني للقبول، أهو الخلاص من قانون زينب وسجنها؟ لست أدري!

بعدها بيومين حلمت بأنني أركب قطارًا مسرعًا من عربتين فقط فوصلت محطتي قبل موعدي، في المحطة الأخيرة وجدت نفسي أخرج من نفق طويل

مظلم في نهايته ضوء خافت، ثم رأيت ماكينة للطباعة صورتها مهزوزة لكن صوتها عالٍ جدًّا، تدور تروسها بسرعة، وعشرات الأوراق تخرج منها مندفعة لتطير في الهواء فوق الرؤوس بينما تمتد عشرات الأيادي لتتلقفها بشغف، يقرأون بسرعة ثم يتهامسون فلا أسمع ما يقولون!

أصحو من نومي منقبضة متعكرة المزاج، زرت مايسة وأخبرتها بكوابيسي قالت بعد تفكير:

- لازم تسافري وتتفسحي وتقري كتب أكتر، تخرجي مع أصحابك تروحوا سينما ومسرح أو تسمعي مزيكا، من بكرة تعالي العبي معانا جولف في النادي حيخلّي مزاجك أحسن بالتأكيد!

لم توافق عمتي على سفري مع صديقاتي، لديها قرون استشعار فيما يبدو فضيّقت عليّ أكثر وحدّت من زيارتهم لي وحرمتني من السينما والمسرح ورفضت فكرة لعب الجولف مع مايسة تمامًا ولم تُبدِ سببًا منطقيًّا لرفضها، ثم تلقيت مكالمة من مايسة تطمئن فيها على أحوالي أخبرتني فرحة بأنها ستهديني كلبًا صغيرًا لأربيه وأعتني به مؤكدة أنه سيُخرجني من حالة الاكتئاب التي أمر بها، ختمت محادثتها قائلة:

- أكيد عمتك كبرت وعقلت ومش بتخاف من الكلاب زي زمان!

ما أن وضعت السماعة وأنا أبتسم محاولة تخيّل شكل الجرو القادم حتى وجدت يد عمتي تهبط على كتفي قائلة بصلف:

- الولية الخرفانة دي هي سبب مصايبك كلها طول ما انتي سايبة لها ودانك، كلب إيه ونجاسة إيه اللي عاوزة تربّيها هنا في الفيلا؟! كل ده علشان جالك عريس كويس؟ ده الناس بتحسدنا عليه يا خايبة!

ضاق بي الحال يومها وتضايقت أكثر أنها تتنصت على مكالمتي من الهاتف الآخر، فأفضيت لها برؤياي، تصعبت زينب بشفتيها ولم تعلق سوى بعبارات مقتضبة كعادتها لما تنشغل بالتفكير وهي تردد:

- خير إن شاء الله.. عين وصابتنا!

تكرر الحلم ثلاث مرات أخرى بعدها وقبل أن أرى الرابع في منامي أتت عمتي بسيدة تُدعى «فكيهة»، عجوز شديدة السمار وجنتاها بارزتان وإحدى شفتيها معقوفة تشبه شفة الأرنب، نحيفة للغاية تضع خلخالًا ذهبيًا في أنفها الطويل المدبب، قدّمتها عمتي على أنها تُفسر الأحلام وتقرأ الكف وترى الطالع في الفنجان، هيأتها زادتني كآبة وخفت أقترب منها لكن كلامها أراحني وهي تفسر كابوسي، صوتها شديد العذوبة والرقة لا يتفق ومنظرها، قالت فيما قالته إن رحلة حياتي ستكون سهلة مريحة، سأصل دائمًا لما أريد حتى قبل أن أتمناه، لن يطول غيابه عني أبدًا. أما الماكينة والناس والورق، فلسوف يرزقني الله رزقًا وفيرًا من غير أن أفقد عزيزًا! لكن سيظهر غراب كبير يغطي سمائي بجناحيه فيحجب عني الشمس، سكتت برهة وتقلّبت ملامحها ولم تكمل، ثم أردفت بعد إلحاح مني:

- لكن ربكِ كبير وأكبر من كل ما خلق!

أنهت فكيهة تفسيرها وذبحت عمتي أرنبين مما تربيهم قرب المرسى وطبعت بدمائهما كفًا على سور الفيلا من الداخل والخارج بنصيحة من السيدة العجوز وبعدها قُضي الأمر، نفذت كلمات عمتي ووافقت أنا على مضض، لا بأس فلأجرب الخطوبة، لعل الله يقضي أمرًا كان مفعولًا، تحدد يوم 15 يوليو من عام 1966 موعدًا لخطبتي، ليلتها نزلت درج الفيلا الرخامي بتردد كأنني أريد التراجع في أي لحظة، أتأبط ذراع أبي في طريقي لمراد الجالس بنهاية الحديقة حيث أقاموا الكوشة، نفس المكان الذي كنت ألتقي فيه طارق ونحن

صغارًا لكن الوجوه تغيرت، لمحت بجوار مراد مأذونًا شرعيًا يرتدي الجِبة والقفطان، لا تخطئ العين هيأته أبدًا، تقف عمتي إلى يساره بفستانها الأسود المحتشم كالعادة وغطاء رأسها الضخم من نفس اللون بعدما خفّ شعر رأسها قليلًا وطال الشيب ما تبقى منه، وجود الشيخ زاد من ارتباكي وشعرت ببرودة سريعة تسري في عروقي فارتعشت، ماذا يفعل هذا الرجل هنا؟ لم يكن اتفاقنا على زواج، أجّلنا موعده لحين انتهائي من الجامعة.. فمَن أتى به؟!

أطلقت نظرات متوسلة لأبي مع سؤالي لعله ينفي هواجسي، لكنه ظل راسمًا ابتسامة بلاستيكية لا تتسع ولا تضيق ولا حتى تُبهج، فقط تصلح للصور الفوتوغرافية التي راح يلتقطها المصور الشهير «فيليب» الذي أتوا به خصيصًا، استمرأ أبي الوضع، ظل يحثّني على السير وكأنه مُسير لا مُخير، يتفادى النظر لعيني، في حين أبطأت من خطواتي رغمًا عني حتى تسمّرت في مكاني مائلة قليلًا مثل وردة ذابلة دهستها أقدام العشرات من قبل!

هبّت عمتي منتفخة الأوداج، تقدمت نحونا كأنثى طاووس فرغت لتوها من جماع ذكرها وراحت تتيه بسكرة النشوة، رمقتني بنظرتها الصارمة كعادتها، شعرت برجفة مثلما كنت صغيرة قبل عقابي مباشرة، نفس النظرة القاسية لم تنكسر ولم تخفت بل ربما زادت حدة مع الزمن، الزمن الذي حفر أخاديد غائرة بوجهها فمنحها سنوات إضافية على عمرها، وجّهت كلامها لعباس بنبرة خفيضة لكنها مسموعة لي، ربما كانت متعمدة:

- مراد بك عاوز يكتب الكتاب الليلة من غير دخلة وخير البر عاجله وأنا وافقته ورتبنا كل حاجة، عقّل البنت يا عباس أنا مش عاوزة فضايح.. أحسن ودِيني أنت عارفني ممكن أعمل إيه!

لا أحد فينا يعرف نهاية تهديدات عمتي زينب لأنها لا تنفّذها أبدًا، فكل ما تتمناه تدركه بعد موافقة أبي وأحيانًا بدونها، لكنني هذه المرة فقدت قدرتي

حتى على الخنوع لهما، تراخت ساقاي فجأة ودار رأسي، أُسدلت ستائر عيني فجأة، بالتأكيد سقطت مغشيًا عليّ وسط صراخ لم أميز أصحابه من المدعوين، لمّا أفقت علمت من صديقاتي أن عمّتي ادعت أن «الريجيم» الذي اتبعته مؤخرًا تسبّب في هبوط ضغطي مع أنني لم أكن بدينة أبدًا، بعد نصف ساعة وربما يزيد بدأت ألين وأهدأ قليلًا، لكن عمتي ظلت على تصلبها فتظاهرت بإغماءة أخرى، رحت بعدها بالفعل في نوم عميق، فقد ابتلعت حبوبًا منومة وضعها أبي في كفّي خلسة.

*****

لم أُزفّ ببنات صغيرات يحملن الشموع ولا عوالم يرقصن بالشمعدان، لم أرتدِ فستانًا أبيض وطرحة، فستان خطوبتي كان أسود ضيقًا، غيّرت عمتي تفصيلته في الأسبوع الأخير وأغلقت من فتحة صدره الكثير، أكانت علامة ولم أنتبه لها؟! لم تُطلَق الزغاريد سوى من سيدتين بسيطتين إحداهما تُدعى كوثر والأخرى عفاف، من هيأتهما ظننت في البداية أنهما خادمتان تعاونان عمتي، ثم علمت منها أنهما أقرباء لزوجها المتوفّى وتُقيمان في بلدة بعيدة وأصرّت هي على دعوتهما، لكنهما لم تجلسا مع أحد سوى أبي وعمتي، رغم أن فهيم أفندي كان موجودًا!!

ليلتها انصرف المدعوون مبكرًا، لم يروا شيئًا، لم يحتفوا بعروسين، بدأت الألسنة تلوك حكايات كثيرة عن زواجي المشئوم حتى من قبل أن يجتازوا بوابة فيلتنا، بقيت أنا وأحزاني وآلامي تحت رحمة ضغوط عمتي وسلبية أبي، وتهديدات مراد الذي بدا بعدها مثل ثور هائج وسط أوانٍ من زجاج، لم يعُد يرى غير طريقه الذي قرر الاندفاع فيه حتى نهايته، لم يمضِ أسبوع حتى أتى المأذون نفسه بدفتره الكبير وعقد قراني على مراد بذات تاريخ اليوم المشئوم بعدما علمت أنهم قد دوّنوا كل البيانات بتاريخ الخامس عشر من يوليو وتبقّى

توقيعي فقط، رتّب المأذون أوراقه بصالون الفيلا، ووسط ملامح متنمرة ووجهٍ باكٍ وآخر مستسلم على مضض وأخير لزج بارد يخصّ مراد وقّعت اسمي ببطء، أفلتت دمعة مني على حروفه فبللتها، صارت مهزوزة مضطربة فلم تعُد تُقرأ «ناديا»!

انتهت مراسم الحفل الحزين سريعًا مثل جنازة شُيّعت فيها المرحومة على عجل بسبب قلة المُعزين، أديت كل مظاهر الفرحة التي رتبت لها عمتي زينب، فوجئت أنهم وضعوا حقيبتي الكبيرة في صندوق السيارة، التفتُّ لعمتي غير مصدقة ما يدور أمامي، قرأت أفكاري وهي تهمس في أذني:

- من أسبوع كان كتب كتاب.. لكن دماغك الناشفة ومرقعتك خلتني أوافقه على الدخلة الليلة.. اتكلي على الله وربنا حيفتحها في وشك، أنا رتبت كل لوازمك في الشنط.. اطّمني، لسة برضه قلبي طيب رغم عمايلك السودا!!

وكأنني طفلة تسير نائمة.. حافية.. في حلم بملابس نومها تبدو سعيدة لكنها لا تُدرك أن هناك وحشًا بانتظارها بعد قليل، هي نفس الحكاية التي كانت عمتي ترويها لي وأنا صغيرة وكأنها تتكرر بحذافيرها، كنت أخاف جدًّا من نهاية الحدوتة وأنام دائمًا قبل أن أعرف ماذا فعلت الطفلة الصغيرة معه، أنا الآن بطلة القصة، ابتسمت في مرارة لأن البطلة لا تغير الأحداث، إنما الراوي فقط الذي يملك حق تقرير المصير وموعد النهايات، نظرت نحو مراد، بدا مبتسمًا في رضا مادًّا يده نحوي، بتلقائية شديدة لا أعرف لها سببًا مددت كفي نحوه، مضيت معه إلى بيته قبل أن نسافر في اليوم التالي إلى رأس البر لقضاء شهر العسل في فندق «سيسيل هاوس»!

انفرد بي مراد في شقته الأنيقة التي لا تبعد كثيرًا عن فيلتنا، كنت أول مرة أدخل عمارة «لوبون» بالزمالك لما تقدم لخطبتي وذهبت مع عمتي للشقة منذ شهرين رغم أني دخلت مثيلاتها الملاصقتين لها، عمارة لبيب جبر وعمارة

union، أعجبتني الشقة وأثاثها الفرنسي العريق، وتُحفها المبهرة، لوحاتها التي تُغطي جدرانها، أخبرني أنها من مقتنيات عائلته.. لكن عيني لمحت بسرعة صالونًا صغيرًا اختارته لي من محلات «بونترموللي» فعرفت أنها وضعت بصمتها وربما بصمات كفها كلها!

بدا مراد شابًّا تلك الليلة، تلاشت عشرون عامًا أو يزيد فجأة، خدوده متوردة، عروقه نافرة، شعره فاحم السواد بصورة ملفتة.. تركني ليُحضر زجاجة «شمبانيا» كبيرة من البار الصغير ويكشف الغطاء عن أطباق كثيرة من المحار وقواقع البحر تكفي لعشرة أشخاص، لاحظت أن غالبية الأطباق والأكواب منقوش عليها حرف (F) بماء الذهب، سألته عن معناه ويخص مَن مِن عائلته فلم يُعلق، اكتفى بابتسامة وهزّ رأسه بما يعني أن هذا ليس وقته!

ظللت واقفة في منتصف الصالة كغريبة تائهة وحقيبتي راقدة بجواري، احتواني برفق، احتضنني من الخلف برقة، طمأنني إلى حد ما فهدأت، تخففت من حذائي وبعض ملابسي، جلسنا إلى المائدة، مد يده بالطعام نحو فمي باعدت بين شفتَيّ بالكاد شاردة مضطربة، لكنه فاجأني بوضعها في فمه وهو يضحك، تطايرت كسرات خبز صغيرة من بين شفتيه وهو يتكلم، علت ضحكاته وهو يعيد تصرفاته الصبيانية التي استسخفتُها لما كررها ثلاثًا، تجهّمت قليلًا وبدأ مراد بعدها يتبدل وكأنه يخلع قناعًا ببطء ليكشف وجهًا آخر تحته، التهم الطعام بالكامل تقريبًا بعدما فرغ من بقية الزجاجة وأنا لم أرتشف بعد كأسي الثانية، لم أهتم بما ابتلعته من طعام فقد كنت أبتلع قلقي مع كل لقمة تدخل فمي!

فجأة فك حزام روبه الحريري بجذب رباطه مرة واحدة بسرعة وخفة كساحر متمرس، لأرى جسده أمامي، عاريًا تمامًا، مبتسمًا بثقة ثم جذبني من يدي، لم يكن عنيفًا لكنه لم يكن حنونًا كما بدأ، في طريقي لحجرة النوم انشغل رأسي بما سيفعله مراد معي الليلة وشعرت أن جسدي يتخشّب قليلًا، ليست

لديّ أدنى تجارب سابقة مع رجال، خبراتي كلها سماعية من صديقتنا الوحيدة صوفـي التي تزوجت، ومن أخرى كانت على علاقـة غرامية بمهندس إيطالي، كل ما أحمله بداخلي أحاسيس متناثرة كالشتات من قبلات مسروقة مع طارق في حديقة فيلتنا!

تـوارت الخبرات والنصائح مـن صديقاتي خجلًا أمام كلمات عمتي زينب المباشـرة الصريحـة وهـي تلقننـي التعليمـات الأخيـرة بدقة وصرامـة وكأنني سـأخوض حربًا يجب أن أبدو فيها ذليلة منكسـرة منبطحـة منذ اللحظة الأولى لأُمكّـن غريمـي الضابط من أسـري والاسـتمتاع بي، كل ما قالتـه زينب حدث بحذافيره وكأنها لقنت مراد.. لا أنا!!

أبطـأت قليلًا مـن خطواتي فـي طريقنا لغرفـة النوم وبينمـا الارتباك يتفوق علـى الخجـل بجـدارة وكلمـات عمتي ترن فـي أذنَيّ عمّا سـيفعله مـراد معي وبي، راح الخوف يُزيح المشـاعر جانبًا ليُفسـح الطريق أمام هواجسي كلها كي ترى كابوسـي مجسدًا أمامها بوضوح، تتلمسـه بقلق ثم تدفعه بعيدًا عنها لكنها لا تقـوى عليه، فهو مدفوع بقوة الرغبة وعزم الشـهوة، وصل قطاري مبكرًا عن موعده لمحطتي الأولى كما رأيت في كابوسي، ياليتني ما استقليته!

جثـم مراد فوقي بعدما جردني من سـروالي الداخلي السـفلي فقط، تركني شـبه عارية، بقية ملابسي متكومة قرب سـريري تُشكل جنينًا ضخمًا راقدًا على جنبه كأنه لفظ أنفاسـه، شـعرت بأنفاس مراد السـاخنة وهو يلعق أذني ورقبتي، لم ينظر لوجهي، لم ينطق حرفًا، أغمضت ونسيت كلمات عمتي لكنني تذكرت وجههـا الصـارم فقط، لا أدري لمـاذا تذكرت أيضًا لوهلة عابـرة ملامح طارق المصـري في تلك اللحظة بالـذات وهو يُقبّلني، لماذا طـارق الآن؟ لا أعرف، رأسـي سـينفجر ودموعي تتأهب للانهمار، لكن قبل أن أسترسـل في خيالاتي أو حتى أُجيب تسـاؤلاتي، شـعرت بمراد وهو يباعد بين سـاقَيّ ثم يندفع بقوته

حتى آخري، تألمت فجأة وصدرت عني صرخة مكتومة في صدره، ارتجّ لها جسده المشعر بغزارة، رفع رأسه قليلًا، لفحتني أنفاسه اللاهثة الساخنة بقوة، رائحة الكحول المختلطة بالتبغ تُثير غثياني، سال خيط رفيع وردي من بين ساقَيّ لكنني لم أرَه في البداية، فقط شعرت بدفئه وهو يخرج من جسدي معلنًا أنني صرت سيدة..

ندت ابتسامة نصر من وجه الضابط المتوتر قليلًا لكنه ظل يحتضنني لدقائق ليلتقط أنفاسه وكأنه يتشبث بي، بعدها نهض فجأة ثم راح يبتعد عني، دهس بقية ملابسي المتكومة كالجثة في طريقه، تركني باردة خائفة، أرى كابوسًا حتى وأنا مستيقظة، مضت ثوانٍ قليلة ببطءٍ وكأنها تُعاند الزمن، انسابت مياه الصنبور على جسده، ومن فرط قوة صوت اندفاعها شعرت أنها تُسابق دموعي التي انهمرت حتى كست وجهي كله، فاضت أحزاني كلها في الليلة الأولى من ألف ليلة عشتها مع مراد الكاشف.

*****

13

«هكذا الدنيا.. إذا هَنت أوهنت، وإذا حَلت أوحلت، وإذا كَست أوكست»

عباس المحلاوي

- وبسهولة وافق يسيبها لك يا عباس؟! ده طلع يهودي بصحيح!!

تأملت وجه زينب بملامحه المتوجسة، تسألني والشك يراودها، فتعيد السؤال لعلّي أغير الإجابة وأقول ما يؤكد ظنونها، مع أن الدليل أمامها، باتيل تنام كالملاك في فراشها بحجرتها، تُخرجني من شرودي مرة ثالثة بسؤالها لكنني لم أُجبها هذه المرة. في الحقيقة لا أعرف تحديدًا ما الذي قاله زنانيري لزوجته كي يتركا طفلتهما باتيل عندنا رهنًا وضمانًا للماسة الكبيرة حتى عودته من السفر وإعطائي نصيبي منها، هل خافا من تهديدي لهذه الدرجة؟! ربما! فقد تركاها وانصرفا في هدوء لا أعرف له مبررًا منطقيًا، لكنني موقن بأن الخمسين ألف جنيه وبعض القطع التي سيحصل عليها من وراء صفقة قلب النخلة تستحق أن يُغامر بحياته وحياة زوجته أيضًا لا ابنته فقط، أنا لو مكانه لفعلتها!

بكت الطفلة البيضاء ذات الوجه الملائكي، هدهدتها زينب وهي تُقبّلها من فمها وترفعها عاليًا عدة مرات، ابتسمت لها لما تلاقت عينانا وأنا أحذرها من سقوط الطفلة قائلًا:

- خلي بالك من باتيل دي تساوي تُقلها ألماظ.. بالرّاحة عليها يا زينب.

ضحكَت لكني لاحظت دموعًا مترقرقة في عينيها، لا بد وأنها تُذكّرها بابنتها هانم، خُيل لي أنها تهمس لها بهذا الاسم وهي تلاطفها وتُقبّلها، لم أشأ فتح الموضوع معها لكنها فاجأتني بسؤال عن سبب ترك اليهود لبناتهم، استشهدت بناديا ابنة شيكوريل التي اختفت بعد وفاته مباشرة ولم يهتم أحد بالسؤال عنها، لم تقتنع فرفعت كتفيّ ولم أزد، كل تفكيري مُعلّق بين السماء والأرض، بطائرة زنانيري التي استقلها أمس، لابد أنه يقطع الماسة الآن تمهيدًا لبيعها وكل شاغلي ألا يسرقني الخواجة، لكن زينب إذا ما شغلها موضوع لابد وأن تصل لقراره، تدور حوله من بعيد ثم تلدغ كنحلة غاضبة، عادت تسأل بخبث دون أن تنظر لي وكأنها تتحدث في أمر عادي:

- وهي ناديا بنت شيكوريل يا عباس أراضيها فين؟ وافرض إنها ظهرت لنا اليومين دول حنعمل معاها إيه؟

- ما خِلصنا خلاص يا زينب، ألف مرة قلت لك الفلوس اتورّثت لپولا وإخواته من زمان والفيلا إحنا تقريبًا حاطين إيدينا عليها والدهب والألماظ معانا، ليه نتعب دماغنا وندوّر على ناديا وهي أصلًا مش عايشة هنا؟ انسي الموضوع كله، هي نفسها ما تعرفش إن أبوها كتب لها وصية، الورق كله معانا والوحيد اللي كان عارف سرّنا ربنا افتكره، وزنانيري روحه في إيدينا!

- الله يرحمك يا حسانين، يا ترى الدور على مين بعده؟!

عادت زينب لنبرتها المغلّفة بتهديد خفيّ، كل فترة تتعمد تذكيري أن الكارت الأخير الرابح معها ولم تكشفه بعد، حتى ولو من داخلي تيقنت بأنها لن تُقامر على حياتي يومًا ما، لكنني أشعر بضعف أمام كلماتها لا أفهم سببه بوضوح حتى الآن!

- اسمع يا عباس، لو موضوع باتيل ده ملعوب منك أنا ودِيني وما أعبُد ما حاسكت وأنت عارف أنا ممكن أعمل إيه!

رمقتها بغضب لكني لم أرد، كنا نتناول الفطور ولم يمر سوى يوم واحد على سفر زنانيري وزوجته إلى بروكسل لتصريف قلب النخلة، دق جرس الباب طويلًا، حضر فهيم مبكرًا لشقتنا مكفهر الوجه، لم يجلس ولم يُلقِ السلام، إنما فرد جريدة «الأهرام» على الطاولة المستديرة التي نأكل عليها، ملنا برقبتينا للأمام أنا وزينب متوجسين وكأننا نقترب من حافة هاوية. صافحت عيناي سطور الخبر الذي احتل مساحة كبيرة بالصفحة الأولى وشهقت زينب وهي تضرب صدرها بكفّها.. ثم راحت تلطم خديها وتولول بينما فهيم يقرأ بصوتٍ عالٍ!

«مصر تشهد فاجعة مروّعة في حادث طيران، مصرع 55 راكبًا قرب الدلنجات بمديرية البحيرة، احترقت الطائرة بعد إقلاعها من مطار فاروق باثنتين وعشرين دقيقة»... «ماتت كوكب السينما الفنانة كاميليا وكل الركاب والملك يُعرب عن حزنه الدفين».

- مصيبة يا سي عباس!

- ملعون أبو كاميليا على فاروق يا فهيم.. المهم زنانيري جرى له إيه؟

أمسكت بالجريدة وقرأت أسماء الركاب المنشورة نقلًا عن دفتر الإقلاع، اسم يعقوب إبراهيم زنانيري وزوجته يتوسطان قائمة الضحايا، بدا لي أنهما كُتبا بخط أكبر وأوضح قليلًا من الآخرين فلم تُغادر عيناي حروفهما.. ماستي الكبيرة ترقد الآن بغيطٍ من الغيطان.. وقفت فجأة ثم هويت على أقرب مقعد، شعرت أن قلبي وقع في قدمَيّ وأن ضلوعي تفككت، ثِقل غريب في لساني وسخونة في رأسي، كل ما خطّطت وتعبت من أجل الوصول إليه ستأخذه الحكومة بكل سهولة وكأنه سقط في حِجرها!!

- كل شنطهم مفتوحة ومسروقة بالكامل، البوليس مالقاش حاجة عليها القيمة، ولاد الكلب الفلاحين أخدوا الفلوس والمجوهرات والساعات كلها، حتى حِلقان النسوان قلعوها من ودانهم!

قالها فهيم وكأنه يقرأ أفكاري ثم جلس واضعًا ساقًا فوق أخرى، انتفضت واقتربت منه متعلقًا بأمل الغريق الأخير، سألته بلهفة وأنا أمسك بتلابيبه وكأنه الجاني إن كان متأكدًا من أخباره تلك المنشورة بالجرائد أم أنها ربما تكون شائعات، اكتفى بأن هز رأسه بالإيجاب ثم ربّت كفّي وكتفي وثبّت نظره طويلًا بحدة على عينَيّ قائلًا:

- خلّي الست زينب تعمل لنا شايٍ علشان نعرف نتكلم براحتنا!

- والبنت اللي نايمة في الأوضة، حتعملوا فيها إيه يا عباس؟!

قاطعتنا زينب لكننا لم نردّ، ملعونة هذه الطفلة الصغيرة باتيل التي لم تُكمل عامها الثاني بعد، ما قيمة هذا الضمان الآن؟ صار عبئًا ثقيلًا، أنا لا أحتاجها.. أصبحت تهمة! حدث ما لم أتوقعه أبدًا ولا يمكن الرهان عليه.. تحترق طائرة زنانيري وهي في طريقها لأوروبا لتسقط في مديرية البحيرة!! ما كل هذا الحظ السيئ؟! هل يكون هذا الحادث مدبرًا من بوللي مثلًا؟ هل كان زنانيري ينوي خداعي ولم يركب الطائرة بعدما سجّل اسمه؟ هذه الطائرة كانت في طريقها إلى روما وليس لبروكسل كما أخبرني؟ ما الذي أخفاه عني هذا اليهودي اللئيم؟! مَن الذي سرق حقائب الركاب كلها في وقت واحد؟؟

- أنا اتأكدت من شركة الطيران بالتليفون وقالوا إن كل الركاب سافروا ما عدا صحفي صغير اسمه أنيس منصور تنازل عن تذكرته للست كاميليا!

إجابة فهيم أخرستني لكنها جعلت الأرض تميد بي فجلست واضعًا رأسي بين راحتَي يائسًا!

راحت معلومات فهيم عن زنانيري تمر أمام عيني كشريط السينما، وحيد بلا أشقاء أو أقارب، زوجة وابنة وحيدة أتت على كِبر بعد يأس من الإنجاب لعشر سنوات، رجل حريص كتوم غامض يحتفظ بوظيفته الإدارية بدار المعارف وفي الخفاء يبيع ويشتري من اليهود المصريين ما خفّ حمله وغلا ثمنه، كوّن ثروة طائلة من وراء تجارته وله أملاك عقارية كثيرة في القاهرة والجيزة. هل فعلها فهيم من وراء ظهري واتفق معه على هذه الخدعة؟ ساد الصمت وأسدل أستاره علينا، لم أنقل لفهيم شكوكي فيه حتى قطع صمتنا صوت بكاء الطفلة باتيل..

- والخواجة زنانيري الكلب ده شايل فلوسه فين يا فهيم؟

لم يرد إنما أشار بعينه ناحية زينب التي ما زالت تقلّب في الجريدة بدأب وكأنها ستجد ما فقدناه!

- اعملي شاي يا زينب وشوفي باتيل بتعيط يمكن محتاجة تاكل والا تشرب.. يلا اتلحلحي شوية!

هرولت زينب إليها وعادت بعد نصف الساعة تحمل أكواب الشاي وكثيرًا من الانزعاج والقلق على وجهها، قالت بتوجس وهي تنقل بصرها بيننا:

- حتعملوا إيه في باتيل يا عباس؟ أنا الفار بيلعب في عبّي إن ده ملعوب منك بس أنا قلبي اتعلق بيها وتلزمني!

نظرت لفهيم فأومأ بالإيجاب واستأذن لينصرف وهو يحمل الطفلة باتيل بهدوء من بين يديها، علا صوت زينب وهي تحاول منعه وكأنها ابنتها، وضعت نفسها في طريقه وهي تسألني لمرة ثالثة عن الماسة والطفلة باتيل، أشعلت سيجارتي وأنا أتمالك أعصابي بالكاد ثم قلت مهدئًا لها مفسحًا الطريق لفهيم كي يخرج بالطفلة:

- ملعـوب إيـه بس يـا زينب؟! ما الجورنـال قُدامك أهو! لكـن باتيل تُهمة ولازم نخلـص منهـا فورًا وللأبـد، فهيم أفنـدي يعرف صاحب ملجـأ أيتام في روض الفرج حيودّيهـا هناك، فلوس الألماظة طارت مع زنانيري هي والدهب وبقينا ملط، اعقلي وخلينا نتصرف!

لم تلن زينب بسهولة، برقت عيناها بريقًا غريبًا وجحظتا بصورة أقلقتني من رد فعلها، مسحت وجه باتيل وهي تدمع في صمت، نظرت لي كأنها تستعطفني لأترك لها باتيل، ربّت كتفيها وأنا أحتويها:

- البنـت دي مالنـاش صالح بيها يـا زينب إننا نصرف عليهـا أو نربّيها، دي نحس زيّها زي ناديا بنت شيكوريل لما كتب لها وصية وبعدها اتقتل، شؤم زي كل اليهود على قولك، والا هو موت وخراب ديار كمان؟

انصـرف فهيم حاملًا باتيـل ونامت زينب بوجهٍ باكٍ فـي صمت، أما أنا فقد جفانـي النوم حتى مطلع الفجر، بالكاد اختلسـت سـاعة أو اثنتيـن، أكاد أُجن، صـورة زنانيـري لا تُفارق خيالـي وهو جثة هامـدة ربما كانت متفحمة، ماسـة شيكوريل «قلب النخلة» التي انتظرتها سنوات طويلـة تبخرت وربما ضاعت أو احترقـت مـع حطام الطائرة أو عثر عليها فلاح بسـيط سـقطت الطائرة قرب غيطه فتدحرجت الماسـة حتى صارت تحت قدميه وربما ضربها بفأسـه ففتتها وهو لا يدري.. سأذهب مع فهيم أفندي غدًا كما اتفقنا لنبحث بمديرية البحيرة ونتقصـى.. فهيـم ليس سـهلًا وبالتأكيد سـنصل لمَـن عثر على ثروتـي ووقتها سأ...

نهضت من رقدتي وقد أصابني سُعال حاد فجأة، لم أكد أهدأ من نوبته حتى سـمعت طرقًا متتاليًا على باب شـقتي، في طريقي لاستطلاع الأمر كانت زينب قد سبقتني وهي تتطوح كعادتها قبل فتح الباب.

- فين عباس أفندي المحلاوي؟

اقتربت بحذر لأجد ضابط بوليس وثلاثة مخبرين وراءه، ما أن لمحني خلف زينب حتى خطا خطوتين فصار في قلب الصالة قائلًا بذات اللهجة الآمرة لمَن معه:

- فتشوا البيت!

شهقت زينب وضربت صدرها بكفها كعادتها التي لم تتخلَّ عنها، تماسكتُ قائلًا بصوتٍ عالٍ:

- أنا عباس المحلاوي، يا ترى لزوم التفتيش إيه؟ خير إن شاء الله؟

- فيه بلاغ من يعقوب زنانيري ضدك بإنك خطفت بنته الصغيرة باتيل وبتهدده!

لا أعرف لماذا ابتسمت ثم أفلتت مني ضحكة مكتومة ارتسمت على ملامحي وأنا أنظر لزينب بعتابٍ شديدٍ وكأنني أقول لها ألم أقُل لكِ؟!

تركتهم يبحثون وجلست على الأريكة مشعلًا سيجارة أحاول لملمة ما تبقى من شتاتي غير مصدق ما يحدث لي، لن يجدوها فقد ذهبت مع فهيم أفندي ولا بد أنه أودعها الملجأ منذ ظهيرة أمس، آه لو كنا تأخرنا يومًا آخر أو رضخنا لتوسلات زينب بالإبقاء عليها لتربيها بدلًا من ابنتها التي فقدتها لكنا نقضي الآن ما تبقى لنا من حياة في ليمان طُرة. شردت في زنانيري الحقير الذي أبلغ عني قبل سفره حتى يضمن عودة ابنته ويسرق ثروتي ضامنًا أنني لن أستطيع الإبلاغ ضده في سرقة الماسة والذهب، لكن كيف ومتى؟ خطر في بالي أمر فسألت الضابط الذي هدأ لمّا لم يجد ما يبحث عنه وأنا أتظاهر بالدهشة والضيق.

- يطلع مين يعقوب زنانيري وإيه حكاية بنته يا حضرة الضابط؟

- ده مدير حسابات والبلاغ من جاره في باب الشعرية وجت إشارة على قسم قصر النيل النهارده بموضوع الخطف، إنما زنانيري نفسه تعيش أنت، مات هو والست بتاعته في حادثة الطيارة إمبارح. اتفضل معانا.

ذهبت معهم إلى القسم لإتمام المحضر، بالطبع لم يتعرف عليّ جار الخواجة زِنانيري، بل شعرت أنه لم يعُد حتى مهتمًا بموضوع الابنة التي أبلغ عنها لما مات أبوها وأمها، قال كلامًا مرسلًا غير مترابط، يبدو أنه شعر مثلي بمسئولية تربيتها، وربما لا يملك دليلًا على الخطف أو التهديد فلم يخبره بالتأكيد زنانيري بكل تفاصيل الاتفاق. لحقني فهيم على قسم البوليس ومعه محامٍ لما أخبرته زينب هاتفيًا، طمأنني أنه سلّم باتيل بالفعل للملجأ، الخيط إذن انقطع ولن يبحثوا عنها هناك، لكن فهيم رأى ألا أذهب إلى مديرية البحيرة حاليًا حتى تهدأ الأمور، قال ونحن نغادر قسم البوليس بعد حفظ المحضر في طريقنا للبيت:

- حتى لو المحضر اتقفل العين ممكن تكون عليك، دول ولاد أبالسة والحكومة بتعرف تربط الخيوط مع بعض.. خليك هنا وأنا حابعت رجالة تعسس في البحيرة ودمنهور من بعيد لبعيد وتبلغنا بالحكاية كلها.

لكن يبدو أن القدر ابتلع زنانيري وزوجته وثروتي كلها، فبعد ثلاثة أسابيع طويلة كأنها سنوات لم يعثر رجال فهيم على أي خيط يدلنا على السارق أو مصير الماسة والذهب.. أو هكذا أخبرني فهيم، أما بلاغ خطف باتيل فقد قُيّد ضد مجهول، بعد أن قيدها فهيم في الملجأ باسم إلهام محمد حسين!

*****

في ليلة من ليالينا الأخيرة بشقتنا الصغيرة في الزمالك البحرية استيقظنا أنا وزينب قرب منتصف الليل على طرقات متتالية تدق بابنا مثلما حدث منذ شهر، انتفضت زينب من فراشها وهي تلطم خديها هامسة لي قبل أن تفتح الباب:

- ما داهية ليكونوا عِتروا في باتيل يا عباس وانكشفنا!

لكن الزائر هذه المرة كان مفاجأة من نوع آخر.. زوجة حسانين الشابة الصغيرة تقف أمام عتبتنا وقد نال الخوف والقلق كفايتهما منها، حاملة طفلها الذي أسمته طارق، استعطفتنا كي تبيت الليلة عندنا بسبب وجود مستأجرين بالشقة. دعوتها للدخولِ متردّدًا فلم أكن مستعدًّا لمفاجآت أخرى، لكن زينب رحّبت بها على غير عادتها مع الغرباء، سألتنا بحسرة عن حسانين ومكانه، فوجدت نفسي أجيبها بهدوء:

- سافر البرازيل.. هاجر!

بسرعة أمّنت زينب على كلامي وهي تدعو له بالعودة سالمًا غانمًا! كم تعجبني سرعة بديهتها!!

وكأنني ألقيت حجرًا فوق رأس الزوجة الكسيرة بإجابتي تلك، انخرطت السيدة في بكاء وعويل لم يتوقفا طوال الليل وهي لا تدري أين تقع البرازيل، صباح اليوم التالي وتحت إلحاح مستمر من زينب رتبت الأمور مع عبد النعيم لإيوائها بحجرة صغيرة في إمبابة لبضعة أشهر حتى ينتهي عقد الإيجار، لكننا فوجئنا بأن حسانين تنازل للمالك عن الشقة بعد انتهاء مدة هذا الإيجار الأخير لتؤول ملكيتها لصاحبها مرة أخرى فظلت السيدة مع طفلها في إمبابة، ولم يعُد لدينا ما يشغلنا أنا وزينب سوى التواجد مع پولا في أيامها الأخيرة بعدما تدهورت صحتها للغاية.

- أنت لازم تكمّل نص دينك يا عباس!!

مش وقته يا فهيم أفندي، أنا الشغل عندي نمرة واحد، لما الأمور تستقر أبقى أفكر في الجواز، أنا...

- مـا هـو الجواز شـغل برضه.. أنت لازم تكتب على السـت پولا بسـرعة اليومين دول.

- پولا؟ أنت مجنون يا فهيم دي عيانة وقرّبت تودّع و...

- ما هو ده سبب الاستعجال، لازم تلحق تتجوزها وتخلف منها كمان!

*****

14

«لم يدرك أبدًا أني صرت نون الهوان لما جاءت بعد الهوى»

ناديا

يعجبه هدوئي، يستعذب خضوعي، يتلذّذ بسطوته عليّ، يمتدح أنوثتي بكلمات عابرة ولا يشعر بعذابي، ومع ذلك كنت أشعر بالأمان معه، لا أعرف إن كنت أحببته أم اعتدت عليه، أخبرته أنني أخاف الوحدة فتركني أحتضن خوف وحدتي وأطبق عليه بقلبي كأنني أخشى هربه مني!!

أصبحت مجرد لوحة مذهبة لكنها باهتة، معلقة على جدران مشاعر الرائد مراد الباردة لفترة لم تتجاوز السنوات الثلاث.. مرّت كثلاثة قرون، أضاف فيها الزمن لملامحي تجاعيد بيدٍ سخية، ترهل جسمي من رقدتي الكسول بالنادي، وتردّدي على صالونات صديقاتي ومعارف عمتي للثرثرة والنميمة!

في أول أيام زواجنا سافرنا لقضاء شهر العسل، بدا لي فارق السن بيني وبين مراد كبيرًا من اليوم التالي مباشرة، طريقته الفظة في التعبير عن غضبه وإحساسه بأن كل رجل ينظر لي بغرضٍ ما أحالا حياتي لكابوس، حبسني في قفص غيرته وأغلق بابه للأبد، راح عبر فتحاته الضيقة يُلقمني هدايا ونقودًا وسهرات صاخبة كل أسبوع، ولما تلحّ الرغبة عليه وتلكزه يأتي إلى فراشي لينال مراده في دقائق معدودات، لا يسألني عن حالي، لا يمهّد لي، لا يمنحني

وقتًا لأستمتع مثله، يطفئ نور الحجرة تمامًا فلا أرى ذكريات بعقلي بعدها لأستعيدها بتلذذ، يدفن رأسه بين نهدَيّ بعدما يفرغ مني.. فأهدأ!!

مراد أشبه بحيوان غريب الأطوار، صعب الترويض، نهم لما حوله، شرس مع مَن يفكر في الاقتراب من منطقته وممتلكاته وثروته التي تنمو بسرعة.. ثم بعدها آتي أنا!

بعد خمسة أيام من وصولنا إلى رأس البر وصلتنا برقية من عمتي زينب تسألني فيها عن أحوالي، قاصدة بالطبع ما جرى في ليلتي الأولى، نبهت في نهايتها على ضرورة الاتصال بها هاتفيًا في أقرب فرصة. دارت بيننا مكالمة تليفونية طويلة اختتمتها بأنهم استغنوا عن خدمات أبي فجأة في لجان تصفية الإقطاع وإدارة الحراسات التي يعمل بهًا، فهمت الرسالة بسرعة، كان مراد جالسًا يدخن في تراس الكوخ الخشبي الكبير الذي نقيم فيه على شاطئ البحر مباشرة، بعيون دامعة رجوته:

- إلا أبويا يا مراد، إحنا اتجوزنا خلاص!

ابتسم باستفزاز متعمدًا أن يُثبت عينيه نحوي قائلًا:

- اتجوزنا صحيح.. لكن غصب عنه، اتظاهر بالموافقة وبعدها راح يولول زي النسوان ويشتكيني، كان فاهم أنه حيخوّفني.. آديني لبسته البيجامة بدري!

لم أتحمل طريقته في الحديث عن أبي، بدأت أتوتر بسرعة كعادتي، ركلت المنضدة التي يضع عليها سجائره ومنفضته فأحدثنا جلبة أربكته قليلًا، تركته باكية لكن قبل أن أصل إلى فراشي شعرت به خلفي مباشرة، هرولت مسرعة ناحية نافذة الكوخ وقفزت منها قبل أن يُدركني، موقنة أن صورته أمام الناس هي أكثر ما يهمه الحفاظ عليه، لا يحتمل أن تُخدش أو حتى تُهال عليها ذرة تراب، وقفت حائرة بين العشش المصنوعة من الخوص والأكواخ الخشبية

الكبيرة الرومانسية لفندق سيسيل، صفوة المجتمع تقضي أشهر الصيف هنا، يشكلون سياجًا قويًا يقيني شرّه.

اقترب مراد ببطء وهو يرسم ابتسامة ذئب على شفتيه، همس وهو يشعل سيجارته بأن نعود للعشّة بهدوء لنتناقش، لم يعتذر ولم يفتح الموضوع، ظلت ملامحه جامدة والابتسامة لا تخفت ولا تريحني، تسمّرت مكاني، لكنه بدا هادئًا وعاد يكرر طلبه بصوتٍ خافت، طاوعته بعد فترة تحت وطأة إلحاحه المهذب وعدت معه، ما أن دخلنا حتى دفعني فجأة بكلتا يديه وأغلق الباب والنافذة جيدًا، ظننته لوهلة سيضربني لكنه صمّم على أن يقتحم جسدي عنوة، كنت مستسلمة خائفة وهو مستغرق تمامًا، باعد بين ساقَيّ بفخذيه، خلع عني ملابسي بعنف، دفن رأسه في عنقي وبين نهدَيّ كالعادة، انتهى مني ونهض بعد دقائق ثم راح صوت المياه المنسابة على بدنه يصم أذنَيّ مثل كل مرة، حتى كرهت نفسي واحتقرتها.

*****

لم أعرف وظيفة مراد ولا حتى طبيعتها، لم يقُل لي أبدًا ماذا يعمل، ربما كان بجهاز أمني مُهم حسبما يوحي ويتركنا لخيالاتنا، أو مشرفًا مؤقتًا على لجان فرض الحراسة حسبما قرأت مرة في جريدة «الأهرام»، يكتفي في بعض سهراتنا العائلية القليلة التي حضر جانبًا منها بالقول بأنه ملحق مؤقتًا بمكتب وزير الحربية، لكن كلمة «مؤقتًا» هذه استمرت دائمًا. في جلساتنا بتراس العشة الواسع حيث يحلو له احتساء زجاجات البيرة المثلجة المتراصة بجوار بعضها بدلوٍ معدني وسط قطع متفاوتة الحجم من الثلج بعدما علّمني شربها معه، كان يحكي لي قصصًا كثيرة عن لجان تصفية الإقطاع وفرض الحراسات التي عمل أبي وكيلًا لها، وشعرت من حديثه أنه يريد إيصال رسالة صريحة مضمونها أن عباس المحلاوي مجرد موظف مدني تحت إمرته، راح يسترسل في حكايات

أخرى عن العائلات الكبيرة التي عاشت قبل الثورة وسرقت ونهبت خيرات مصر واشتروا بها سبائك ذهب وماس ومجوهرات وبنوا قصورًا وفيلات ثم حوّلوا أموالهم للخارج، كنت منبهرة أحيانًا ومتنمرة أحيانًا أخرى، لكنه لم يقترب من عائلتي هذه المرة، مكتفيًا بسرد بطولاته وإنجازاته بفخر وتيه، هدأ لما روى بطولاته، ثم من تلقاء نفسه أجرى محادثة تليفونية قصيرة مع مكتبه ليعيدوا أبي للعمل مرة أخرى وكأن شيئًا لم يكن!

لما عُدنا للقاهرة أبلغت عمتي بكل ما جرى منه، معاملته الخشنة وطريقته الفظة في الحديث، لكنني خجلت من ذكر علاقتي معه بالفراش، مكتفية بابتسامة صامتة مغلفة بخجل مصطنع لما سألتني عنها بإلحاح وطرحت كل حديث آخر جانبًا، أشاحت بوجهها عني وقالت بلهجة مستنكرة كعادتها:

- في وقت من الأوقات كان عاجبك، والا نسينا؟ احمدي ربنا أنه مكفيكي من كل النواحي!

ظلت عمتي تلومني كلما رأتني، تتهمني بأنني خائبة لم أفهم زوجي بعد كلما شكوت لها تصرفاته، يعلو صوتها وهي تسخر مني «غشيمة وبتجرّ بهيمة»، من قبل الزواج وهي تقول لي دومًا اقتلي الرجل الذي بداخلك، توبخني لأنني لم أحب التسكع في محلات وشوارع وسط البلد، ولأنه يمكنني الاستعداد للخروج مع صديقاتي في أقل وقت ممكن وأحيانًا دون مكياج، تطلب مني بإلحاح وهي تلكزني في جنبي أن أقف وقتًا أطول أمام المرآة وأن أضع بودرة أكثر، أن أترك شعري طويلًا، أن أفتح صدري قليلًا وأُقصّر من ملابسي.. تضيّقها قليلًا من الخلف وهي تردد مقولاتها التي لا تنتهي أبدًا «الراجل مخه في عينيه يا هبلة».. «لو شافك جميلة يبقى في إيدك عجينة».. «الست المدندشة جوزها يرجع البيت من العِشا»..

بمقولاتها تلك شكلت حاجزًا بيني وبينها فأغلقت عمتي زينب طوال سنة زواجي الأولى كل باب بيني وبين شكواي من مراد، لم أُرد زيادة هموم أبي بضيقي من زوجي، كفاه ما لاقاه من مهانة لما أجبروه على ترك الخدمة فجأة وسحبوا السيارة والسائق في ذات اليوم ثم أعادوه لعمله بعدها بأيام وكأنه دُمية، ظل أبي بعدها تحت رحمة مراد كلما انقلب عليه يُغلق الستار ويطفئ الأنوار، ليتركه وحيدًا لا يفعل شيئًا سوى التنقل بين حديقة الفيلا وتراس نادي الجزيرة يومًا بعد يوم، مثل طابية شطرنج بيضاء تتحرك أفقيًا ورأسيًا لإطالة أمد الدور بغير تخطيط سوى انتظار موت الحصان الأسود الذي يُهدد بقاءها باللعبة!

طبيعة عمل مراد الغامضة جعلته يغيب عن البيت أحيانًا طوال الأسبوع فبدأت أشعر بفراغ أكبر، رغم غيرته السخيفة أثناء وجوده كان يشجعني دومًا على الخروج والذهاب للنادي ولقاء صديقاتي في بيوتهن أثناء فترات غيابه، يُبدي اهتمامًا كبيرًا كل أسبوع بمعرفة برنامجي اليومي، يسألني عن تفصيلات كثيرة، مَن زرت، وماذا سمعت، يدفعني للثرثرة بكلمات قليلة من جانبه، لأسترسل في الكلام بعدها بغير توقف، الغريب أنه يفعل نفس الأمر بحذافيره مع عمتي زينب!

ما يجذبني لمراد هو شعوري بالأمان معه، لكنني أشعر أيضًا بعدم الارتياح بسبب تلك الحراسة العسكرية الكثيفة أسفل عمارتنا التي تحول دون خروجي بغير علمه مع أنني لا أفعل شيئًا مريبًا، يسألونني في كل مرة عن وجهتي، يعرضون الذهاب معي، أرفض وأنهرهم، يُخيل لي أحيانًا أنهم يسيرون ورائي، نظراتهم تخترق عقلي وتُربك لساني بلا سبب، تنطلق صيحاتهم الحماسية كالمدافع وهم ينادون مراد بلقب الباشا، تُشعرني برجفة خفية كومضة عابرة بينما يرد هو تحيتهم باحتقار، يرفع كفه قرب وجهه في حركة مباغتة كأنهم هوام تُرى بالكاد ويبعدهم عنه في ضيق!

يومـي طويل يبدأ في النادي بعد الظهر لينتهي في العاشـرة والنصف مسـاءً بمنـزل إحـدى صديقاتـي أو مع عمتي التـي ظلت تتعامـل معي كفتـاة مراهقة لا كسيدة متزوجة، ترفض قيادتي للسيارة أو حتى امتلاكها، تنهاني عن السينما والمسرح الذي أعشقه وتكرهه بدون وجود زوجي، تمنعني من الذهاب لمايسة هانـم كلما جاءت سيرتها. لـم تجذبني صحبة عمتي بصالونات السـيدات من معارفها وثرثرتهن الفارغة، أشـعر دومًا أنهـن مختلفات عني وأقرب لها، كنت أبحث عن شيءٍ آخر ينقصني، لا أعرفه بالتحديد.. فلم أجده وقتها!

فقـط زيارة مدام مايسـة بمفـردي في الخفاء هـي الزيارة المنزليـة الوحيدة المحببة لقلبي، لطالما تعلقت بتلك السيدة رغم شعوري بأن عمتي تكرهها من داخلها لكنها لا تبوح أبدًا بكراهيتها بل تتظاهر بصداقتها الحميمة معها.. أراها سيدة كريمة لطيفة حلوة المعشر واللسان رغم صرامتها بمدرستنا حتى خرجت إلى المعاش، ذكرياتي الحلوة معها أكثر مما أتذكره عن عمتي، اصطحبتني عدة مرات وأنا صغيرة في جولاتها بسيارتها مع سائقها أيام الآحاد، نمرّ على بيوت كثيرة في منطقة إمبابة وناحية بولاق، أحيانًا لا تسـتطيع السيارة الدخول بسبب ضيق الشـارع فنترجل في حارات خانقة، تُرحب بها السـيدات الجالسات أمام الأبواب، ترتفع الزغاريد لمجرد رؤيتها، ندخل بيوتًا فقيرة للغاية، تشرب معهن الشـاي وتأكل البسـكويت، أو هكذا كنت أعتقد، لكن طعمه رديء للغاية، مع ذلـك تظل مبتسـمة وتُشـيد بجودته، تُخـرج من حقيبتهـا أظرفًا بيضـاء بعضها منتفخ حسـب الحاجة، تُقدم المسـاعدات برقيّ ورقّة متناهيـة وكأنها ترجوهم أن يقبلوها، سـألتها مرة بعدما غلبني الفضـول عن هؤلاء الناس، أجابتني وهي مبتسمة:

- ناس طيبة بيساعدوني أقرّب من ربنا أكتر!

حكيت لعمتي زينب ما رأيته منبهرة، قالت وهي تلوي شفتيها:

- كلهم حرامية.. خلّيهم يطهروا فلوسهم!

بعدها نهرتني ومنعتني من الذهاب معها فأصبحت أخترع حُججًا لمصاحبة مايسة في جولاتها سرًّا، بعد سنوات تُناهز عمر طفولتي تبدّلت الظروف وانقلب الحال وتركت مايسة فيللتها مرغمة، توقفت قافلة الخير التي كانت تقوم بها كل شهر، وضعوها أولًا تحت الحراسة وأنا بالسنة الرابعة في الجامعة، لم يستطع شقيقها السفير عمرو باشا احتمال الوضع وأُصيب باكتئاب جعله لا يُبارح حجرة نومه تقريبًا، ظلت شقيقته مايسة تتردد على إدارة الحراسات، تتسول ماهية شهرية، تحاول بيع منقولاتها بالقطعة خلسة ولا تعلم بالأسوأ الذي ينتظرها، اضطرت لبيع بعض مجوهراتها وممتلكاتها التي أفلتتها من المصادرة، ثم عرضت للبيع سريرها الفرنسي وبقية أثاث حجرة نومها وبعض اللوحات وقطع السجاد الصغيرة التي لم يفهمها موظفو إدارة الإقطاع ولم يقدّروا لها قيمة لكن لم يتقدم أحد للشراء، علمت من عمتي أن هناك أشخاصًا متخصصين في شراء محتويات الفيلات القديمة وهم أنفسهم الذين يعملون في الخفاء مع إدارة الحراسات ودلّوهم على محتويات بيوت كثيرة دخلوها لما مات أصحابها وباع الورثة بعض الممتلكات، عرفت أيضًا أن أبي منعهم من الشراء حتى تستطيع عمتي الاستئثار بحجرة نوم مايسة هانم، لكن المفاجأة أن مايسة علمت بالأمر ورفضت البيع، وعاشت تستدين من صديقاتها حتى لا تبيع لعمتي سريرها، ولم تبتلع الطُّعم إلا لما أرسلت عمتي بعد عام مَن يشتري السرير لحسابها حتى نامت عليه بعدما ظنّت مايسة أن زينب نسيت!

في تلك الأيام طلبتُ من والدي أكثر من مرة التدخل لدى إدارة الحراسات كي يساعد مايسة في محنتها لكنه لم يفعل لها شيئًا، حاولت مع مراد فنهرني عن الحديث في تلك الأمور مرة أخرى، سمعت عمتي تردد عبارات الشماتة وقتها ولم أدخل معها في جدال، فلم أعد قادرة على مجاراتها خاصة أنها تختتم أحاديثها بأمثال شعبية لا أفهم معظمها. الغريب أن مايسة كانت تردد عبارات

مضادة بالفرنسية وكأنها كانت تسمعها وترد عليها، لم أفهم لماذا يفعلون ذلك كله في سيدة راقية لا علاقة لها بالسياسة وكل ذنبها أنها ثرية ورثت عن أبيها الباشا ثروة معقولة، هل من الممكن أن ألقى نفس المصير لو مات والدي؟ أم أننا فئات مستثناة بسبب نفوذ أبي وزوجي كما تردد عمتي دائمًا.. «إحنا أسياد البلد يا هبلة».. عشرات بل مئات مثلنا لديهم فيلات وتحف ومجوهرات ولا أحد يقترب منهم أبدًا.. ربما عمتي على حق. حملت تساؤلاتي وألقيتها بحِجر مايسة لما جفت منابع إجابة عمتي وتُهت في صحراء إجابات أبي الجرداء من الحقيقة، سكتت مايسة لبرهة ثم قالت بأسى:

- بكرة تفهمي لما قوة الدفع تنتهي، وقتها المجتمع كله حينكشف ويتعرّى!

لم أفهم حرفًا من كلامها، وألححت عليها أكثر لكنها لم تكن تريد الكلام وبالكاد نطقت:

- التعليم يا ناديا.. دي مصيبتنا!

سكتت مايسة لما دمعت عيناها وشردت قليلًا، خُيل لي وهي تتفرس في وجهي صامتة أنها تُقارن بين جيلي وبين مَن تراهن الآن من طالبات المدارس والمُعلّمين، ارتسمت ملامح الامتعاض على وجهها وغيّرت الموضوع بعدها، احترمت شجونها وآلامها وسكتُّ، لكني قارنت بينها وبين عمتي فتحيرت، رغم تعلقي بجذوري لكن شيئًا ما يشدني ناحية مايسة، تذكّرني بأمي التي لم أرَها، أنا أشعر بأنني أنتمي لها أكثر وهذا الشعور يربكني أكثر!

بعد أشهر قليلة تبدّل الحال مرة أخرى إلى أسوأ وكأننا ننحدر على منزلق أملس، أصبحنا نزور مايسة في شقتها الصغيرة التي انتقلت إليها بعد مصادرة فيلتها بالكامل واختفائها لأشهر قليلة ونقل شقيقها عمرو باشا إلى وظيفة كتابية، يروي لنا ضاحكًا وهو يتظاهر بالفخر أنه صار أمين مخازن ثالث بشركة باتا للأحذية، فاستقال قبل أن يعرف حتى مكان الشركة!

جلسنا في حجرة متوسطة أثاثها أنيق، بسيط، قليل العدد، خصصتها مايسة لتطريز فساتين العائلات الكبيرة من بين غرف الشقة الثلاث بعدما ضاق بها الحال ولم يعُد لديها ما تعيش به كما كانت، لدهشتي كانت عمتي زينب تأتي لها بالزبائن من معارفها الجدد، غالبيتهن من زوجات ضباط وكبار موظفي الدولة وبعض الوزراء، تُصر في أحيان كثيرة على أن تصطحبهن بنفسها لأتيليه مايسة، أيضًا لاحظت أنها بدأت تتعالى عليها قليلًا كل مرة، وتتعمّد أحيانًا إحراجها أمام زبائنها وتُناديها باسمها مجرّدًا من لقب الهانم الذي اعتادت عليه لسنوات!

راحت مايسة تتفاداها قدر الممكن، وتُصدّر لها مساعدتها كل مرة لتتجنب الدخول معها في مواجهات ثنائية، فقط تحييها بإيماءة من رأسها وتُقبّلني بترحاب عند قدومنا وانصرافنا ولا شيء أكثر، حتى أتعابها عن التطريز كانت مساعدتها تتولى أمرها بدلًا منها، تعجبت من مواقف عمتي المتناقضة وسبب ترددها عليها وكأنها تختلق مبررًا للذهاب إليها، وكلما سألتها كانت تُنكر ظنوني وتلومني، تمط شفتيها وتلويهما ثم تردد عبارتها الشهيرة:

- خيرًا تِعمِل.. شرًّا تِلقَى!

حتى جاء يوم، وأثناء قياسي لفستان جديد ومن حولي تجلس سيدات أخريات، شهقت إحدى المترددات على الأتيليه لما رأت عقدًا من اللؤلؤ يطوق عنقي كان مراد قد أهداه لي في عيد ميلادي.

- مش معقول! ده عقد الأميرة سميحة!!

خرجت الكلمات القليلة بعفوية من بين شفتي السيدة لتُغرقني في خجلي، لم أجد ما أقوله وتلعثمت بعدما شعرت بإحراج شديد، تحسست رقبتي كالمحكوم عليهم بالإعدام، قبل أن أرد انتفضت عمتي من مقعدها، انفعلت على المتحدثة واصفة إياها بالجهل، متفاخرة بأن هذا العقد ورثه زوجي عن

والدته. تعكرت الأجواء وتوترت، ثم تدخلت مدام مايسة على الفور قادمة من حجرة أخرى وسيل من كلمات العتاب ينساب من بين شفتيها لتشتعل الحرب، وقفت مايسة في صف السيدة لا في جانب عمتي، قائلة بكبرياء وحسم:

- باردون يا ست زينب، الحقيقة إحنا معذورين، الشبه كبير، والكلام كتير اليومين دول عن سرقة مجوهرات ولاد الناس!

- اسمي زينب هانم، ولينا حساب تاني لما تعرفي تحترمي ولاد الناس!

غادرنا الأتيليه بعد كلمات عمتي دون استكمال بروفة الفستان، سبقتني للباب ثم أرسلت سائقها ببقية أتعاب مايسة عن تصميمها لفستاني دون أن تضعها في ظرف كالمعتاد وكأنها صدقة، وقبل أن نتحرك بالسيارة أعادت مايسة أتعابها داخل ظرف أنيق مع السائق مصحوبًا بالثوب الذي لم يكتمل. بعدها أشاعت عمتي أن الأتيليه يسرق الأقمشة الجيدة ويُبدلها بأخرى رخيصة، شكوت لمراد باكية في جلستنا الأسبوعية، بدا هادئًا للغاية متفهمًا لموقف السيدة التي هاجمتني، قال مدافعًا عنها:

- معاها حق، حاجات كتير اتسرقت وقت المصادرة من الموظفين المدنيين، وفيه حاجات مش عارفين أصحابها لغاية النهارده بسبب سوء التنظيم، يا ريت تعرفي لي مين الست دي يمكن نقدر نساعدها!

حاولت بالفعل مساعدة تلك السيدة التي أحرجتني، بحثت عنها حتى دلّتني مايسة على عنوانها، لكن بعد أيام قليلة عرفت من إحدى صديقاتي أن الأتيليه أُغلق وتم تشميعه بعدما داهمه البوليس لممارسة نشاط تجاري بدون ترخيص في شقة سكنية، ونُشر الخبر مع صورتها بصفحة الحوادث وتنويه بالعنوان أنها ابنة باشا سابق، ثم اختفت السيدة التي سألتني عن العُقد، مثلما اختفت مايسة وشقيقها عمرو لسنوات طويلة بعدها من الزمالك كلها!!

منـذ ذلك اليـوم بدأت بعض صديقاتي ومعارفي بالنـادي يتجنبن الجلوس معـي، وإن اضطررن لمجالسـتي بسـبب وجودي فـي مناسـبات مختلفة كنت أُدعـى إليهـا ببعـض البيـوت يظللن صامتـات حتى أنصـرف، وبقـي ثوبي غير المكتمل متواريًا في دولابي لسنوات وكأنه يصف حالي!!

*****

كانت غزوات مراد الأسبوعية لفراشي تتم بدقة متناهية، في الموعد والأداء والمدة، نفس الطقوس كل مرة بلا مشاعر أو أحاسيس، ثم يحتويني أحيانًا برفق لما يفرغ مني فأهدأ وأطمئن. ذكرتني شهوانيته المتكررة تلك برومانسية طارق المفتقدة، يتصارع بداخلي الواقف على عتبة عقلي كاشفًا ما بداخله مع الطارق لباب قلبي برفق لا يُسمع، صرت أريد مراد أمام الناس كلها وأريد طارق لنفسي فقط لا يراه أحد غيري، بحثت عنه مرة أخرى كأنني أتذكر شبحًا من ماضٍ بعيد، تشـجعت بعد تفكير غير قليل ضغط على عقلي حتى اسـتجاب صاغرًا، ذهبت لبيتـه القديم بالزمالك بعدما دُرت حوله من بعيد عدة مرات خوفًا من المراقبة، لكـن البواب أخبرني أن خاله سـالم هو الذي يُقيم حاليًا في الشـقة بمفرده بعد سفر طارق منذ فترة طويلة!!

- سافر فين؟

- بلاد برة.. الله أعلم يا ست هانم.

فـي طريق عودتي مررت علـى فيلا قلب النخلة، اتخـذت طريقي للبدروم مباشـرة حيث يجلس أبي مع سكرتيره فهيم، سألته عن طارق وهجرته للخارج بعدمـا تحدثـت معـه في أمور كثيـرة لا لزوم لها حتـى لا يلتفـت لاهتمامي به، أجابني وهو يُعطيني ظهره ويعبث بملفاته:

- طارق هاجر وراح لأبوه وساب الشقة لخاله سالم، هو اختار طريقه يا بنتي، ربنا يصلح حاله ويهديه!

ظللت شاردة حتى المساء في طارق الذي هاجر مثلما فعلها أبوه من قبله فجأة أيضًا، كنت أتسلى بمشاهدة فيلم لإسماعيل ياسين بالتلفزيون لكني لم أقوَ على الضحك كعادتي. يومها عاد مراد مبكرًا على غير العادة، تناول عشاءه معي ثم راح يلف سجائره بالحشيش مستعينًا بأنبوب قلم جاف مستمتعًا بالفيلم وكأنه يُشاهده للمرة الأولى مع أننا شاهدناه في السينما من قبل، استرخى قليلًا مستمتعًا برقدته على الأريكة وهو يسألني دون أن يرفع عينيه عني:

- كنتي بتسألي ليه عن طارق المصرِي في بيته؟

*****

15

«يرون أداة جريمته عقله، لذا يصادرونها بالقوة في كل السجون»

طارق المصري

لـم أجرؤ على مصارحتها بحقيقة مشـاعري لما كبرنـا، حانت اللحظة أكثر من مرة وجبنت، فرص متتالية مواتية لو خططت لها لن تكون بمثل هذه السهولة التي رتبها لي القدر، مرات عديدة شعرت أنها مهيأة لحبي ولاستقبال مشاعري، عيناها تدعواني لاحتوائها كلما التقينا، لا يمكن أن يكون كل هذا سـرابًا، لكنها تغيرت فجأة منذ وفاة أمي مثلما ينتهي العرض وينصرف المتفرجون فلم يبقَ لي إلا مقاعد خاوية، يبدو أنها أدركت الفارق بيننا، كانت ستتركني حتمًا، ستبتعد مهما اقتربت، ستأفل شمسها بسرعة وتغرب لأبقى وحيدًا في ليل العزلة والفقر والعوز.. لن تتقبلني «أبلة زينب» أبدًا، ستظل تراني طوال الوقت ابنًا لخادمتها، لا أعـرف لماذا قبلت أمي هـذه المهانة، أما عباس فلا أجرؤ حتى على مفاتحته في أمر مشاعري فكيف لي أن أطلب منه يد ناديا؟!!

ركلـت حجرًا صغيـرًا من ضيقي أثناء سـيري فأصاب زجاج سـيارة قريبة، أحـدث شـروخًا كثيـرة أشـبه ببيـت العنكبـوت، بقعـة دائريـة شـبه شـفافة في المنتصـف لكنهـا كبيرة، تأملتها بدهشـة، كيـف لحجر تافـه أن يُحدث كل هذا الأثر بسـرعة؟! جاءتنـي الإجابة من داخلـي بصوتٍ رخيمٍ وكأن شـخصًا آخر

يُجيب عن سؤالي.. «لأنه زجاج هش ضعيف، ولو كان صلبًا كالحديد لارتد الحجر إليك ولربما أصابك بجروح أيضًا!»

واصلت سيري وأنا ألوي شفتَيّ ضيقًا من يأسي وضعف حيلتي، ابتسمت بمرارة وأنا أتذكر «أبلة زينب»، كم تكره هذا اللقب الذي لا أناديها إلا به، تنقلب ملامحها وتنهرني بصوتٍ عالٍ، تلكزني أحيانًا بعنف في جانبي بعصاها، ولما كنت صغيرًا لم تسلم أذناي من أذى كفيها أبدًا مع أنها كانت تشكوني لأمي قبلها!

وصلت إلى البيت بعد تسكُّع طويل في شوارع الزمالك، هبطت ثلاث درجات في عتمة بسبب انقطاع التيار الكهربي، فتحت الباب وألقيت بكتبي على أقرب منضدة، ناديت على خالي سالم فلم أتلقَّ جوابًا، وجدت ورقة مُعلقة على باب المطبخ يُخبرني فيها بأنه سافر إلى الإسكندرية أسبوعًا للمصيف، قبضت عليها في يدي بقوة حتى استحالت لكرة ورقية صغيرة قذفتها بعيدًا بقدمي، كنت مندهشًا من سفره للتصييف في شهر أبريل، لكنه شخص غريب الأطوار فى كل أموره، تقلبت في فراشي مرات ومرات حتى داعب النوم جفوني بالكاد، فجأة سمعت طرقًا عنيفًا على باب شقتي، قبل أن أفتح لهم كانت إحدى ضلفتيه قد انفسخت من مفاصلها، أكثر من سبعة رجال انتشروا كالجراد فجأة في شقتي، تولى اثنان تقييدي واصطحابي للسيارة والباقون انشغلوا بالتفتيش عن كتب وأوراق، لم يجدوا شيئًا سوى مجلات عن فرق موسيقية أجنبية كانت ناديا تُحضرها لي كلما سافرت مع أهلها لأوروبا في الصيف.

من الزمالك انطلقنا لكني لم أفهم سبب اعتقالي إلا بعد مرور عشرين يومًا من القبض عليّ، محطتي الأولى في مشوار الاعتقال هي السجن الحربي، هناك استجوبت على عجل، أسئلة متلاحقة وكأن المحقق لا ينتظر إجابة مني

أو يتوقع إنكاري، السؤال يخرج من شفتيه لتهوي كفّ ثقيلة على قفاي في ذات اللحظة كأنها من طقوس الاستجواب، قبل أن أستوعب ما حدث يكون السؤال التالي قد حلّ، وعن يساري مَن يدوّن اعترافاتي!

بعد شهر قُدمت للمحاكمة أمام محكمة الثورة، رئيسها ضابط مهيب الطلة اسمه جمال سالم، ومعه آخران لا أتذكرهما الآن، في أول جلسة أتوا بشهود ضد كل متهم من المتهمين، أولنا يحمل درجة الدكتوراه في العلوم فأتوا له بأربعة عقداء ليشهدوا عليه، بعدما فرغوا من شهادتهم التي لم تستغرق أكثر من عشر دقائق جاء الدور على ثانينا، موظف بالتأمينات الاجتماعية وحاصل على بكالوريوس التجارة، تقدم من الصف الثاني أربعة نقباء أدوا التحية العسكرية ثم شهدوا ضده، لما جاء الدور عليّ سألني القاضي عن مؤهلي وهو يُقلب بأوراقي في ضيق ظاهر وكأنه يبحث عن شيء ولا يجده، أخبرته برسوبي في السنة الثالثة بالجامعة وأريد استكمال تعليمي ولم أرتكب جرمًا، نهرني بعنف وسبّني مقررًا أنني معترف بجرمي بالتحقيقات فخرست، أشار لمَن يقفون في الصف الأخير من القاعة، تقدم أربعة جنود ليشهدوا ضدي بأنني كنت منضمًا لجماعة الإخوان المسلمين وخطّطت لقلب نظام الحكم بالقوة!

شردت في تأملهم وهم يُقسمون على معرفتي شخصيًا ويعلمون يقينًا بمشاركتي في تدريبات السلاح وبكراهيتي للنظام الحاكم، كدت أصرخ ساخرًا لأقول لحضرة الضابط القاضي إذا ما كانوا شاهدوا كل ذلك فلا بد وأنهم شركائي لكني جبنت، خرجت من شرودي ورابعهم يؤدي التحية العسكرية ويدق بكعبيه منصرفًا للخلف دُر، صدر الحكم بعد مرافعة لم تُستكمل من محامٍ لا أعرفه ولا أعلم مَن أتى به بل ولم أسمعه بسبب صوته الخفيض الهامس، حتى تشككت أنه أوعز لهم بالتنكيل بي بدلًا من الدفاع عني!

بحماس شديد وصوت جهوري ارتجّت له جنبات القاعة قضى عليّ جمال سالم بالسجن عشر سنوات بعد ثلاث ساعات وقوفًا في القفص مع زملائي، كانت تلك الجلسة الأولى التي استبشرنا بها خيرًا لأننا سنرى الدنيا من جديد هي جلستنا الأخيرة، لنذهب بعدها إلى قبر أسموه بالخطأ السجن الحربي!

قضيت أسابيع طويلة بالحبس الانفرادي في غرفة مظلمة ليلًا ونهارًا، ثم انتقلت لزنزانة أرحب وأوسع لكنها مكتظة بأكثر من عشرة مساجين ليسوا جميعًا من الإخوان المسلمين، ما يجمعنا أن ضباط السجن يروننا ضد عبد الناصر ونظامه، مع أنني لم أحبه ولم أكرهه، وكنت صادقًا لما أجبتهم بأني لا أعرفه فظنوني أمزح معهم!

لست في حاجة لرواية حكايات عن صنوف التعذيب التي رأيتها، يكفي أن أكشف ظهري وصدري لمَن يسألني ليعرف ما حدث لي بالسجن ويُطلق لخياله العنان، لكن الواقع كان أكثر قسوة ومرارة.

لم يخفف سجني في الأسابيع الأولى سوى شاب نوبي ضخم للغاية بصورة عجيبة مثل اسمه لكنه يحمل قلب وعقل طفل، حكى لي أنه اعتُقل بسبب كُتيب يحمل اسم وصورة حسن البنا مؤسس الإخوان المسلمين كانوا يوزعونه بعد صلاة الجمعة فاحتفظ به، فتشوا بيته وعثروا عليه فاتهموه بأنه منضم إليهم، روى حكايته أكثر من عشر مرات متعجبًا مما جرى، يسألنا ببراءة عمّا إذا كان المدعو حسن البنا معنا بالسجن كي يواجهه فربما يخرجونه من المعتقل، يُقسم لنا إنه لا يعرفه ثم يتفرس فينا متسائلًا إن كنا مقتنعين بما حدث له، نهز رؤوسنا أسفًا على حاله أو حالنا لا فرق، يختتم النوبي كل مرة حديثه معنا بكلمته التي اشتهر بها هنا قائلًا: «يا الله!»

وبعدها يخلد للنوم مبتسمًا كطفل هدّه التعب واللعب طوال النهار.

– اثبت مكانك منك له!

تعالت صيحة صول السجن الحربي، نصطف كالعادة أمام العنابر في صفّين متقابلين كي يختاروا منا مَن سيتم إطلاق الكلاب عليه اليوم، لو أرهف أحد السمع لالتقط بسهولة غمغمات المساجين بآيات القرآن والأدعية، حتى الشيوعيين يرجفون، تتحرك شفاههم بكلمات لم أميزها..

بعضنا يسيل منه خط رفيع يتسرب من أسفل بنطلونه ليقف وسط بركة صغيرة من بوله، آخرون تصطك أسنانهم وتنتفض أجسادهم لمجرد سماع نباح الكلاب، فما بالك برؤيتها وهي تمر من أمامنا متنمرة، تثب نحونا وتحاول القفز علينا، دائمًا ما شغلتني فكرة غريبة، ما الذي وضعوه في رؤوس تلك الكلاب كي تكرهنا كل هذه الكراهية وتتمنى تمزيقنا مع أننا محبوسون وهم الطلقاء؟! كلما مرّت أمامنا تلامسنا بمخالبها الحادة لولا قيودها التي يقبض عليها عساكر باحترافية مَن يعرف كيف يوجعك ويخيفك، يسيرون وراءها بزهوٍ وكأنهم يستمدون هيبتهم منها ويا ويل مَن تسوّل له نفسه الابتعاد قليلًا للوراء لتفاديها، فورًا يضربه أحدهم بسوطٍ رفيعٍ فيُلهب ظهره.. أغمضت وأنا أُتمتم لأثبت مكاني:

- الكلاب أرحم من البشر.. حسبي الله ونعم الوكيل!

فجأة دوى نفير عاليًا على غير توقع، ارتبك السجّانون وهرول مأمور السجن نحو البوابة الخارجية، شعرنا بأن النفير أتى من السماء لينقذنا، نعمنا بوقوفنا في أريحية لدقائق معدودات بغير كلاب أو ضرب، فقط يسبّونا لو تململنا قليلًا في وقفتنا أو تراخت سيقاننا، انشغلوا عنا بزيارة مفاجئة للواء حمزة البسيوني مدير السجن الحربي، علا النفير مرة ثانية فاعتدلنا بوقفتنا، دق العساكر كعوبهم ورفعوا بنادقهم للتحية، اللواء حمزة يمر وسطنا، يرمقنا بنظرة حادة ويسحب بجواره كلبًا ضخمًا، ملامحه واللعاب السائل من بين فكيه لا يُنذران بخيرٍ أبدًا، الرجل يبدو أشرس من كلبه، وبجواره متأخرًا خطوة للوراء قرب ذيل الكلب

ضابط أصغر منه سنًّا ورُتبة، يُصغي كل برهة بإنصات لتعليمات اللواء حمزة التي تعمّد أن يلقيها بصوتٍ عالٍ ولم تخرج عن وصفنا بأولاد الزواني وأننا نحتاج لتأديب باستمرار..

أكمل اللواء سيره حتى نهاية الصف ثم عاد، في كل زيارة يتفقد فيها السجن يختار أحدنا بصورة عشوائية ليأخذوه ويطلقوا عليه أكثر من ثلاثة كلاب دفعة واحدة بزنزانة قريبة منا، تتعالى صرخات زميلنا أولًا ثم سرعان ما تتلاشى أنّاته الأخيرة وسط زمجرة الوحوش التي استفردت به، في المساء نترحم على روحه ونذكر محاسنه. همس الضابط الصغير في أذن اللواء بكلام لم نسمعه لكنه فيما يبدو راق لكبيرهم، فقد انصرف مبتسمًا بعدما ترك مقود كلبه الضخم للضابط الصغير الذي راح يتفرس فينا وكأنه يبحث عن ثأره الضائع بيننا، مِلت على زميلي عادل رمزي الواقف بجواري وقد صارت بيننا صداقة منذ فترة هامسًا:

- مين الباشا ده يا عادل؟

- الرائد مراد الكاشف مدير مكتب وزير الحربية ربنا يكفينا شره!

- إشمعنى؟

- حمزة البسيوني جنبه يبقى ملاك بجناحين!

وقف مراد الكاشف وسط الطابور بالضبط وهو يُحكم الإمساك بالكلب الذي أصابه هياج شديد بسبب نباح بقية الكلاب وأراد أن يدلو بدلوه ويُرينا قدراته الخارقة، هتف مراد الكاشف عاليًا:

- فين طارق حسانين المصري؟

رفعت يدي قليلًا قائلًا وأنا أرتعش بصوتٍ خفيض:

- أفندم!

هوى الصول على قفاي وهو يدفعني في ظهري قائلًا:

- خطوة للأمام يا بن الكلب وما ترفعش إيدك!

تفرّس مراد فيّ بنصف ابتسامة مبتورة ثم قال:

- وأنت بقى ساكن في الزمالك يا جربوع؟

أومأت بالإيجاب، لم يزد وأشار للصول فاصطحبني معه وهو يصفعني ويركلني لكن مراد الكاشف ناداه فتوقف، طلّت نفس الابتسامة الغريبة من شفتيه وهو يفرد ذراعه قائلًا:

- المرة دي بكلب الباشا!

سرت همهمات كثيرة سرعان ما توقفت بنظرة من مراد الكاشف للطابور كله، يبدو أنهم كانوا يترحّمون على روحي مقدمًا فلم يفلت أحد من كلب حمزة البسيوني من قبل، هذا الكلب الضخم لا يرحم ضحيّته، يفترسها من عنقها بعدما يمزق ساقيها ويبقر بطنها.. ورغم أنني نجحت في الإفلات على مدار عام كامل من الاختيار العشوائي لهذا الكلب إلا أن حظيَ لم يحالفني للنهاية، وها أنا ألاقي قدري وجهًا لوجه في مواجهة من المؤكد ستكون الأخيرة.

دفعني الصول بعنف لداخل الزنزانة الضيقة التي أطلقنا عليها السلخانة وهو يضحك قائلًا:

- أمك داعيالك يا بن المحظوظة، كلب الباشا بقاله يومين ما أكلش يعني حتخلص بسرعة.. مكتوبالك يا فقري!

أغلق الباب بعدما أطلق الكلب ورائي، انكمشت في ركن الغرفة، أفلت البول مني رغمًا عني، سمعت دقات قلبي بوضوح بلا أدنى مبالغة، ألصقت ركبتَيّ بصدري وأطبقت عليهما بذراعي، شعرت بمخاط يسد أنفي ثم انتابتني

رغبة عارمة في التقيؤ، أغمضت بقوة وكان آخر ما رأيته وجه الكلب الضخم يقترب مني وقد كشر عن أنيابه وهو يزوم ببطء، ثم على ما أظن فقدت الوعي.

*****

ظللت أتأرجح بصندوق سيارة الترحيلات طوال الطريق من السجن الحربي حتى سجن أبي زعبل، لا حديث للعساكر والصولات إلا عن المعجزة التي حدثت منذ أيام قليلة لما امتنع كلب الباشا طوال يومين عن نهش لحمي ومصمصة عظامي، لا أعرف ما الذي حدث بالضبط، فقد أفقت بعد فترة لا أعرف طالت أم قصرت، ففي الزنازين الليل كالنهار، لأجد الكلب جاثيًا قرب الباب وأنا سليم البدن معافى لم يقربني ولم يُلحق بي أي أذى، فتحوا باب الغرفة وألقوا له طعامًا اشتمّه الكلب أولًا فتركته له خوفًا رغم جوعي، لكنه لم يقربه وكأنه كان يتأكد من سلامته أولًا كي يطمئن قلبي، أكلت وشبعت وأطعمته مما تبقى فأكل ثم ابتعد ليجلس قرب الباب صامتًا!

لُقبت ليومين بعدها بالشيخ طارق، توقف التعذيب البدني نهائيًا، تلقيت علاجًا لجروحي القديمة لدى طبيب السجن، وبعدها بأربع وعشرين ساعة فقط جاء خبر مصرع اللواء حمزة البسيوني في حادث سير، هلل الإخوان وكبّروا، التفوا حولي وكأنهم يأخذون مني البركة، اختلفت معاملة الصولات لي مئة وثمانين درجة، سألني بعضهم عن حكم الشرع في أمور كثيرة، تطرّق آخرون لطلب فتوى مني في علاقاتهم بزوجاتهم في الفراش، ثلاثة منهم بكوا بين يدَيّ طالبين السماح والمغفرة!

دار رأسي ولم أفهم شيئًا مما يدور حولي، مات صاحب الكلب وبقي مَن أطلق عليّ الكلب.. الرائد مراد الكاشف ما زال حيًا يُرزق وإن كان لم يتردد على السجن الحربي حتى غادرته!

ناداني المأمور بمكتبه، عاملني بلطف ثم أخبرني أن قرارًا فوقيًا صدر بنقلي لسجن أبي زعبل، تمتمت في سرّي أنه على الأقل سجن مدنيّ بعيدًا عن جهنم الحمراء هنا. كان رفيقي في النقل أيضًا عادل رمزي وثلاثة آخرون ممّن يعتنقون أفكاره وليسوا من الإخوان المسلمين مثلما صُنفت أنا.

زمجرت السيارة عاليًا ثم توقفت فجأة معلنة وصولنا. السجن في أبي زعبل مختلف تمامًا، هو بالضبط كما وصفه عادل رمزي باختصار «مكان يرد الروح!»!

كل شيء هنا هادئ والمعاملة آدمية للغاية، العنابر واسعة، بها عشرون سجينًا لكنها تتسع لضعفهم، لها نافذة عالية بقضبان واسعة تسمح بدخول أشعة الشمس وكثير من النسائم، كل منا له فرشة نظيفة ومتسع من الوقت للكلام وسرد الحكايات. سمحوا لنا بارتداء ساعات اليد مما أثار فضول عادل ودهشته، لكن الأهم من ذلك كله أنه لا يوجد تعذيب بدني على الإطلاق.

- مش قلت لك إنك راجل بركة!

قالها عادل رمزي وهو يضحك، لكن لم يمر أسبوع واحد على بقائنا بالجنة حتى أكل أحدنا التفاحة المحرمة. فقد صحونا ذات صباح على باب الزنزانة وهو يُفتح بعنف، ضابط جديد وحوله بعض الصولات والعساكر تفرسوا فينا جيدًا حتى أشار أحد الصولات نحوي وهو يهمس بأذن الضابط ثم أشار بعدها نحو عادل رمزي وهمس مرة ثانية، رجفت من الخوف لكن عادل بدا متفائلًا بأن قرارًا بالإفراج عنا قد صدر!

خاب أمل عادل بعد دقائق، قطعنا فيها دهليزًا طويلًا، في نهايته غرفة مصمتة صغيرة مظلمة خانقة، يكاد سقفها يلامس رأسي مع أنني لست طويلًا كعادل، جلست بأحد أركانها وأنا أتابع رغمًا عني صوت قطرات مياه تتساقط بانتظام وبطء من صنبور قريب لا أراه، يبدو أنها تصطدم بسطح معدني أولًا،

بعد فترة طالت امتلأ الإناء على ما أعتقد فقد صار الصوت مختلفًا أشبه بفقاعات هوائية، مرّت ساعة وقد أصابني الضيق، وبعد ساعتين وقفت حائرًا، مرّت خمس ساعات تقريبًا وبدأت أتحرك في الغرفة التي اعتدت على ظلامها نوعًا ما، اصطدمت بدلوٍ معدني، أبعدته كي يتوقف الصوت لكنه استمر من ناحية أخرى، رحت أبحث كالمجنون عن غيره فلم أجد، جربت سد أذني فأُرهقت يداي وكَلّت ذراعاي، بالكاد غفوت لنصف ساعة وربما أقل ثم أفقت فجأة منتفضًا في مكاني لما أغرقني أحدهم بجردل مياه رائحتها عطنة وأغلق الباب مسرعًا وانصرف، حاولت اللحاق به على بصيص الضوء الذي تسرب من جراء فتح الباب فسبقني، طرقت بكفيّ حتى خارت قواي ولم أسمع مجيبًا، هويت مكاني منهارًا والصوت لا يريد أن يُفارق أُذني كطائر نهم يأكل من رأسي ولا يشبع أبدًا.

لم أنم على مدار أكثر من ثلاثين ساعة سوى ثلاث مرات متفرقات، أنظر في ساعتي كل قليل كالمجنون، لا أظن أن إحداها قد زادت على ربع الساعة، أعادوني بعدها لزنزانة أخرى عادية لم أجد بها سوى عادل رمزي، فهمت منه أننا تفرقنا عن الباقين، راح يشرح نظام التعذيب النفسي الجديد باستفاضة، قال إنه قرأ عنه وعلم باستخدامه أيام الحكم النازي وتنبأ بوسائل أخرى وتحققت نبوءته في اليوم التالي، فسخرت منه رغمًا عني قائلًا:

- ما أنت راجل بركة برضه أهو!

اصطحبوني لذات الغرفة المظلمة مرة ثالثة، حاولت طوال الطريق إليها أن أفهم المطلوب مني كي أتفادى تعذيبي، أعدت على مسامع الصول الذي يسير بجواري أسماء مَن عرفتهم بجماعة الإخوان، حاولت تلخيص أقوالي السابقة بتحقيقات السجن الحربي قدر استطاعتي، اعترفت له بما لم أفعله، كنت أتكلم بسرعة لاهثًا، كأنني في سباق مع الزمن كي لا أدخل تلك الغرفة المعتمة، لكن الصول بدا أطرش مُبرمجًا، لم يلتفت نحوي ولم تتغير ملامحه المتجهمة ولم

يبطئ خطوته، دفعني داخل الحجرة وأغلقها وسمعت خطواته تبتعد، جلست منتظرًا سماع صوت الصنبور وقطراته القاتلة لكنها لم تأتِ، طال انتظاري لأكثر من ساعتين، ثم هيئ لي أنني أسمعها من بعيد وأحيانًا بوضوح وأحيانًا أخرى تختفي، لكن شيئًا من ذلك كله لم يحدث، فقد ساد السكون لفترة وأنا منتظر دقات الصوت في أي وقت وأنظر لساعتي، فجأة تعالت أصوات صراخ مرعبة، صيحات وصرخات تؤكد أن أصحابها يتعرضون للهلاك، أعقبها صوت كلاب كثيرة تزأر لا تنبح، ميزت صوتًا لطفل وآخر لامرأة ثم فتاة وهذا لشاب سمعته من قبل، ثم اختلطت الأصوات عليّ وتشابهت، صارت كلها أنّات ألم متقطعة تخفُت بالتدريج حتى اختفت وراحت أصوات أخرى تحل محلّها، وكأنها أنياب الكلاب تنهش لحمًا وتُحطم عظمًا ثم تزوم!

انساب خيط سائل رفيع لفح دفؤه فخذي للمرة الثالثة، أظنني أُصبت بالتبول اللا إرادي، لم أفلح في العثور على الدلو المعدني بالغرفة لأقضي حاجتي فيه، لم أنم من شدة الخوف، ناديت وصرخت فلم يفتح أحد باب الغرفة، كلما غفوت تعود الأصوات ثم تخفت لتسكن فجأة وكأن صاحبها يقضي نحبه من شدة التعذيب، لكن كيف يرونني في هذا الظلام الدامس، كيف يعرفون أنني قد نمت؟ تحسست الجدران وجدتها رطبة للغاية وكأن المياه تجري خلفها، سكتت الأصوات لبرهة، أسدلت جفنَيّ مستعدًا لاستقبال نوم مفتقد، لكن هذه المرة ندت صرخة عالية لامرأة وبدا صوتها واضحًا وشعرت أنني أعرفه جيدًا، حاولت أن ألتقطه من ذاكرتي المجهدة فلم أفلح بسهولة، كلما وقفت وأنصتّ.. يخفت ويبتعد وكأنه يُعاندني ثم يعود فجأة مدويًا، كانت المرأة تصرخ وتتوسل لأحدهم ألا يغتصبها، ترجوه وتستعطفه وهي تبكي وتنتحب ثم يبدو صوتها مكتومًا، هل قيّدها؟ هل كمّم فمها واغتصبها فعلًا؟ الصمت يشي بذلك، ثم سمعت صوت أنفاس لاهثة متلاحقة، ها هو صوت المرأة يعود مستغيثًا وكأنها أفلتت من قبضة محكمة لثوانٍ قليلة، شعرت بأنها تناديني باسمي، يا للمصيبة!

تعرفت على الصوت الآن، يُشبه صوت أمي، لا بل هي أمي التي تستغيث بي، كيف أتوا بها إلى هنا؟!

دبّت فيّ الروح ثانية، انتفضتّ، طرقت الباب بقوة، كالعادة لم يستجب أحد حتى سقطت منهكًا، دار رأسي وشعرت بأن الأرض تميد بي، أخرجت ما في جوفي دفعة واحدة، عادت أصوات الصراخ مصحوبة بطرقعات سوط عالية وأشخاص يتأوهون بحُرقة من فرط الألم ثم تعالت صرخات متتالية أعقبها صوت مكتوم لأجساد تسقط من علٍ وترتطم بالأرض، وفي ختامها صفير لا ينقطع جعلني أصرخ من شدة الألم!

مَن الذي يفعل ذلك وأين؟ ولماذا لا نسمعه ولا نراه أو حتى نتعرّض له لعلنا نرتاح؟! أسئلة كثيرة لم أجد لها إجابة وأنا أدور بالغرفة المظلمة. في اليوم الثامن طرقت الجدران وركلت الباب، صرخت، ناديت على أمي بحرقة، كدت أفقد صوتي، لا أحد يُجيبني، حتى بدأ شعاع نور يغزو الغرفة برفق ثم سمعت صوت عادل رمزي بجواري ولا أعرف من أين أتى، راح يفرك عينيه قائلًا:

- قلت لك ألف مرة دي أجهزة تسجيل ومُكبّرات بتصدر أصوات علشان يجننونا، وسيلة تعذيب جديدة.. اثبت وامسك أعصابك وإلا حتنهار.

اقتربت منه، جثوت على ركبتي، ظللت أتأمل وجهه وأتحسسه بكفي ثم صرخت فيه:

- أنا سمعت صوت أمي يا عادل!

- أمك ماتت قبل ما تدخل السجن يا طارق، أنت نسيت والا إيه؟!!

تركته وابتعدت وأنا لا أصدقه، عقلي مشوش للغاية، تقوقعت في ركن بعيد، ما زال الصوت يرن في أذني، يُطاردني حتى في أحلامي المتسارعة بنومي الخفيف لساعات قليلة. مضى شهر على هذا الحال حتى ظننت أن

خروجي من هنا مُحال، ومما زاد من حيرتي أنهم لم يطلبوا منا الاعتراف بأي شيء!

- ولا حيطلبوا، همَّ عاوزين ياخدوا منك حاجة واحدة بس!

قالها عادل رمزي وهو يُشير إلى عقله، ثم خلد إلى النوم ثانية ولم يقُل شيئًا آخر من بعدها لفترةٍ طويلة، فقد صدر قرار بنقلي من زنزانته. تفرّقنا لكن أرواحنا لم تفترق، تتلاقى طوال الوقت، أفكر فيه دائمًا، لا شك عندي أنه كان مثلي مظلومًا، لم أرَ رجلًا في رقته وإنسانيته، جمعنا حب الموسيقى وعزفها وزنزانة واحدة لسنوات وتجاورنا على العروسة الخشبية وقت الجلد بالسياط، ضمدنا جراح بعضنا البعض ونحن ننام شبه متلاصقين على فرشة مهترئة، لآخر لحظة ظل بجانبي يشجعني ويصبرني. رأيته بعدها بأسابيع في فناء السجن وقت الراحة والتريض لما توقف ذهابنا للغرفة المظلمة، اقترب مني وهو يؤكد:

- الأصوات مش حقيقية يا عم طارق.. إوعى تصدقها.. دي أجهزة تضخيم صوت.. إوعى حد ياخد منك عقلك مهما حصل.. أمك ماتت من زمان يا طارق، والله العظيم ماتت!

أنا ممتن لعادل رمزي على كل محاولاته لتخفيف ما جرى لي وله بإقناعي أنها أجهزة تضخيم صوت مسجل وأنهم لم يقتلوا أمي، لكن لا يمكنني أن أصدقه. لا توجد أجهزة في هذا الكون تبث الرعب في القلوب هكذا، لا بد وأنها حقيقية وهو يهون علينا. صرت أخاف من كل شيء بعدها، أسمع أصواتًا تُناديني باستمرار في فناء السجن ولا أعرف مصدرها، كنت أشعر دومًا بأنني على حق، يجب أن أُنفذ أوامر الهاتف الذي يأتيني.. أنا على صواب وسآخذ ثأر أمي منهم جميعًا!

نعم، من المؤكد أن عادل رمزي كان يُخفف عني فقط، وإلا لما أظهر يأسه بعبارات نقشها حفرًا بأظافره على جدار الغرفة التي تجاورنا فيها لشهور طويلة عندما كتب: «هل جرّبت أن تتمنى الموت وتنتظره بشغف؟ أنا فعلتها ونجحت!»

-أنت الذي جُننت يا عادل من الأصوات الحقيقية التي نسمعها، لكنك تتظاهر بالعقل حتى لا أفقد عقلي أيضًا!

انتفضت من رقدتي على صوت باب الزنزانة وهو يُفتح ببطء، انكمشت في مكاني كالجنين وسالت دموعي، لم أعد أحتمل العودة للغرفة المظلمة مرة أخرى بعد شهرٍ كاملٍ لم أقربها فيه، بكيت رغمًا عني بصوتٍ عالٍ، توسلت للصول الواقف بالباب كي يتركني لحالي، زحفت قرب قدميه راجيًا، قبّلت حذاءه، ظل يرمقني باحتقار ثم قال بقرفٍ شديد:

- استرجل وبطّل شغل النسوان ده.. جالك إفراج حُسن سير وسلوك.

*****

16

« جرائم ظلت عالقة فى الهواء لما سكت الشهود عنها، لا المحققون كشفوها ولا القانون عاقب فاعليها»

مراد الكاشف

غادرت البيت مودعًا ناديا بحرارة بعدما ادّعيت سفري للجبهة لتفقّد القوات مع وزير الحربية، مُهيئًا نفسي لقضاء أسبوع كامل مع نجوى كما وعدتها.

نجوى صحفية تعرفت عليها منذ عام تقريبًا، بدأت العمل مع إدارتي مندوبة أخبار رشحها لنا أحد كبار الصحفيين لتكتب تقارير عمّا تقوله السيدات أثناء تصفيف شعرهن بأحد صالونات الزمالك، من أول لقاء لاحظنا إمكاناتها الجسدية وتوقعنا صعود نجمها، تم تكليفها بجمع معلومات حساسة من شخصيات مهمة في حفلات خاصة واكتفت إدارتي مؤقتًا بتقاريري التي أستقي معلوماتها من ناديا وعمتها. خضعت نجوى قبل تكليفها بالعمل لعملية «الكنترول» كالمعتاد، قمنا بتصويرها مع أحد عملائنا ذي المظهر الأجنبي ثم قبضنا عليها متلبسة كي ترضخ ونساومها مثلما نفعل مع العميلات الجديدات، لاحظت أنها لم تُبدِ اعتراضًا ولم تتعبنا كثيرًا، كانت لينة طيعة من أول لحظة فلفتت انتباهي، شعرت أنها أيضًا صادقة في حب البلد وتريد التعاون معنا بإخلاص، بحكم عملي كنت أتابع مجهوداتها كل ليلة تقريبًا عبر الكاميرات

دون أن تراني، أتلقى منها تقريرًا في اليوم التالي بمكتبي فتبدو خجلة وكأنها امرأة أخرى، من هنا تولدت شرارة الانجذاب لها وبدأت معرفتنا تتوطد، فهي تثيرني إثارة غريبة لم تفلح فيها ناديا ولا غيرها، لكني لم أجرؤ على الاقتراب منها وقتها وفقًا للتعليمات طالما لا تزال في الخدمة.

بعد فترة من العمل خفُت نجمها قليلًا وفتُر حماسها فانتهزْتُ الفرصة فورًا وكتبت تقريرًا بأنها لم تعُد تصلح للخدمة السرية. قرروا الاستغناء عن خدماتها بمكافأة سخية تليق بما قدمته لمصر، ظلت بعدها تتردد على مكتبي طمعًا في شقة من شقق عمارات شركة التأمين بجاردن سيتي وكنت أنتظر هذه اللحظة، فلا أريد أن أكون صاحب الخطوة الأولى حتى لا تدفعني للسير خلفها بعد ذلك، وعدتها خيرًا وعقدنا اتفاقًا، لم أجرؤ بالطبع على إقامة علاقة سرية معها دون زواج، فالتعليمات واضحة حتى لو كانت شفهية، لا بد من الزواج إذا ما أعجبتك أي امرأة وإلا فقدت وظيفتك. واجهني عائق أكبر من إخفاء زواجي عن ناديا، كيفية حصولي على موافقة جهة عملي للارتباط بنجوى، صحيح أنهم يقترحون الزواج لكنهم لا يوافقون على أي سيدة والسلام، فما بالنا بعميلة سابقة، أشار أحد زملائي في المكتب بفكرة كتابة طلب للوزير بالأسباب ليرفعه للقائد العام، ترددت قليلًا، فهمس لي قائلًا:

- بلاش الموافقات الشفوية، دايمًا تحتفظ بورقة في جيبك، وقت الجد كل واحد حينكر إنه وافق لك!

جذبت ورقة صفراء يحتل شعار الصقر أعلاها بشموخ من جهة اليسار وكتبت طلبًا للموافقة على الزواج العرفي من نبوية عزب الدرديري وشهرتها نجوى، دوّنت بعض البيانات الموجزة عنها وتعهدت بطلاقها إذا تعارض زواجي منها في أي وقت مع مصالح الوطن، الجملة الأخيرة من اقتراح زميلي والذي اقترح أيضًا وهو يُعيد قراءة الطلب عبارة أخرى تقول «ويمكنكم

الاستعانة بها مرة أخرى في أي وقت إن لزم الأمر».. لكنني لم أوافق على كتابتها وإن كنت ذكرتها شفويًّا للوزير.

وُوفق على زواجي بسرعة لكن بشرط أن يظل عرفيًّا، تزوجتها بورقتين حرقت إحداهما واحتفظت بالثانية في خزانة مكتبي، انتقلت نجوى معي للشقة التي اختارتها من شقق شركة مصر للتأمين بجاردن سيتي وفرشتها لكنها ظلت باسمي، صارت مكانًا لطيفًا أقضي معها فيه وقتًا مختلفًا عمّا أقضيه مع ناديا المتحفظة الأرستقراطية، ناديا سيدة مجتمع راقية تليق بي أمام الناس، أعجبتني منذ أن فكرت في الزواج ولم أجد غيرها بين بنات الزمالك تناسبني، حتى لما رفضني أهلها كان من السهل الرجوع للملفات القديمة التي نحتفظ بها منذ سنوات بعيدة، منذ أنشأنا أرشيف الخدمة السرية، لأعرف نقطة ضعف أنفذ لها منها، بسهولة وجدت ما أبحث عنه، قرأت تاريخ أبيها القواد وتجديده لتراخيص المومسات بالحوض المرصود بتوكيل مسجل من أشهر عايقة بالإسكندرية تُدعى الباتعة سيد علي، معلومة وقعت بين يدَيّ بالصدفة مع أخريات لما كنا نبحث وراء بنات الهوى المعتزلات بعد منع الدعارة للاستعانة بهن في عملنا. أفادتني المعلومات في زواجي بسرعة من ناديا، فعباس المحلاوي لم يكن ليوافق إلا لو كُسرت عينه وكُشف تاريخه لينتهي أمام الناس قوادًا، ومن يومها وهو يخفض عينيه أمامي كلما رآني بعدما عرّيته بيني وبينه في مكتبه بقلب النخلة. مع أنني لا أستطيع فضحه الآن بعدما صارت ناديا زوجتي!!

نجوى أكملت ما ينقص ناديا رغم عدم جمال وجهها، خمرية مثيرة ممتلئة قليلا، شعرها طويل، نهداها كبيران، شفتاها منتفختان وعيناها واسعتان، وقبل ذلك كله سيدة فراش رائعة تُعطيني كل ما أحتاجه دون أن أقوله ولا يخطر لي على بال حتى، تتفاعل معي دومًا، تفهمني كرجل، لا تصدّني أبدًا حتى لو كانت غير جاهزة فلديها البديل دائمًا، كل قطعة فيها مثيرة حتى صوتها، أما ناديا فهي تخجل ليومنا هذا من خلع ملابسها كلها وتحتفظ بنور الغرفة مضاءً عن آخره

وكأننا أعضاء لجنة مهمتنا إنجاب طفل في أسرع وقت، مشكلة نجوى الوحيدة أنه لا يمكنني الظهور معها أبدًا أمام الناس بسبب خوفي من تاريخها معنا ونظرة الناس لي بعدها، مما جعلني أحتفظ بها بين أربعة جدران بشقة جاردن سيتي لا تغادرها أبدًا فقبلت راضية، شهوتها الجامحة جعلتني أسمع نصيحة وزيري باللجوء لمحلات العطارة، قالها لي عرضًا وهو يبتسم بخبث، ولم ينتظر مني ردًّا أو تفسيرًا لنصيحته، ما يهمني أنني وجدت في عينيه استحسانًا شجّعني على الاستمرار في علاقتي مع نجوى.. لا بأس مما يقوله فقد سبق ووافقوا على زواجي منها وعلمت أنه تدخل وقتها لدى القيادة للتعجيل بالموافقة ضمانًا لاستقراري النفسي بالعمل، إذن لم يعُد لديّ الآن ما أُخفيه!

بمجرد وصولي إلى شقة جاردن سيتي، أبلغتني نجوى وهي قلقة أن مكتب الوزير اتصل بي ثلاث مرات ويريدني في أمر مهم لا يحتمل التأجيل. بالتأكيد اتصلوا على الرقم الآخر وسألوا ناديا عني، هكذا حدّثت نفسي. عاودتُ الاتصال فعلمت أن الوزير سيتوجه بعد قليل لمقر القيادة العامة للقاء المشير وأركان حرب القوات، اتصلت بناديا حتى لا تساورها الشكوك لأطمئنها أنني بالمكتب بالفعل وأخرني عُطل طارئ بسيارتي. ودّعت نجوى وداعًا حارًّا ممنيًا نفسي وإياها بسهرة حمراء بعد ساعات قليلة!

ما أن غادرت المصعد بالدور السادس بمبنى القيادة العامة حتى وجدت وزيري في وجهي خارجًا من مكتب صغير في طريقه لمكتب المشير، نظرة لوم لا أُخطئها أطلّت من عينيه وهو يصافحني ثم همس:

- مش وقت هلس اليومين دول يا مراد.. لازم نركّز شوية.. مش عاوزين أي كلب يلسّن على رجالتنا!

أومأت عدة مرات وأنا أُتمتم بالاعتذار ثم سألته:

- خير يا فندم؟

- ولا حاجة.. يظهر أنهم مش واثقين في قدرتنا العسكرية يا سيدي وعاوزين يمتحنونا!

دخلنا مكتب المشير خلف وزيري، المشير يبدو مشغولًا في محادثة هاتفية مهمة ويولينا نصف ظهره ويهمس لمُحدثه على الطرف الآخر، هبّ قادة الجيش لتحية وزير الحربية فاكتفى بإيماءة قصيرة، قاعة الاجتماعات الملحقة بالمكتب مفتوح بابها على مصراعيه وعشرات الخرائط والأوراق متناثرة فوقه وكأن المعركة قد انطلقت من هناك منذ قليل!

أشار لنا مدير مكتب المشير بالجلوس في الحجرة العادية بعيدًا عن قاعة الاجتماعات، قال وهو يبتسم:

- مجرد قعدة ودية يا بهوات، نورتونا من بعد غيبة!

دارت أحاديث طويلة عن وضع القوات البرية حتى بدأت أتثاءب من شدة الملل، شعرت بغربة من المناقشات وكأنني أسمع هذا الكلام لأول مرة، يبدو أنني انشغلت بالعمل الإداري وتحقيقات قضايا الإخوان ونسيت العمل الميداني منذ عودتي من اليمن، مضت ساعتان ولا حديث إلا عن تلك القوات واستعداداتها ومعدّاتها التي ذهبت إلى الجبهة بسيناء استعدادًا لحرب مرتقبة مع إسرائيل وبعض عرباتها متهالك بالفعل فلم تكمل الطريق لنهايته، فجأة انفتح الباب وحدث هرج محدود وفوجئنا بعده بالرئيس عبد الناصر بيننا!

تبادلت نظرات خاطفة مع وزيري وجدته يبتسم بخبث، ثم مال برأسه للأمام قليلًا، هرعت نحوه منحنيًا فهمس بأذني:

- بلّغ العروسة أنك حتبات الليلة في المكتب.. طالما صاحبك هنا يبقى شكلها كده للفجر!!

طال الحديث الجانبي بين عبد الناصر والمشير على مكتب الأخير ثم انضمّا إلينا، بدا الرئيس هادئًا، رحّب بنا ثم قال بنبرته الحادة فجأة:

– والله دلوقتي أنا بشوف أن احتمال الحرب كبير ومن الممكن تكون بعد يومين أو تلاتة بالكتير يعني يوم أربعة أو خمسة الشهر ده، وزي ما كسبنا معركتنا السياسية لازم نكسب المعركة على الجبهة!

وكأننا تماثيل ضخمة من رمال انكمشت لما سكب عبد الناصر كلامه علينا، تبادلنا نظرات بلا معنى، لكن المشير تدارك الأمر مسرعًا وهو يُقدم للرئيس سيجارة عاشرة ربما وهو يقول بثقة:

– واحنا جاهزين من امبارح!

– لأ.. أنا بدّي أقول إن الضربة الأولى مش لازم تبقى مننا وإلا فقدنا الدعم الدولي، لكن ده ما يمنعش إننا نكون جاهزين في أي وقت يا حكيم!

انبرى قائد الطيران واقفًا بعدما أخذ الإذن بالحديث، قال كلامًا إنشائيًا مكررًا عن الروح القتالية لضباطه وكفاءة طياريه ثم مد يده بدوسيه كبير به أوراق قليلة سرعان ما تناوله سكرتير الرئيس وعرضه مفتوحًا، لينظر فيه عبد الناصر بغضبٍ شديدٍ بان على ملامحه من السطور الأولى وهو يجري عليها بعينيه، بينما قائد الطيران يُلخص كل ما فيه بجملة واحدة فقط، لعله كان بذلك يدفع عن نفسه المسئولية أمامنا لما قال:

– دي المهمات المطلوبة من شهر يا ريس ولسة ما وصلتناش قطع الغيار من موسكو وبمجرد وصولها إن شاء الله حنـــــ...

قبل أن يُكمل الرجل عبارته سواء بدك حصون إسرائيل أو قتالها أو سحقها قاطعه الرئيس بإشارة من يده بحسمٍ وغضبٍ عارمٍ ثم ألقى بالملف على

المنضدة بعصبية و هبّ من جلسته متجهًا نحو الباب وخلفه المشير ووزير الحربية!

وقفت بالقرب من مكتب المشير منتظرًا نهاية اللقاء الثلاثي الذي عُقد قرب باب المصعد حتى غادر الرئيس وعاد المشير بوجهٍ مرتاح القسمات لمكتبه وانشغل بالهاتف مرة أخرى، تعلقت عيناي بوزير الحربية الذي قال لي وهو يُشعل سيجارته ببرود:

- أرسل بيانًا للصحف صادرًا عن القيادة العامة به الآتي..

أخرجت مفكرتي بسرعة من بدلتي وأمسكت قلمي بقوة منتبهًا لأُدوّن ما يُمليه عليّ الوزير..

- اكتب يا مراد.. عنوان رئيسي كبير بالأحمر «يا أهلًا بالمعارك»، أو عنوان آخر «والله زمان يا سلاحي» لأن الريس قالها أكتر من مرة، ومن أول السطر.. «إن قواتنا جاهزة للتصدّي لأي عدوان في أي وقت، وإن الصلابة العسكرية لجيوش المنطقة العربية ستُجبر العدو على تقدير العواقب المترتبة على اندلاع شرارة الحرب في المستقبل القريب»..

سكت قليلًا وهو يتأمل الورقة الصغيرة التي بيده ويقلبها على وجهيها بامتعاض، ولا أعرف مَن الذي أملى محتواها عليه، لكنه طواها بضيقٍ بعد برهة ووضعها في جيبه قائلًا بحزم:

- خلّي إخوانّا الصحفيين يكملوا الخبر في نفس السياق وينزل بكرة صفحة أولى مع صور للعساكر على الجبهة!

- لكن إحنا في نص الليل يا فندم والمطبعة زي ما حضرتك عارف بـــ..

- كلّم رؤساء التحرير وهمّا حيتصرفوا.. المانشيت ده ينزل بكرة طبعة أولى في كل الجرايد.

*****

على مدار يومين كاملين لم أُغادر مكتبي تقريبًا إلا لدورة المياه الملحقة بمكتب المشير والذي تصادف دخولي إليها للتبول كلما كنت في اجتماع بمكتبه، عشرات الساعات نمضيها مجتمعين نتلقى تقارير ونتباحث ولا نتخذ قرارًا أبدًا، لكن يبدو الارتياح دائمًا على وجه المشير ووزيري مما دفعني للتأكد أنها مناورة سياسية من عبد الناصر كما كانا يقولان، الحمد لله أننا لن نذهب لحرب ثالثة بعد السويس واليمن.. تمتمت وأنا أنظر في ساعتي وأفكر في نجوى!

مساء اليوم الثالث تبدلت التعليمات فجأة وتطورت الأمور، أرسلت في طلب بدلتي العسكرية من شقة الزمالك، أخبرني مدير مكتبي أن الهانم سألته باستغراب وهي تسلمه إياها عن كيفية ذهابي للجبهة منذ أيام بدونها، ضربت جبهتي في ضيق بسبب غبائي، ارتديت بدلتي بصعوبة، وجدتها ضاقت قليلًا عليّ وبرزت منها نتوءات بطني، لكنني التزمت بالتعليمات بضرورة ارتدائها استعدادًا للمعركة في أي لحظة.

جاء اليوم الرابع، صباح الخامس من يونيو بما لم نتوقعه في القيادة العامة، فمن الصعب نسيان هذا التاريخ، قرب الثامنة صباحًا استيقظت بالكاد، بسبب إجهاد الليلة الماضية نمت بملابسي العسكرية كاملة عدا الكاب فقد كان جاثمًا على صدري، منكسرًا للأمام قليلًا بسبب تضخم كرشي. ما كاد الماء يلامس وجهي حتى استعجلني أحد الضباط بنبرة محذرة من التلكؤ:

- سيادة المشير ووزير الحربية على باب الأسانسير!

جففت وجهي مسرعًا وأنا أقول في دهشة:

- خير؟ على فين العزم بدري كده؟

- المشير قرر يزور الجبهة في سينا مع قادة الضربة المضادة!

- ضربة مضادة إيه؟! ويزور سينا النهارده ليه والريس قال إن الحرب ممكن تقوم في أي وقت؟!!

لم يرد زميلي على تساؤلاتي وانصرف، سوّيت بدلتي وارتديت الكاب، بالكاد لحقت الركب كله متجمهرًا أمام المبني، أديت التحية العسكرية أكثر من أربع مرات للقادة، ركبت في سيارة الوزير بينما اختار هو أن يكون بجوار المشير، وصل موكب السيارات لمطار ألماظة بعد دقائق ومنه استقلينا طائرة هليكوبتر في طريقنا للقاعدة العسكرية «بير تمادا» بوسط سيناء، بعد أن قطعنا شوطًا لا بأس به محلقين وفي طريقنا للهبوط بالمطار، هبّ فجأة قائد الطيران في طريقه لكابينة الطيار وهو يتحسس مسدسه، تكهرب الجو وارتفعت الهمهمات، اختفت الابتسامات المتفائلة، ساد صمت لوهلة أعقبه وجوم وقلق مصحوبين بتوتر لأقل من دقيقة حتى فُتح باب الكابينة، شبه هلع يرسم ملامح القائد بدقة ويزيدنا ارتباكًا تحوّل لفزع حقيقي لما قال ببطء:

- الطيارات المقاتلة الإسرائيلية بتضرب ممرات مطار بير تمادا يا فندم!

- أنت بتخرف بتقول إيه؟

- وطياراتنا في بير تمادا ضربوها كلها في مكانها يا فندم!!

قفز وزير الحربية من مقعده وهو شبه يترنح مثل السكارى قائلًا بصوتٍ مختنقٍ وهو يوجّه بصره الزائغ لرئيس الأركان:

- أمر للطيار بالعودة للقاهرة فورًا!

– حصل يا فندم وادينا تعليمات باللاسلكي لبدء التعامل مع طيارات العدو قدر الممكن بالمدفعية!

– لأ.. لأ يا سيادة الفريق لما نبعد الأول عن مرمى النار.. اتحرك بسرعة يا بني آدم وعدّل الأمر فورًا.

كنت أجلس في مؤخرة الطائرة، شعرت أنني أريد التبول فورًا وتفصّد عرقي غزيرًا، لم أستطع تأمل ملامح المشير لكنني لاحظت أنه يسند رأسه المُطرق بكفّيه ثم يُلقي كل برهة بنظرة خاطفة من النافذة ليعود كما كان ساكنًا.. منتظرًا.. مفكرًا.. حائرًا.. أو ربما شاردًا.. لم أعد أفهم شيئًا!

من النافذة ونحن ندور ونبتعد مسرعين لمحت فجوات هائلة على الممرات، صوت القصف يصم الآذان، وصلنا القاهرة بعد التاسعة صباحًا بقليل، لم يكن هناك أحد في انتظارنا، رحل موكب السيارات وصار المكان قفرًا، ترجّلنا من صالة كبار الزوار، وجدنا بعض الموظفين المدنيين ولا يجرؤ أحد منهم على سؤالنا عن أي شيء، يهرولون خلفنا في صمت وكأنها جنازة مهيبة، لا يفهمون إلى أين نحن بهم ذاهبون.. الحقيقة ولا أنا!

وقفنا حائرين على مطلع الطريق حتى استوقف مدير مكتب المشير سيارة أجرة قديمة وهو يُشهر سلاحه مهددًا، استجاب السائق العجوز ذو النظارة السميكة فزعًا حتى إن السيارة انطفأ محركها من شدة المفاجأة والخوف.

لن أنسى هذا المشهد ما حييت، أكثر من عشرة أشخاص يرتدون الزي العسكري، على رأسهم المشير ذي الوجه المعروف للجميع، محشورون في سيارة أجرة متهالكة يقودها رجل يُنافسها في القِدَم والتهالُك، تُزمجر بأصوات متقطعة وكأنها تلفظ آخر أنفاسها في طريقها لمقر القيادة العامة بمصر الجديدة، عشر رتب بعشرات النياشين تُزين صدورهم، مكدسون بجوار السائق وخلفه، يحثونه على سرعة الوصول وهم يركبون والرجل يُتمتم

بالآيات المنجيات، ترتعش أصابعه الممسكة بالمقود، ثلاثة منا اتخذوا من مقدمة السيارة ومؤخرتها مكانًا متشبثين بإطار نوافذها وشبكة سقفها، آثرت السلامة واخترت مكاني على المؤخرة، كنت أخشى السقوط إذا ما جلست على مقدمتها فربما انزلقت وهويت!

في مكتب القيادة العامة كان الصمت هو سيد الموقف حتى حضر بقية القادة.. دارت مناقشات غاضبة بسبب ما تُذيعه الإذاعات الأجنبية عن خسائرنا بينما إذاعتنا المحلية تُعلن تباعًا عن سقوط الكثير من الطائرات الإسرائيلية حتى الآن. اتخذت موقعًا متطرفًا، عيني على وزيري وعقلي شارد فيما غرقنا فيه بَعد ساعات قليلة من بدء الحرب، لم يهدني تفكيري لأي شيء، الوحيد الذي بيده القرار جالس إلى مكتبه بعيدًا عن الصخب، يجري عشرات المحادثات الهاتفية من أربعة هواتف مختلفة الأحجام والقلق ينهشه بنهم، فجأة هبّ أحد أعضاء مجلس قيادة الثورة، أظن أنه كان السيد عبد اللطيف البغدادي ولم نكن نرتاح له جميعًا، توجّه ناحية مكتب المشير وصاح عاليًا:

- خسايرنا كام طيارة يا حكيم؟

- كتير.. كتير.. مفيش إحصائيات.. عمومًا موش وقته، في خطة بديلة للدفاع عن القوات من غير غطاء جوي.

لم أكن خبيرًا في تكتيك الحروب ولا الطيران، فلم أفهم لماذا قوبل ما قاله المشير بابتسامة ساخرة في مرارة من عبد اللطيف البغدادي، ظلت ملامح وزيري محايدة وكأن الأمر لا يعنيه. دق جرس أحد الهواتف القريبة مني فالتقطت السماعة لما لمحت ترددًا من المشير في الرد، كان قائد الطيران هو المتحدث، نبرة صوته توحي بأنه يبكي، مددت يدي للمشير فاستمع قليلًا ثم بدأ يبعد السماعة عن أذنه والضيق يغطّي ملامحه ثم ردّد بعصبية وهو يغلق الخط:

- حاتصرف.. قلت لك حاتصرف!

بعدها طلب من مدير مكتبه المشغول بمكالمة أخرى أن يتصل فورًا باللواء الديب بمطار العريش، التقط المشير سماعة الهاتف وسأله عن مدفع 57 مللي المضاد للدبابات، تبادل الحضور نظرات حائرة عن انشغال القائد العام بتفصيلات صغيرة كتلك بينما لا تزال ملامح وزيري محايدة!

فجأة انفتح الباب على مصراعيه وهدأت الجلبة بالغرفة لينظروا مَن القادم، علا صوت الياور معلنًا حضور السيد رئيس الجمهورية، دخل علينا عبد الناصر متهلل الوجه راضي القسمات، انتبهنا جميعًا وأخذنا مواقعنا وقوفًا لتحيته، صافحنا الرئيس جميعًا باليد، مبتسمًا مرددًا «والله زمان يا سلاحي!»

اتخذ مكانه على مكتب المشير وبجواره مباشرة، راح يسأله عن الانتصار وتطوير الهجوم وحجم الخسائر، المشير تهرّب من الإجابة بلباقة، فسأله عن الموقف على الجبهة لكن المشير ظلّ يشغل نفسه في مكالمات هاتفية متتالية لما فرغت جعبة ردوده بسرعة، يُغلق إحداها ليلتقط الأخرى المنتظرة وهكذا لأكثر من نصف ساعة، في الثواني الفاصلة بين المكالمات كان الرئيس عبد الناصر يطرح سؤالًا لكن لا إجابة على الإطلاق، الساعة قاربت على الخامسة والنصف مساءً ولا شيء يحدث، تبادل المشير ووزير الحربية نظرات ذات مغزى ثم لمحت وزيري يطلبني بإشارة من رأسه، هرعت نحوه، همس لي بإحضار تقرير سير العمليات من على منضدة قريبة بغرفة الاجتماعات الخاصة بإدارة المعركة والتي لم نقربها منذ خمسة أيام ولا أعرف مَن الذي وضعه هناك، ناولته التقرير فتصفحه على عجالة ثم قدَّمه للرئيس، بعد أقل من دقيقة تبدّلت ملامح عبد الناصر كلها وكسا الحزن وجهه. أطرق قليلًا ثم وضع الملف على حافة المكتب متأرجحًا يكاد يهوي في أي لحظة والتفت للمشير قائلًا بنبرة عتاب منكسرة:

- خان يونس سقطت ورفح محاصرة والاتصالات مقطوعة مع غزة وكل ده في أول يوم يا حكيم؟؟!

لم يتلقَّ الرئيس ردًّا سوى عبارات طمأنة على عجل من المشير واستمر في إجراء محادثات هاتفية أغلبها بصوتٍ منخفضٍ لم نتبيّنها. فجأة قام الرئيس ودخل غرفة النوم الملحقة بالمكتب، ساورني الفضول بعد نصف ساعة لمعرفة ما الذي يفعله الرئيس هناك، تظاهرت بأنني سأذهب إلى دورة المياه الملاصقة لغرفة النوم، فتحت الباب فوجدت عبد الناصر مضطجعًا على الفراش عاقدًا ذراعيه خلف رأسه وعيناه لامعتان وكأنه يتأهب لنوبة بكاء، انتبه لي بعد وهلة، رمقني بنظرة حادة أربكتني جدًّا فأشرت إلى دورة المياه دون أن أتفوه بحرفٍ وانصرفت من أمامه مسرعًا، ولما خرجت وجدته قد عاد للاجتماع. كان يتكلم بصوتٍ منخفضٍ مهزوم، طلب من المشير إذاعة بيان بأننا توغلنا في أرض العدو دون تفاصيل فلم يلقَ استجابة من الحاضرين، أعاد الطلب بصيغة مختلفة فتلقى الصمت جوابًا، فأردف بنبرة أقرب للرجاء:

- أو أي بيان تتفقوا عليه!

وقتها هز المشير رأسه بالإيجاب وردد وزيري عبارة «إن شاء الله خير» بينما ساد الوجوم وجوه الآخرين، نظر الرئيس للمشير نظرة أخيرة وكأنه يحثّه على قول أي شيء يُبلل ريقه الذي جفّ، لكن المشير عاد للإمساك بهواتفه منشغلًا بإجراء محادثات مع قادة الأفرع المختلفة بصوتٍ مرتفعٍ مسموعٍ للجميع هذه المرة. نهض عبد الناصر متحاملًا على نفسه وهو يتكئ على حرف المكتب وكأن الزمن أضاف إليه سنينًا كثيرة في تلك الساعات القليلة، سقط ملف سير العلميات على الأرض لما اصطدم بطرفه، دهسه الرئيس أثناء سيره مغادرًا وهو يوجّه كلامه لنا جميعًا دون أن يختصّ أحدًا منّا بشيءٍ محدد:

- أظن نروح ننام ونسيب حكيم يشتغل!

ذهب ناصر وانصرف وزيري وعدت لمكتبي، عقلي مشغول بما رأيته وسمعته، من منهما يدير المعركة؟ من القائد الذي سيتخذ قرار الانسحاب؟! أهو نفسه الذي اتخذ قرار الحرب أم سيتراجع حينها ويتنصل من المسئولية ليحملها المشير وحده؟ حيرتي تزيد على حيرة وزيري فلم أشأ سؤاله قبل انصرافه، ملامحه بدت ضيقة متعبة لا تكشف إحساسًا بمسئولية بقدر ما تعكس تذمرًا من تدخل لا يعتاد عليه فلم يكن يراجعنا أحد!!

ما أن جلست إلى المكتب وبدأت أرتشف أول رشفة من كوب الشاي استعدادًا لكتابة البيان الذي كُلفت بإعداده حتى اقتحم زميلي حجرتي قائلا:

- استعد يا مراد.. تعليمات المشير تفقّد القوات بالجبهة قبل الفجر!

*****

17

«كلما تقربت من سيدات الزمالك اصطدمت بحاجزٍ شفاف، لا أراه، لكنني أشعر به»

زينب المحلاوي

.. هي الوحيدة التي نجحت في إخراجي من أحزاني لما دخلت بيتنا تبكي بصوتٍ عالٍ كأي طفل قادم للدنيا، تعلقت بها منذ رأيتها لأول مرة، مثلما تعلقت بابنتي المرحومة هانم على مدار أربع سنوات، انشغلت بها ومعها، وجدتني فجأة مسئولة عن تربيتها ورعايتها، لم أتركها للخدم والمربيات إلا مضطرة، منذ أن رحلت پولا صار الجميع يعتبرون ناديا ابنتي، أسير بها في شوارع الزمالك أدفع عربتها الصغيرة وهي ترقد مثل ملاك صغير نائم حالم، وكلما صادفت إحدى معارفي قلتها بفخر:

- ناديا ابنة أخي.. ناديا عباس المحلاوي!

أقولها على مضض رغم أنني صاحبة الحق في كل ما يخصها، لن أظل أزرع ويحصد عباس دومًا، آن الأوان كي أستمتع بما أملك وأقول كلمتي، لن أعيش تابعة له بعد اليوم، فكل منّا بحث عمّا ينقصه وكلانا حصل على ما أراد، سأتركها تحمل اسمك يا عباس أمام الناس باعتبارك أباها، لكنها ستظل دائمًا تنتمي لي وحدي بيننا.

- تليفون يا زينب هانم..

مدّ خادمي النوبي بشير يده بالسماعة وهو يحمل الهاتف بالأخرى، كان عباس يُخبرني بضرورة تجهيز صور فوتوغرافية لاستخراج بطاقة عضوية لي بنادي الجزيرة صباح الغد بناءً على إلحاحي عليه منذ فترة، أريد دخول النادي كعضوة بأي وسيلة فلست أقل من العضوات هناك، أريد محو عضويتي القديمة ببطاقتي الحمراء كمُربية التي تُذكرني بأيام لا أريد تذكرها، تركت عملي بالتليفونات منذ سنوات، هيئتي تغيرت مع الزمن، لا بد وأنهم نسوني الآن، مصر كلها تغيرت، وأصحاب المعالي والهوانم المومياوات المحنطات اختفين للأبد في بيوتهن، لا يطيق أحد الآن رؤية وجوههن. استقليت سيارتي الكاديلاك التي أعتز بها ولم أُفرط فيها بعد وفاة پولا، ركبت مع سائقي وبصحبتي الصغيرة ناديا في طريقنا للنادي، أغلب السكان وأصحاب المحلات هنا يعرفون السيارة من بعيد من كثرة استخدامها في سنوات پولا الأخيرة وحتى الآن، احتفظت بها مع أشياء كثيرة تعلقت بها على مدار العشرين عامًا الماضية التي قضيتها بحي الزمالك، ربما كان أقربها لقلبي فيلا قلب النخلة التي أقمنا فيها عامين كاملين بعد رحيل پولا، حتى أجبرنا الصوت الخفي وشبحه المرئي وأشقاء شيكوريل ورجال الثورة على تركها مرغمين، فكل الظروف تحالفت ضدنا وقتها!

صودرت أيضًا فيلا شيكوريل بالإسكندرية وصارت مكاتب للشركة العربية للملاحة، أما قلب النخلة فقد راقت لضابط كبير فاستولى عليها عقب المصادرة، وبعدها بسنوات باعها فسكنتها عائلة أبو عوف، لكن ظل شبح الرجل البدين وأصوات الأقدام تظهر عندنا وعندهم بالتناوب، ألححت على عباس كي نبيع الفيلا الجديدة ونسكن في أخرى بالزمالك لكن دفنه لحسانين أسفلها ولّد لديه اعتقادًا بأن أي ساكن بعدنا سيكشف سره، ظل عباس يخشى

حسانين حتى وهو في قبره منذ سنين طويلة، عاش أسيرًا لخوفه ولم أفلح أبدًا في طرد طيور القلق التي ظلت تحوم فوق رأسه.

اخترقت السيارة شوارع الزمالك الهادئة حتى وصلنا للنادي، لم تستغرق الإجراءات سوى دقائق قليلة بسبب نفوذ عباس بعدما تم إعفائي من تعليق اسمي لمدة أسبوعين ببهو النادي إذا ما أراد أحد الأعضاء الاعتراض على شخصي. هذا الإجراء بالتحديد كنت أخشاه لأنني أعلم أنها ستعترض وصدق حدسي، علمت من عباس بعدها أن مايسة هانم قدّمت اعتراضًا مكتوبًا للإدارة على قبولي كعضوة عاملة ووقّع عليه معها سبع عشرة سيدة. ضحك وهو يُسلمني ورقة شكواها بعدما حصل عليها لكونه عضوًا باللجنة المؤقتة التي تُدير النادي منذ عام، ابتسمت في مرارة وأنا أحرقها بعدها!

- لو سمعتي حاجة مهمة من هوانم النادي يا زينب تبلغيني بيها أول بأول..

- حاضر يا اخويا هو أنا ورايا شُغلة غيرهم..

سدّدت مبلغًا كبيرًا يومها. تسعون جنيهًا ثمن عضويتي، لكن هذا النادي يستحق، ظلت ناديا تابعة لأبيها عباس وأمها المرحومة پولا على عضويتهما القديمة، تسلمت البطاقة وشعرت بشعور غريب لم أستطع تفسيره، دخلت دورة المياه، أخرجت مقصًا صغيرًا من حقيبتي ومزّقت إربًا البطاقة الحمراء التي تحمل اسمي وصورتي القديمة، محوت عضوية المربية للأبد وألقيتها في البالوعة الصغيرة. تنفست بعمق وخرجت أمشي بثقة، وجدتني أتفرس في وجوه السيدات من حولي وأوزع ابتسامات غامضة، أحيي بعضهن دون سابق معرفة لكن بتحفظ. شعرت لوهلة أنني أُقلد پولا في مشيتها وإيماءاتها، ربما لأنني فصّلت ملابس كثيرة شبيهة بما كانت ترتديه، ذهبت لنفس الخياطين بوسط البلد، ترددت على أتيليه مدام Vasso الشهير بممر بهلر، التقيت

أم كلثوم وفنانات أخريات هناك، أصبحت مثلهن من هوانم مصر، ما الذي ينقصني الآن؟ لا شيء سوى اقتلاع تلك النظرة الغريبة من عيون الأخريات.
لكن كيف؟!

وجدتني أُتمتم بكلمات غير مفهومة حتى نبهتني الصغيرة ناديا لأنني أُحدّث نفسي، اصطحبتها لتناول الغداء في المطعم العلوي، دفعت جنيهًا كاملًا كبقشيش كان كفيلًا بأن يتذكرني الجرسون دومًا ويحكي عني لزملائه، بعدها جلست في شرفة صالة البريدج أرقب ممرات النادي وأعضاءه السائرين فيها من علٍ!

على مقربة مني تجلس سيدات يلعبن الورق وأنا أرقبهن كل برهة بطرف خفي، تعرفت بسهولة على إحداهن، كانت جليسة لرقية هانم عفيفي إحدى صديقات مدام پولا، رحبت بي ودعتني للمشاركة معهن، ترددت قليلًا فأنا لا أجيد اللعب بالورق مثلهن، كل معلوماتي نقلًا عمّا كان يشاهده عباس بشقة حسانين أيام كنا نعيش بجواره في الزمالك، وجاءت بعدها خبرتي المتواضعة من بعض الأدوار الصغيرة التي لعبناها سويًا أنا وپولا على سبيل التسلية، لكن كلماتها بأنني محظوظة في الورق ظلت ترن في أذني وقتها وتكبر كصدى صوت متضخم. تركت الصغيرة ناديا تذهب مع المربية لحديقة الأطفال وجلست إلى مائدة اللعب الخضراء، قبل أن يقدّمن لي الكروت قدمن أنفسهن بأسمائهن، فقدّمت نفسي بدوري باعتباري شقيقة عباس بك المحلاوي وكيل لجنة تصفية الإقطاع، ضغطت على حروف كلماتي وأنا أُدرك تأثير المنصب عليهن، توقفت الكفوف عن توزيع الورق، تثبتت العيون وتعلقت بوجهي، داعب القلق رؤوسهن بغلظة فمالت مثلما تميل النخيل مع نسائم الرياح القوية، أعجبني ترنحهن فانتشيت، غادرَت اثنتان الطاولة بحجج مختلفة وترددت ثالثة في البدء باللعب، أتت صديقتي بأخريات ليشاركننا، لم

أكـن لاعبـة جيدة، بل الحقيقـة أنني كنت خائبـة، لكنني اكتشـفت أن غالبيتهن لا يُجـدن اللعـب، فقط يُردن المظهر وتقليد سـيدات من زمن فات، وباسـتثناء طاولـة أو اثنتين مـن قُدامى عضوات النادي اللاتي لا يرغبن في مشـاركتنا أبدًا كنـت ألعب الـورق مع صديقاتي الجديدات وأخسـر الكثير في أغلب الأحيان علـى مائدة الأخريات من سـيدات الزمالك وجاردن سـيتي، ومع ذلك ظللت متحمسـة متشـبثة بالمكان، امتلأت بالنشوة لكنني لم أشـبع بعد.. ما زال شيء ما ينقصني!

أكثـر مـا ضايقني في نـادي الجزيرة هو عـدم قدرتي على اختـراق مجتمع سـيدات الزمالك من أصدقاء پولا بعد وفاتها بسـهولة، بدَوْنَ أحيانًا مثل جدار سـميك، كلما أزحت طبقة من طلائه أجد أخرى خلفها، وأحيانًا أخرى كجدار شـفاف.. ليّن.. مرن.. لا يُرى، كلما اصطدمت به غُصت فيه أكثر حتى أسـقط وسطهن، لكن قبل أن أنهض يلفظني برد فعله بعيدًا عنهن مرة ثانية!

ظللت شـبه غارقة في بحر النادي تقذفني أمواج صديقات پولا وشـبيهات مايسـة بعيدًا، لم يتقبلنني أبدًا رغم خسـارتي بلعبة الكونـكان وحصولهن على مكاسـب كثيـرة مـن ورائي، ضـاق بها عبـاس قليلًا فهـو الذي كان يسـدد كل فواتيري وفقًا لاتفاقي معه باقتسـام كل شـيء يملكه حتى نموت أو يقتلني، فلم أعـد أثـق به أبدًا كما كنت، لكـن الغريب أنه كان ليّنًا طيعًـا للغاية، ربما وجدها وسيلة للتكفير عن ذنوبه وأخطائه في حقي.. نعم حقي في الحياة مثله، فلولاي لما صار أبدًا عباس بك الآن!

رغـم لقاءاتي مع سـيدات المجتمع على موائد الطعـام بالعزائم التي كانت تُقـام بفيـلات الزمالك وجـاردن سـيتي ومصر الجديـدة مؤخـرًا ودعوتي إلى بعضها حتى بنادي الجزيرة عندما كنت أجلس بالقرب منهن في حديقة الشـاي والبرجولا وحول حمام السـباحة في الليدو، كان دائمًا هناك حاجز شفاف بيننا

أراهُنّ من خلفه وهنّ يتعمّدن الجلوس وراءه، نظراتهن تدفعني بعيدًا رغمًا عني، إيماءاتهن وهمساتهن تشعراني بأنهن يسخرن مني، من طريقة كلامي، من مشيتي العرجاء قليلًا، من كل شيء يصدر عني، حتى لما اصطحبت معي وصيفتي زوجة حسانين المصري للنادي، شعرت وقتها بسخريتهن من كلينا حتى سمعت مَن تقول بهمسٍ مسموع: «مَن منهما الهانم؟!»

أقمت عشرات الولائم والعزائم بفيلتي، الخميس الأخير من كل شهر كان موعدًا ثابتًا لأضمن دعوتي في غيرها، لكن الحضور عندي أقل من الأخريات والبعض لم يدعني أبدًا رغم تقديمي لأضعاف كمية الطعام والشراب. ورغم إصراري على سداد قيمة ما أكلوه وشربوه بالنادي عند لقائنا في أغلب الأحيان إذا ما جلست معهن على منضدة واحدة، يُبدين امتعاضًا غريبًا، تخرج كلمات الشكر من تحت ضروسهن بالكاد، يتحججن بأعذار كثيرة كي لا يقبلن دعوتي، دائمًا هناك نظرة فوقية لا تُريحني، لا أدرك تفاصيلها حتى أحاصرها بذهني وأتغلب عليها، فقهرتني دومًا وغلبتني.. إلا قليلًا!

بعض معارفي تلعبن الجولف مع هوانم الزمالك فاخترت ذات اللعبة كي أنفُذ إليهن من خلالها بإلحاح من عباس لأعاونه في تقاريره الشهرية عن أعضاء النادي، المساحات الخضراء الواسعة والمشي الكثير فرصة كبيرة للثرثرة كما يقول عباس، أعددت العدة واستأجرت «كادي» ليجر حقيبة الكرات والمضارب ويسير بها خلفي، وبجواري مدرب لتعليمي، وجدت صعوبة شديدة في قذف الكرة أصلًا وليس فقط بإتقان، الحفرة بعيدة وصغيرة واللعبة كلها سخيفة لم أفهمها، أحيانًا أضرب الهواء فلا أصيب الكرة أبدًا. على مقربة منّا كانت سيدة من سيدات الزمالك التي أعرفها جيدًا تستعد للعب، رحت أتابعها بدقة، أطرقت السيدة لفترة صامتة.. ركزت قليلًا في كرتها ثم تمطعت وأطاحت بها فجأة ناحيتي بقوة لتمر من فوق رأسي..

- يا لهوي يا امّه!

لطالما حذرني عباس ونهاني عن التفوه بتلك العبارة، لكن ندت مني الكلمات رغمًا عني، كل مَن حولي استنكروها، جُزعت قدمي أيضًا في حفرة للكرات قريبة مني ولم أتبينها أثناء سيري لما حاولت تفادي كرة السيدة، لكنهم لم يهتموا لحالي، لاحقتني نظرات حادة كثيرة مصحوبة بابتسامات ساخرة وشفاه تتمتم بما لا أسمع لكنني أشعر بالتأكيد أن الكلام يخصني.. يجرحني.. يزيدني ضيقًا منهم، قذفت المضرب في وجه المدرب الذي يكتم ضحكاته ويتبادل همسًا مع «الكادي» ومن يومها توقفت عن لعب الجولف.

*****

- أنا خلاص ماعادش ليا نفس أدخل نادي زفت الجزيرة ده تاني!

- كلنا.. مش انتي لوحدك، خلاص مش حيبقى فيه نادي الجزيرة تاني!!

- ليه بتقول كده يا عباس؟ هو الكلام اللي بتقوله النسوان هناك وبانقله لك زعَّل الحكومة في حاجة؟

تنهد عباس بضيق وهو يرمقني بنظرة عتاب لم أفهم سببها ثم شرح لي أن جمال عبد الناصر قرر تخصيص أرض النادي بالكامل لتكون مركزًا للشباب بلا أي قيد على العضوية مثلما يفعلون بالنادي، التفت لي وهو يبتسم في سخرية:

- الدنيا بتتغير، أيام العز راحت واحنا يا دوبك كنا بنلحس قعر الطبق.. ودلوقتي خلاص الروس حتتساوى، تخيلي بقى انك تدخلي النادي بعد كده تلاقي فهيم أفندي في وشك قاعد حاطط رجل على رجل وبيشرب شاي!

- والتقارير اللي كتبتها حيعملوا فيها إيه؟ حيولعوا بيها نار الفرن ويشووا قوالح دُرة؟

سكت عباس لبرهة منشغلًا بترتيب أوراق خزانته ثم واصل كلامه ببرود:

- إحنا عملنا اللي علينا وقلت للباشا رئيس اللجنة المؤقتة النهارده في الاجتماع إننا مش حنعرف نكتب تقارير عنهم من بيوتهم ولو اني موش عارف هُمّا خايفين منهم ليه أصلًا دول لا بيهشوا ولا بينشوا.. لكن يظهر كلامهم مش عاجب الجماعة بتوع الجيش.

اقتربت من عباس ووضعت يدي على كتفه قائلة:

- أنا عندي لك فكرة تخليهم يرضوا عنك ويرقوك كمان!!

نظر لي باستخفاف لكنني أكملت غير عابئة:

- نقسم البلد نصين، حتة للباشوات والهوانم وحتة للمركز والشباب اللي بيقولوا عليه!

- وحيستفيدوا إيه يا زينب؟ هُما عاوزين ياخدوا الأرض كلها علشان...

قاطعته بسرعة قائلة:

- اصبر بس، قولهم النص بتاع الباشوات والهوانم حيتلموا فيه ويبقوا تحت عينيهم طول الوقت زي عشة الفراخ، أحسن ما يتفرطوا وكل واحد فيهم يروح يطنطن لوحده ولا يعرفوش يلموهم!!

لمعت عينا عباس لبرهة طالت، أعرف هذا البريق جيدًا، الفكرة راقت له، جرى نحو الهاتف وطلب رقمًا ثم طلب من مُحدّثه تحويله لشخص يُدعى محمد بك جميعي، عرض فكرتي بعدما نسبها لنفسه وطوّرها بما تُناسب المقام، يبدو محدثه في منصب كبير فلم تخلُ عبارات عباس من كلمة «يا فندم»، وضع السماعة بعد دقائق قليلة وابتسامته تتسع أكثر، أشعل سيجارة تلو

الأخرى وظل بجوار الهاتف، فهمت منه أن الرجل سيعاود الاتصال به بعد استطلاع الأمر، جلست على أقرب مقعد أدخن منتظرة معه، بعد نصف ساعة عاود الرجل الاتصال بنا ولمّا وضع عباس السماعة هتف عاليًا:

- ينصر دِينك يا زينب! وافقوا على الفكرة ومن بكرة حيخصصوا جزء من أرض النادي علشان مركز الشباب ويسيبوا للنادي حوالي خمسين فدان...

ضحك عاليًا لأول مرة منذ سنوات وهو يردف:

- عُمرِك شُفتي عشة فراخ خمسين فدان؟!

- مبروك عليهم! لكن أهم حاجة تعمل لنا اشتراك في المركز الجديد، الحكومة بتاعتكم ملهاش أمان يا اخويا!

*****

لولا خوفي على وظيفة عباس لكنت صرخت في وجه كل الأعضاء المتأففين لرؤيتي في النادي بأنني صاحبة فضل عليهم ولجعلت أكبر رأس فيهم تُقبّل قدمي ندمًا، لولاي ما ظلوا باشوات وهوانم هنا كما يظنون. لكني توقفت بعدها عن الذهاب اليومي إلى هناك، لم يعُد لديهم ما يجذبني، فترة طويلة ابتعدت، امتدت لسنوات اكتفيت خلالها بالتردد مرة أو مرتين شهريًّا حتى تبددت سحب غربتي بنادي الجزيرة، فعدت.

عدت لمّا شعرت بأنني واحدة من أعضائه لأول مرة، ليس لكوني الآن شقيقة عضو مهم بأمانة الحزب الوطني، إنما بسبب مجموعة السيدات المرتبطات بي الآن بسبب شهرتي وحدي، صرت زينب هانم دون أدنى إشارة لعباس ومنصبه، الدنيا الآن تغيرت كما يقول عباس دائمًا، لكنه ليس التغيير الذي كنا نخاف منه، دخل النادي أعضاء يشبهونني لأول مرة منذ زمن بعيد، أرتاح لهم وأتفاهم معهم، بيننا شيء مشترك تذوب معه الفوارق في لحظات،

الآن لـديّ صُحبتي الجديـدة التي تحيط بي كلما حللـت، غالبيتهن أصغر مني عمـرًا لكن ولاءهن لي، يرينني هانمًا حقيقية وسـيدة من سـيدات الزمالك، أما الأخريات فقد نجحنا في حصارهن بالنادي في أماكن محددة لا يغادرنها أبدًا، لم أعد بحاجة للعب الكونكان كما كنت، لسـت مضطرة لممارسة الجولف أو للجلـوس حول حمام السـباحة بالليدو، وقتها خفتـت رغبتي في الانتقام منهن حتـى خبَت، كلنا نشـبه بعضنـا الآن، أما هنّ فقـد انتهى دورهـن بعدما طواهن الزمـن وأطبـق عليهـن الفقـر وصرن يجلسـن فـي أركان بعيـدة لا نكاد نشعر بوجودهن أو حتى نراهُنّ!

كنت قد نسـيتها مثلما نسـيت الأخريات، قيل لي إنها هاجرت لأمريكا منذ سـنوات، حتـى كان يـوم لمحتها مـن بعُيد، توترت وشـردت، لم أسـمع فجأة مـا تقوله صاحباتـي من عبـارات المجاملة المعتـادة، رأيتهن كخيـالات بعيدة متراقصـة، مـع أنهن يُحطن بي كهـلال يكاد يضيق على قوسـيه. تركزت عيناي عليهـا وحدها وصوتها يرن في أذني، لا شـك عندي أنها هـي، ربما غيّر الزمن مـن ملامحهـا، لكن لا أحد غيرهـا يجلس بهذه الكبرياء وتلـك الثقة، لا توجد سـيدة الآن تحرص على أناقتها الصباحية مثلمـا تفعل هي وصُحبتها. وجدتني أقترب منها ببطءٍ وبخطوات مترددة، كأنني أسـتجيب لنداءٍ غامضٍ ولا أستطيع مقاومـة فضولي الذي يجر سـاقَيّ جرًّا نحوها، يدفعني للأمـام رغمًا عني مثل الفراشـة التي تنجذب للنار. كانت تجلس مع سيدة أعرفها، استعدت بعضًا من ثقتـي المتبخرة، فلمـا أصبحتُ واضحة لهما قالت السـيدة الجالسـة بجوارها بترحاب:

- اتفضلي يا زيزي هانم..

لحظتهـا التفتت نحوي مايسـة، رمقتني بذات النظرة التـي تجرّدني من كل ملابسي وكأن أربعين عامًا لم تمر بعد، قدمتني صديقتي لها قائلة:

- زينب هانم المحلاوي!

ابتسـمت مايسـة ببرود ولـم تُنزل سـاقها عن الأخـرى وتعمّـدت تذكيري بماضٍ أكرهه قائلة:

- غريبـة أنك هنا يا زينب، افتكرتك بطّلتي شـغل في كابينة التليفونات من زمان!!

*****

18

«حين يتحيّر الرجل في أولوياته بيني وبين غيري، فلن يكون شرفًا عظيمًا لي حين يختارني»

ناديا

- ماردتيش يعني على سؤالي يا ناديا؟!

لا أظنني ارتبكت وطال ارتباكي منذ زواجي مثلما حدث عندما سألني مراد عن سبب زيارتي لبيت طارق، ابتسم بثقة وهو ينفث دخان سيجارته متفاخرًا بأنه يعرف كل صغيرة وكبيرة تدور في مصر، روى لي ليلتها حكايات كثيرة عن أشخاص ظنوا أنهم يستطيعون فعل أي شيءٍ بعيدًا عن العيون، لكنه ورجاله يسبقونهم دائمًا، يعدّون عليهم أنفاسهم ويفنّدون أفكارهم التي تفوّهوا بها أو حتى التي دارت برؤوسهم ولم تخرج بعد، ليحاسبوهم عليها حسابًا عسيرًا!

انتهى من سرد بطولاته ثم عاد يكرر سؤاله عن زيارتي لطارق، نبرته بدت غاضبة هذه المرة. كذبت في البداية، مدعية أنني منذ وفاة والدته أساعده ببعض المال دون أن يعرف كي لا أجرح مشاعره، باعتبار أن أمه كانت تخدم عمتي وربّتني صغيرة. لم تنطلِ كذبتي عليه، فاجأني قائلًا:

- عامّة مش حاضغط عليكي دلوقتي، حاسيبك تحكي بعدين لوحدك، بس لو كنتي سألتيني من الأول كنت قلت لك إن طارق المصري في السجن!

- طارق مسجون؟!

- أيوة. محكوم عليه بعشر سنين، انضم للإخوان، كوّنوا تنظيم سرّي ولقينا عندهم قنابل وسلاح ومنشورات، البلد ظروفها صعبة يا ناديا واحنا مش بنلحق ننام!

لم أنم ليلتها، راحت الهواجس والأفكار تطحن عقلي وتؤرق جسدي كله بسبب دخول طارق السجن. الحكايات التي سمعتها من مراد عن مؤامرات الإخوان ونقرأها في الجرائد كل يوم أشعرتني بأن طارق من الممكن أن يكون قد تبدّل وتغيّر وانخرط معهم، هو دائمًا غريب الأطوار، لا يعرف ماذا يريد بالتحديد. بكيت بسببه ولأجله، وجدت نفسي أدعو له قرب الفجر. مع نور الصباح الأول نمت من شدة الإنهاك واستيقظت قرب العصر برأسٍ ثقيلٍ مُتعب، لأجد مراد ممددًا في كسل على الأريكة وكأنه لم يغادرها، كان ودودًا وراح يُلاطفني فأفضيت له بأن طارق كان مقربًا مني منذ طفولتنا وهذا ما دفعني للسؤال عنه. بدا متقبلًا لكلامي، لم يُعلّق بحرف، كأنه يعرف كل شيء مسبقًا حتى ذكرياتي. استمر يعبث في شعري، هدوؤه شجعني لأسأله عن أحوال طارق بالسجن، أجاب باقتضاب أنهم يعيشون فيه أفضل من خارجه، ثم أطلق ضحكة عالية بلا سبب وباعد بين ذراعيه قائلًا بسخرية:

- كل واحد فيهم بقى قد العِجل من الأكل والمرعى وقلّة الصنعة!!

طلبت منه إبلاغ شقيق والدته بأمره كي يطمئن عليه بدلًا من ظنّه أنه هاجر للخارج حسبما أخبرني البواب، علت ضحكات مراد وهو يقول:

- والنبي أنتي على نياتك، خاله سالم ده بالذات هو اللي بلّغنا عن اجتماعاته بشقة الزمالك علشان ياخدها من طارق ويلعب فيها قمار على راحته، كلهم أوساخ يا ناديا!

ظللت صامتة لا أصدق مراد تمامًا ولا أُكذّب مشاعري كلها نحو طارق رغم اقتناعي بأنه قد تغيّر. ساقية الحيرة أنهكتني من كثرة الدوران حولها بلا تدفق لإجابات أسئلتي. شعرت بصداعٍ عنيفٍ يقصف رأسي، أعدته للوراء شاردة في طارق وهو حبيس أربعة جدرانٍ يرتدي بدلة زرقاء داكنة وطاقية من ذات اللون وقد زاد وزنه بصورة ملحوظة. لم يُخرجني من شرودي إلا رنين الهاتف عاليًا، انتفض مراد من رقدته، الرنين يتوالى من الهاتف الأحمر وهو ما يعني أن مكتب المشير عبد الحكيم عامر يتصل به، ظل منصتًا لمُحدثه وهو لا يُردّد سوى نفس الجملة كل برهة: «تمام يا فندم!»

جلس بعدها يُتابع باهتمام على غير عادته مباراة نادي الزمالك مع فريق دمياط في كرة القدم. قبل نهاية الشوط الأول، وكان الزمالك مهزومًا بهدفين، دق الهاتف الأحمر مرة أخرى ليُنصت مراد قليلًا ثم قال بحماس:

- مفهوم يا فندم، حرب طبعًا يا فندم، حابلّغهم حالًا!

وضع سماعة الهاتف الأحمر برفق والتقط الأخرى السوداء بعنف، عبث بيده الثانية في نوتة صغيرة ثم طلب رقمًا، تبدّل صوته ليتحول إلى الآمر الناهي فجأة، مثل ممثل بارع يتقمص كل الأدوار بسهولة، أبلغ محدثه أن المشير عامر يريد حربًا في الملعب بالشوط الثاني، واختتم مكررًا محذرًا:

- عاوزين حرب فورًا في الملعب يا بني آدم.. مفهوم والا مش مفهوم؟

أغلق السماعة بعنف وعاد يجلس متوترًا، سألته في قلق غير مصدقة ما سمعته:

- خير يا مراد؟ هو فعلًا في حرب حتقوم بينا وبين إسرائيل زي ما بنسمع؟!

ظل يضحك حتى استلقى على ظهره ثم قبّلني قائلًا:

- مش باقولك إنك على نيّاتك! إسرائيل ما تجرؤش تقرّب من سينا وإلا نحرقهم ونرميهم في البحر. سيادة المشير عاوز اللعيبة تعتبر نفسها في حرب ولازم تكسبها، الزمالك مغلوب من نادي دمياط يا ناديا وسيادته مش حيقبل بالهزيمة أبدًا!!

ابتسمت وأنا لا أستوعب جيدًا كل ما قاله لكنني شعرت بقوة نفوذه وهو ما كان يثيرني للغاية، تابعت معه المباراة على سبيل قتل الملل لكنني كنت منشغلة بطلاء أظافري بلون أحمر. أفهمني مراد ووجهه شبه ملتصق بشاشة التلفزيون أنه اتصل بالمدرب على الهاتف الموجود بحجرة تبديل الملابس ليُحفز اللاعبين باعتبار أنهم في معركة مصيرية وأبلغه تعليمات المشير!

بدأ الشوط الثاني بتعديل في صفوف فريق الزمالك وصفه المعلّق الرياضي محمد لطيف بأنه غريب للغاية وغير مفهوم، فقد أخرج المدرب حارس المرمى «شاهين» ليحلّ محلّه الحارس الاحتياطي الثالث «محمد حرب» الذي لم يلعب أي مباراة من قبل كما قال الكابتن لطيف متهكمًا، لتنتهي المباراة بهزيمة ساحقة للزمالك، ستة أهداف مقابل لا شيء!!

قامت الحرب بيننا وبين إسرائيل بعدها بستة أسابيع، لتستمر أيامًا ستة أيضًا. اختفى مراد وقتها، لم أعرف عنه أي شيء، حتى أُذيع خطاب تنحي عبد الناصر بعد الهزيمة فذهبت للإقامة لدى أبي، غادرت بيتي مع السائق العسكري المخصص لي، اخترقنا شوارع الزمالك الداخلية في طريقنا لفيلا قلب النخلة. صدر قرار بإظلام القاهرة حتى يصعب على الطائرات الإسرائيلية تحديد معالم أهدافها حسبما فهمت من أبي عبر الهاتف، فتم منع الإضاءة بالكامل عن شوارع الزمالك، سواء أعمدة إنارة الشوارع أو أنوار المحلات أو حتى اللافتات الأمامية لها.. لُصقت أفرخ من أوراق كُحلية مثل التي كنا نستخدمها في تجليد كتب المدرسة على نوافذ البيوت والفيلات حتى لا يتسرب منها أي

بصيص ضوء فتكون هدفًا يسهل رؤيته وإصابته، سيارتنا وغيرها ممّن حولنا بالشوارع تُغطّى كشافاتها الأمامية بدهان ثقيل داكن، أخبرني السائق أنه مصنوع من زهرة الغسيل الزرقاء، ليخفت نور مصابيح السيارات.

طوال طريقي لاحظت عشرات الجدران المشيّدة من الطوب الأحمر أمام مداخل العمارات بعرض حوالي نصف متر، وبارتفاع ثلاثة أمتار، رأيت الكثير من جوالات الخيش المعبأة بالرمل متراصّة فوق بعضها أمام المحلات ونوافذ الدور الأرضي بالعمارات، شرح لي سائقي بنبرة الخبير العسكري العالِم ببواطن الأمور أنها لامتصاص الضغط الناتج عن انفجار القنابل الملقاة من طائرات العدو فلم أفهم شيئًا.. شعرت أنني في كابوس ثقيل فسألته بتوجس:

- هي طيارات إسرائيل وصلت القاهرة يا أسطى محمود؟!

- ربنا يسترها يا هانم، إحنا بين إيدين المولى.. الحمد لله على كل حال!

تضاعف قلقي أمام خنوع نبرته وإحساسه بالخوف مع غموض إجابته المقتضبة، فزادني هلعًا.. يبدو أن الكل يترقّب غارات الطائرات الإسرائيلية في أي لحظة. تعطلنا بالطريق بسبب مسيرات تحمل صور عبد الناصر وتهتف ببقائه، أعدادها ليست كبيرة لكنها عشوائية. انتابني شعور بالقتامة والكآبة، ومن بعدها جاء الإحساس بالمهانة والذل ليُسيطرا على عقلي بعدما تسرب اليأس والإحباط إلى نفسي، أحسست لأول مرة أن مصر كلها قد ضاعت، وقوة الدفع انتهت مثلما ردّدت مايسة على مسامعي، لكنها الوحيدة التي كانت تقول ذلك، يبدو أن عدوى التشاؤم قد انتقلت إليها من أخيها السفير حسبما كان يردد أبي!

أقمت في فيلا قلب النخلة أيامًا لم أبرح غرفتي حتى عاد مراد فجأة، دخل علينا صالون الفيلا وقد بدا عصبيًّا للغاية في جلسته وحركات يديه، عالي الصوت على عكس طبيعته الباردة، هيأته مُزرية تشي بأنه لم ينَم منذ أسبوع.

راح يُلقي اللوم كله على المشير، ويُحمّل قادة الطيران المسئولية، لم ينسَ أن يتبرأ من وزير حربيته ويرسو بقواربه على شاطئ عبد الناصر ثم يحرقها كلها خلفه. لأول مرة أراه يتكلم بجرأة وشجاعة. اندهشت. زادت دهشتي من نفسي أكثر عندما وجدتني متعاطفة معه، شعرت بأنه يُعاني أزمة كبيرة من داخله تركت آثارها على وجهه المسود المنطفئ وكتفيه المتراخيين لمّا صرنا وحدنا بغرفتي، قضى ليلته في حضني، احتويته وغطت دموعه صدري، تحشرج صوته وهو يقول بحسرة:

- ولاد الكلب رجّعونا مشي في الصحرا باللباس والفانلة يا ناديا!

ضممته أكثر، التصق بي وهو يدور برأسه حائرًا كرضيع يبحث عن ثدي أمه، انتفض جسده عدة مرات، لكنه لم يذهب لأبعد من ذلك، انتفاضات خوف لا رعشات رغبة، تنحّى بعدها جانبًا بعد برهة وهو منكسر ثم غادر الفراش مطرقًا. انتظرت طويلًا لكنني لم أسمع صوت المياه المنسابة على جسده هذه المرة، ساد الصمت ولفّنا بسياجه الثقيل حتى الصباح.

لم يقربني مراد بعدها ثانية لشهور طويلة، منذ تنحيه عن جسدي لم يعُد كما كان، بدا أكبر من سنه لما تسلّل الشيب لسوالفه ومقدمة رأسه ولم يعُد يهتم بصباغته، هزل جسده كأنه يتلاشى بالتدريج، ظل لفترة طويلة لا يبارح البيت، يقضي أغلب يومه مطالعًا الجرائد والتلفزيون أو متحدثًا في الهاتف الأسود لساعات مع زملائه، فالأحمر لم يعُد يدق، صار كتلة صماء للأبد عندما أعلنوا ذات صباح انتحار المشير عامر. ظل يسيء معاملتي وكأنني سبب النكسة، تطاول عليّ بلسانه ثم بيده، أخذ الكثير من أموالي، لم يُنفق مليمًا على بيتنا منذ عودته من سيناء، أبي يتذمر قليلًا ثم يوافق تحت ضغط عمتي ويدفع، لتُردد هي عبارتها الشهيرة: «سحابة وتعدّي وبكرة يرجع شغله ويعوّضها»..

أسوأ أيام حياتي عشتها مع شبح مراد بعد الحرب، انهزم من داخله وحاول الانتصار عليّ وحدي، جثم فوقي، كتم أنفاسي لكنه لا يشبعني ولا يرتوي، صار عاجزًا متراخيًا، يلوح بأنه سيُطلقني ويرحل فأتنفس الصعداء وأتمنى أن ينفّذ وعده، لكنه يتراجع في آخر لحظة، يتنحى عن طريق الطلاق، يقول إنه سيبقى بجواري لأجلي مضطرًا حتى لا يتركني في تلك الظروف الصعبة. ينفجر بركاني بداخلي، أصرخ في وجهه ليعتقني، لكنه لا يفعلها أبدًا.

*****

كل شيء يمكن إخفاؤه إلا خطوات امرأة تتحرك بداخلي. أصبحت مكشوفة أمامه كشرفة بحرية في طابق منخفض، التقيته صدفة لما خرج من السجن، تأملت وجهه مليًا حتى كدت أُحتضنه بكفيّ لكن عقلي قمع أحاسيسي بداخلي وأقام جدارًا هائلًا من الصمت تواريت خلفه، ظللت منتظرة أن يعبره هو فلم يتحرك، تركت ظلّي ينساب خلف الجدار كي يهديه لمكاني لكنه، شيّد سدودًا كثيرة ليلوذ بها، فجرفت الود بيننا وصار حديثنا جافًا ذابلًا خاليًا من المشاعر، على الرغم من الدقات المتسارعة لخطوات المرأة التي لا تزال تتحرك بداخلي!

لا أصدق أن طارق المصري هو الذي يقف أمامي الآن، بدا هزيلًا شاحبًا بعد خروجه من السجن، عكس ما أشاع مراد، منكسرًا، ذليلًا.. به مسحة من هوان لحق به وتمكّن منه وتوطّن بملامحه حتى صار جزءًا منها!

حكى لي مأساته بالسجن وحجم الذل الذي لاقاه هناك بدون ذنب، لمعت عيناه ثم ترقرقت دموع كسيرة منهما، تحمل من الحزن ما لا تطيقه فانحدرت مسرعة كأنها تنتحر فوق وجنتيه تريد الخلاص، تتمناه ولا تجده، لا شيء يريح قسمات وجهه المجهد، لا كلمات لديّ أُطمئنه بها، بدا بعيدًا عني بفراسخ رغم

أنفاسه العالية التي أسمعها بوضوح، صدره يرتجّ من الانفعال، اقتربت أكثر شبه باكية وأنا أرجوه أن يتوقف..

- اتجوزتي طبعًا؟!

رددت بارتباك:

- أيوة من أربع سنين ونص تقريبا.. بس دلوقتي...

قاطعني قائلًا:

- واحد طبعًا من زمايلك في الجامعة؟

- لأ.. ظابط في وزارة الحربية اسمه العقيد مراد.. مراد الكاشف.. أكيد ما تعرفوش، كان جارنا في الزمالك لكن...

ابتعد طارق عني قبل أن أُخبره بانفصالي عن مراد، انتفض وكأن عقربًا قد لدغته، صرخ في وجهي من بعيد بلا سبب، فجأة قال إنه ليس مجنونًا واتهمني بالجنون وسط دهشتي، برقت عيناه وتسمّرت نظراته على عيني فأخافني رغم اقترابي منه. انفجر في وجهي وهو يروي كيف كانوا ينزعون سرواله ويُجبرونه على تقليد النساء والحيوانات عاريًا تمامًا. وضعت كفي على فمه أرجوه السكوت أو خفض صوته ليهدأ ودموعي تستعطفه كي يستجيب لرجائي، أبعد يدي بعنف وهو يحكي عن تعذيب أمه وآخرين وأخريات، عدت أخبره بطلاقي، وضع يديه على أذنيه وهو يُغمض صارخًا:

- كفاية بقى.. كفاية.. إنتي السبب!!

اقتربت أكثر فأبعدني بعنف والتفت عني، عدت للوراء خطوة حائرة. لا ذنب لي ولا له، كلانا تعذّب بقدر ما أراد مسارًا لحياته، كلانا بحث عمّا ظن أنه ينقصه فلم يجد سوى ما يُشقيه، تاهت أفكاري وسط غيوم أحزانه، لا فائدة

من الشرح، قلقي يتضاعف وأنا واقفة أمامه بلا حيلة، أدركت أنه يهذي لما كرّر واقعة اغتصاب أمه التي ماتت بالسجن، لُذت بالصمت حتى قطعته عمتي من شرفتها، نادته، لوّح لها ببرود كمَن يتأهب للرحيل، لكن السُّفرجي النوبي كان قد سبق إرادته، انزرع وسطنا فجأة يدعوه للدخول حسب أوامر زينب هانم!

مضى طارق خلفه بعصبية يختلس نظرات خاطفة للحديقة والفيلا، لا أعلم فيمَ يُفكر لكنّ عينيه تبرقان بغرابة من خلف نظارته السميكة، لحقته وأنا أمسح دموعي حتى لا تراها عمتي. كانت لتوها قد فرغت من نزول السلم الرخامي المؤدي للصالون بصعوبة بسبب زيادة وزنها، متكئة على عصاها التي باتت رفيقتها منذ عامين، رحّبَت به بودٍّ مُصطنع وجلست تستمع لمشاريعه المستقبلية، بدا تائهًا متلعثمًا كتلميذ خائب لا يجد ما يقوله، خرج كلامه غير مترابط لا يُفهم منه شيء، لا يُثير سوى الشفقة. زمّت عمتي جبهتها وزامت قليلًا، استعدلت طرحة رأسها بيدٍ لتُخفي شعرها الذي طاله الشيب بلا هوادة، ثم أظهرت بيدها الأخرى من أسفل شالها ظرفًا صغيرًا، بالتأكيد به نقود، قالت وهي تقدمه له منهية اللقاء بجفاء:

- أنت عارف البيت، لو احتجت حاجة ابقى تعالَ. أمك خدمتنا كتير واحنا ما ننساش الخدّامين بتوعنا أبدًا!

شق قلبي وصف أمه بالخادمة ولا بد أنه قلب ملامح طارق لتبدو متوترة هكذا، لكنه لم يرد، هز الظرف بيديه كأنه يزنه، لم أفهم هل تردد في قبوله أم رآه قليلًا أم أن كبرياءه جُرحت وسيعيده لها؟ ملامحه بدت مرتبكة ومُربكة لكلينا، شعرت لوهلة أنه سيتهور فارتجف جسدي، ظلت عمتي واقفة مكانها متكئة على العصا مائلة للأمام قليلًا كي تتأكد من انصرافه، لكنه ابتسم ابتسامة غريبة ثم ندت منه ضحكة مبتورة، رفع الظرف عاليًا لثوانٍ ثم دسّه في جيبه بهدوء وخرج مطرقًا دون أن يحييني، انتظرت متلهفة لكنه لم يلتفت وراءه حتى

قرب البوابة كعادته شابًا ومن قبلها صغيرًا. التفتُّ لعمتي، لم أستطع إطالة النظر لعينيها، نظراتها كفيلة بدفعي لحجرتي وكتمان مشاعر قديمة لا حاجة لي بخروجها للنور مرة أخرى. على الأقل الآن!

- الأكادة إنه شحات ومش لاقي ياكل وفاكر نفسه ابن بارم ديله.. أقرع ونُزَهي صحيح.

قالت عمتي ولم تنتظر تعليقًا مني. ظهوره المفاجئ واختفاؤه أثارا شجوني لكنهما دفعاني نحو اكتئاب زهدت معه في الكثير من حياتي، لم أعد أخرج كثيرًا، رحت أضع طلاء أظافر وأزيله بعدها بساعات قليلة، قصصت شعري كلما طال ثم قصرته جدًّا حتى تندّرت عمتي على قصره بأنني صرت مثل الأولاد المجانين، لكنها لم توبخني بل بدت راضية هذه المرة لعودة الرجل الذي بداخلي كما كانت تصفني، أعرف أنها لم تكن تحب شعري طويلًا، كنت أغيظها صغيرة وأفرده أمامها فتجذبني منه، تسبني ثم تتظاهر أنها كانت تمزح معي لكني أشعر بشدة قبضة يدها وضيق في نظراتها أقرب للحسد ومن يومها وأنا أقصره، حتى عندما كنت أُريها ملابس جديدة، أرتديها وأسير أمامها ببطء كعارضة أزياء، تلوي شفتيها وتُدير وجهها للناحية الأخرى وتتحدث في موضوع آخر. أشعر بأن داخلها شيئًا ما يضايقها مني، ربما بسبب شعرها المجعد القصير، ربما بسبب سخرية أصدقائي من طريقة كلامها وأمثالها التي لا تتوقف ولا يفهمونها، أو بسبب جلستها الغريبة على أريكة الصالون عندما تضع إحدى قدميها أسفل مؤخرتها، أو لكرهي طيورها وأرانبها التي تربيها قرب المرسى.. لست أدري!

كان حرفا الرفض المشكّلان لكلمة «لا» هما الأقرب دائمًا لعقلها حتى قبل أن ينطق بهما لسانها، كل ما تمنيته رفضته هي بإصرار ونجحت في الوصول

إليـه، انتصرت عليّ فـي هواياتي ومن قبلها كلبتي لما وضعت لها السـم، حتى الببغـاء الـذي اشتريته فتحت هي له القفـص ليطير لما ردد اسـمها بطريقة غير مهذبة مع أنني لقنته حروف اسم «زيزي» جيدًا!!

هـي التي اختـارت لي أغلـب صديقاتـي المقربـات ومنعـت أخريات من زيارتنـا، حرمتني مـن صحبتهن أو زيارة بيوتهن، حتى سـارة صديقتي اليهودية لمـا عادت إلى مصر مع أبيها أجبرتني على مقاطعتها بإصرار غريب، لم أذهب للمسـرح لأنها تشـعر بملل منه، أما السينما فالأفلام التي شـاهدتها كلها كانت علـى ذائقتهـا، زوّجتني من مراد بإصرارهـا وألحت على أبي كـي يُطلقني منه. رغبـات عمتي زينب هي الإطـار الذي أتحرك بداخله ولا أتجـاوزه أبدًا، وبعد طلاقي ازدادت سـطوتها وكبرت سلطتهاً متحججة بأن السيدة المطلقة سيرتها على كل الألسنة وهي وحدها التي تعرف أين تكمن مصلحتي!

ابتلعـت همومي وتجرعت وراءها أحزاني وتقوقعـت في غرفتي حتى عاد أبي من سـفره، لماذا لا يصطحبنا معه؟ ما سـر هذه السـفرة الغامضة للندن كل عـام في هـذا التوقيت؟! كيف وافق مراد على طلاقي بسـهولة هكذا؟! لكنه لم يُجب أبدًا!

سافرت زينب بعد وصوله بأيام للعُمرة بالباخرة كعادتها فهي تخاف ركوب الطائرات طوال حياتها وتراها نذير شـؤم ولا أعرف سببًا لخوفها منها. تنفست أخيرًا الصعداء، فأمامي أسبوعان على الأقل أتنسم رحيق حريتي بعمق، طلبت من أبي السـماح لي بالسـفر مع بعض صديقاتي إلى العجمـي لثلاثة أيام فوافق بسـهولة كأنما يُكفر عن ذنوبه القديمة في حقّي، لم يسـألني عن صحبة السـفر، كل مـا أكـد عليه أن أعود قبـل عودة عمتي بيومين، أعطانـي مئة جنيه رغم عدم احتياجي لكل هذه النقود الكثيرة، سافرت معبأة بالضغوط ومهيأة للخلاص!

هنـاك.. رأيتـه للمـرة الأولـى، تبـدل حالـي بعـد ليلتين فقـط، بـدأت أنتبه لمغـزى نظراته، ذلـك الصوت الآتي من قلبه، عمق نظرة عينيه ودفء ملامحه، وقعـت أسـيرة جرأته واختلافه عـن الآخرين، يبدو أنني سـافرت إلى هنا مهيأة للحب، مسـكونة بالعاطفـة، أتيت مستسـلمة قبل أن تبدأ المطاردة، لم يشـحذ الصيـاد أسـلحته كلها، لم أكن فريسـة صعبة على ملاحقة عينيه الواسـعتين لي بقوة فحاصرتني وتركت بداخلي أثرًا كبيرًا بسـرعة، شـعرت أنني لا أحتاج وقتًا كعادتـي للملاحظة، لم أنكمش أو أتراجع أو أتردد كما كنت مع مراد ومن قبله طارق. بدأت أنتظر خطوته القادمة، أحاول توقعها، يفاجئني فأتعلق به أكثر، لم أنتظـر أن تظللني سـحب الأمان، انهارت أنوثتي أمامه فـي لحظات لم أدركها، تدافعـت أمواج رجولته نحو السـد الـذي أظنني أتوارى خلفه فـلا يراني أحد، كنت مكشـوفة وكان السـد شـفّافًا هشًّا مثل جدار من كريسـتال فانهار برفق مع فيضـان طلّته الجريئة، تدفق الماء بقوة ثم انحسـر برقة، لا ليجف المجرى إنما ليُنبـت القلب زهورًا، ليتفتح ورد محبتي له. مسـتني تلـك الرجفة التي افتقدتها طويلًا منذ لمسـات طارق لضفائري فتملكت جسـدي وروحي، تعلقت به من نظرته الأولى، من أول كلمة، من إيماءاته.. حركاته.. طريقته.. حبه للحياة، كل هذا أسرني كأنني أسير نائمة خلفه!

اتّبعتـه فـي صباح يومنـا الأخير بالعجمي قرب الشـاطئ وهـو ينظف لوحًا خشبيًّا طويـلًا مـن طحالـب بحر علقت به، كنـت مهيـأة من داخلـي للإبحار معه بعيدًا دون خوف أو نيّة رجوع. التفت عمر سـيف الدين ناحيتي بابتسـامته الجذابة التي لا تفارق وجهه، مجتاحًا عواطفي كلها كالإعصار قائلًا:

- تركبي معايا؟!

*****

19

«أؤمن بأن السرّ عدا اثنين مُنتشر، وهاتان الاثنتان هما شفتاي»

عباس المحلاوي

راقت لي فكرة فهيم عن الزواج لما شرحها بالتفصيل ووافقت عليها زينب بحماس أكبر مني وكأنها كانت تتمنى حدوثها، من بعدها انتقلت للعيش بفيلا قلب النخلة. راحت زينب بمناسبة ودون مناسبة تذيع خبر زواجي وإنجابي طفلة من پولا منذ فترة، أضافت زينب للخبر الكثير من التفاصيل والحبكات كحكايات أمها في محلة مرحوم، قالت إن الزواج كان سرّيًّا برغبة من پولا نفسها فلم نُعلن في وقتها احترامًا لها، وأن الطفلة ولدت مبتسرة ممّا أخّر الفرحة بقدومها، وهكذا حتى انتشر الخبر في الزمالك كلها. ظن كثيرون أنها ابنة زينب وأننا نُخفي الحقيقة ومع ذلك تلقينا مباركات كثيرة، لم تسمع بها پولا في غيبوبتها إلى أن فارقت الحياة فجأة بعد ولادة ناديا بعامين وبضعة أشهر، وبعدها نسي الناس الموضوع كله!

تركتُ شقتي بالزمالك البحرية لزوجة حسانين وطفلها طارق بدون مقابل نزولًا على رغبة عبد النعيم إكرامًا لها باعتبارها امرأة وحيدة بلا رجل، الحقيقة لم أقتنع بكلامه لكنني وَافقته لعدم حاجتي للشقة. بدأت مع زينب نُرتب لإنهاء موضوع نقل ملكية فيلا قلب النخلة باسمنا، أجّلنا إعلان وفاة پولا

ثلاثـة أيـام حتى يتصرف فهيم بعلاقاته في الشـهر العقاري ومصلحة تسـجيل أملاك الأجانب، ثم دفنّاها سـرًا في مدافن الصدقة ليلًا، نقلنا أيضًا سيارة پولا الكاديلاك الجديدة التي اشـترتها مؤخرًا باسـم زينب في قلم مرور القاهرة عن طريق علاقات فهيم أفندي.

أشقاء شيكوريل لم يستسلموا بسهولة، أقاموا الدنيا ولم تقعد بالطبع، فقد كان نفوذهـم كبيـرًا، جُن جنونهم، لم يفهموا ما حـدث ولم يخطر لهم ببال، لم يصدّقـوا زواجي من پولا رغم الوثيقة الرسـمية التـي تُثبته وإنجابي طفلة منها، لجـأوا للقضاء واسـتخدموا علاقاتهـم بكثيرين حتى وصلوا بهـا لأعتاب قصر عابدين، فلجأت أنا لبوللي لكنه ظل محايدًا هذه المرة.

بـدا شـبح طردنا قريبًا منّـا رغم أن پولا ورثت الفيلا من زوجها شـيكوريل مع أشـقائه، فقد تركوها تقيم فيها فقط لكنهم لم ينقلوا الملكية باسـمها وحدها ولـم نكن نعرف. أخبرنا المحامـي بضعف موقفنا. بالفعل خسـرنا قضية بقائنا فـي الفيلا أمام المحكمة الابتدائية لكننا لم نخرج منها بعد، طلبنا من المحامي اسـتئناف الحكـم فلدينـا أوراق جديـدة تؤكـد نقل ملكيتهـا باسـم ناديا عباس المحلاوي ابنتي من پولا التي تؤكد الأوراق الرسـمية زواجي منها قبل وفاتها بأعوام، وقتها أكد المحامي الجديد الذي أحضره فهيم قوة موقفنا القانوني.

- أبويا تعبان وعاوز يشوفك يا عباس!

خفضت الجريدة متأملًا وجه فهيم أفندي المظلم وكمّ الأسى الذي يعتريه، علمـت منـه أن الأمير محمد علـي ابن عم الملك فاروق قـد حصل على امتياز جديد من السـراي لبناء العمارات والفيلات في جزيرة الزمالك كلها كالمعتاد، لكنـه هـذه المـرة طرد عبـد النعيـم منها واختـار ثلاثة مهندسـين لهـذه المهمة ورفضوا تجديد الترخيص له. تنكّر له بوللي باشـا بعدما سـمح لنا بالعمل لأقل مـن عام واحد فقـط بترخيص مؤقـت لاسـتكمال أعمالنا، أعـاد الأمير محمد

علي بقراره عبد النعيم مدحورًا مع رجاله إلى إمبابة، عبروا الجسر في مشهد حزين بلا عودة، ثم أبلغ عنه الضرائب وكان متهربًا بالفعل من بعضها لكنه عجز عن إثبات الحقيقة فقصموا ظهره، جرّدوه من غالبية أمواله، غرق في دوامات الحجز وأروقة المحاكم ومكاتب المحامين، بات شبح الإفلاس قريبًا منه. وقفت بجانب عبد النعيم لكنني لم أقترب منه، صحيح أنا شريكه، لكني لا أحتاج لشراكته كما كنا في الماضي بعد شراكتي الجديدة مع بوللي في مصنع الأدوية، ومع أنني لا أحصل على النسبة الكبرى رغم ملكيتي لكل شيء لكنه دخل جيد ويتمتع بحماية من السراي، على الأقل يجب الحفاظ عليه بعد ضياع الماس والذهب والآن شركة البناء مع عبد النعيم في طريقها للزوال.

على الرغم من كل ذلك ذهبت مرة ثانية بإلحاح من زينب لبوللي باشا متوسلًا كي يوافق على إسناد أعمال لشركتي مع عبد النعيم من الباطن عن طريق الشركة الجديدة التي رسا عليها العطاء حتى نضمن استمرارية البناء. رفض بوللي طلبي في صلف، بل وتعمّد تهديدي بطردي من شراكة المصنع الذي أملكه كله في الأساس وكأنني أعمل عنده، خرجت مهزومًا، لم أقوَ على النطق بحرفٍ واحدٍ أمامه خوفًا من بطشه. واضح الآن أن سُفن عبد النعيم قد تراخت قلوعها وأن سفنًا جديدة تتأهب لتحل محلها، يبدو أنه تفوه ضد أحدهم أو حكى لآخرين عن رشوته لبوللي. سألته وهو على فراش المرض فأشاح بوجهه وتمتم بشتائم طالت الجميع حتى أعلى رأس في المملكة المصرية كلها، ففهمت ولم أتحمس بعدها لمساعدة عبد النعيم طويلًا ولم أذهب لأبعد من ذلك!

- وصيتك فهيم من بعدي يا عباس، ما عادش ينفع يرجع بلدنا مدلدل راسه!

كلمات عبد النعيم خرجت من شفتيه الجافتين واهنة مثل جسده، لم يتحمل قلبه صدمة خروجه المهين من مملكته التي بناها على مر السنين منذ أن

كانت غالبيتها عششًا متناثرة حتى صارت أرقى أحياء القاهرة، مات عبد النعيم بعد أسابيع قليلة كمدًا وحزنًا. عاد ابنه الأصغر عسران مع زوجته وطفله الذي أنجبه هذه المرة من صلبه لبلدته بالصعيد، أما فهيم فلم يكن أبوه في حاجة ليوصيني به فأنا لا يمكنني الاستغناء عنه، حتى إنني داعبته بضرورة تواجده معي في قبري قبل حساب الملكين كي يزوّر سيئاتي لحسنات!

صار فهيم سكرتيرًا شخصيًّا لي بمرتب كبير، لكني بلا عمل حقيقي، لديّ مكتب في البدروم لإدارة أعمالي التي انتهت تقريبًا مع سحب ترخيص البناء، وبعض الأموال بالبنوك ورثتها عن پولا فضلًا عن نصيبها في محلات شيكوريل ومصنع الإسكندرية مع بوللي، أعيش في فيلا على نيل الزمالك، سائق يفتح باب سيارتي وينحني، أخلع قبعتي البيضاء وأركب بالمقعد الخلفي، تنطلق العربة لكنني لا أعرف إلى أين أذهب كل يوم، حتى صحونا ذات صباح بعدها بأشهر قليلة ونحن بالإسكندرية في إجازة مصيف لنجد أن الجيش عزل الملك فاروق كما علمنا من الراديو. أول ما جال بخاطري مصنعي بالإسكندرية الذي استولى عليه بوللي وأجبرني على نقله باسمه. ليلتها زرت المصنع مع فهيم بعد انتهاء الوردية الصباحية وقبل بدء حظر التجوال، أخذنا أوراقًا كثيرة من هناك، وعدت للقاهرة بعدما أجبروا الملك على مغادرة البلاد!

- المحامي اتصل وبيقول إننا خسرنا قضية الفيلا في الاستئناف ولا بد حيطردونا منها!!

المصائب لا تأتي فُرادى، تلقيت الخبر من زينب بعد عودتنا من الإسكندرية بأشهر قليلة فاتصلت بفهيم ليجد لي حلًّا. غاب ثلاثة أيام ثم عاد متهلل الوجه يحمل بعقله الحل، عرض علينا الانتقال إلى الفيلا الملاصقة لفيلا شيكوريل والتي يرقد جثمان حسانين أسفلها. لم يكن بناؤها قد اكتمل بعد، فقد مات صاحبها أثناء تشييدها ولم يكن له ورثة فتوقفت أعمال التشطيب الأخيرة،

عرض فهيم تولّي الأمر بالشهر العقاري ومصلحة تسجيل الأملاك مثلها مثل الأراضي التي كنا وضعنا يدنا عليها من قبل ونبنيها لحسابنا. الفيلا كانت صالحة للإقامة، هي نسخة طبق الأصل من فيلا قلب النخلة حتى من الداخل بل والبدروم أيضًا، رحبت زينب جدًا باختياري وسجلناها باسم ناديا ابنتي أيضًا حتى لا تُصادر في هوجة المصادرات باعتبار أنها مصرية لأب مصري.

يوم رحيلنا من فيلا شيكوريل صممت زينب بغرابة على الاحتفاظ بسرير سولومون شيكوريل الكبير الذي كان بحجرته الغربية ولم أفهم سر تمسكها به، أما أنا فقد نزعت لافتة اسم الفيلا من على الجدار الملاصق للبوابة وأعدت وضعها على باب فيلتي الجديدة لتصبح هي قلب النخلة الوحيد بالزمالك. أخذنا أشياء كثيرة وتركنا فيلا قلب النخلة القديمة خاوية لأشقاء شيكوريل لكنهم لم يهنئوا بها طويلًا، ففيما يبدو أن ثوار يوليو كانوا يحملون لليهود عداوة مسبقة، فبعد سنوات أُمّمت المحلات وحاولوا تغيير ملكية الفيلا لأحد العاملين عندهم تمهيدًا لبيعها، أخبرني فهيم أفندي بما ينوون فعله لما علم بتقديم طلبات إجراءات نقل الملكية في مصلحة تسجيل الأملاك وعطّل الأوراق، ذهبت يومها لمكتب تصفية الإقطاع الذي طلبت الحكومة من الشعب معاونتها في القضاء عليه والإبلاغ عنه، نشروا عناوين وأرقام هواتف فاتصلت وأخذت موعدًا عاجلًا.

هناك قابلت ضابطًا شابًا اسمه مراد الكاشف حسب ما هو مدون على اللافتة الخشبية التي تتصدر مكتبه، أدخلني إلى رئيسه وهو يتفرس فيّ من رأسي لقدمَيّ وتركني معه، قدمت نسخة من عقود الفيلا الأصلية وملكية شيكوريل لها فصادروها في اليوم التالي بعدما أخفيت كل أوراق الطفلة ناديا وزواجي من پولا بخزانة بيتي، وبعدها خرج أشقاء شيكوريل من مصر كلها، حوّلت أموالي السائلة التي كسبتها من بوللي وعبد النعيم إلى سبائك ذهبية

وقطع أخرى صغيرة من الماس تباعًا، أخفيتها ببدروم فيلتي الجديدة خوفًا من هوجة المصادرة التي طالت الجميع.

قبل انصرافي من مكتب رئيس تصفية الإقطاع، رأيت إلقاء شبكتي ببحورهم مَرة أخيرة لعلَّ وعسى أُرزق بحماية فيلّتي الجديدة وممتلكاتي، عُدت للسكرتارية قبل أن أجتاز الباب الرئيسي وأخبرت الضابط صغير الرتبة مراد الكاشف الذي استقبلني، بأن لديّ معلومات أخرى ومستندات تخص شخصية كبيرة وربما تفيدهم، امتعض قليلًا لكن مؤكد فضوله ثار رغم أنه قال بعجرفة وسخرية:

- وتبقى مين يعني الشخصية الكبيرة يا سي عباس.. أفندي؟!

- أنطونيو بوللي باشا... يا باشا!

*****

صحوت مبكرًا على غير عادتي في يوم من أيام شهر سبتمبر الأخيرة الذي تداعب نسمات خريفه نخلتنا الكبيرة وسط حديقة فيلّتنا، جلست قرب المرسى أتناول قهوتي كعادتي، أقرأ عناوين الجرائد وأنا أُقلّب صفحاتها، بمنتصف الأولى وجدت خبرًا عن قريتنا في مركز محلة مرحوم، تغير اسمها للمرة الثانية مع قرى ثانية كثيرة بمناسبة العيد الرابع، أو ربما الخامس، للثورة، لم أعد أُدقق، صارت الآن قرية الفلاحة، مَن هي الفلاحة؟ لا أحد يعرف!

انتبهت لجلبة عالية آتية قرب المدخل، أقبلت زينب قلقة وذهبنا نستطلع الأمر، وجدنا سيارة نقل كبيرة، ضابط وعائلته سكنوا فيلا شيكوريل فجأة، ينقلون عفشًا إليها وكأنهم هبطوا عليها من السماء بعدما ظلت خالية لفترة طويلة. فوجئت أنني أعرف الساكن الجديد جيدًا فتوطدت علاقتنا بسرعة، هو ذاته الضابط كبير الرتبة الذي أدخلوني إليه لما أخبرتهم بمعلوماتي عن

ممتلكات بوللي باشا، صرنا نتبادل الزيارات بحكم الجيرة لكن زر التحكم ظل بيده، هو وحده يحدد متى أذهب إليه ويقرر أيضًا متى يزورني، طبخت لهم زينب أصناف الطعام التي تُجيدها في أيامهم الأولى من باب الود والمجاملة حتى صارت تُطلب منها الصنوف التي يحبونها بالأمر في مواعيد محددة وكميات معينة!

في ظهيرة يوم جمعة بينما نحن جالسان على النيل قرب المرسى بفيلّته قال وكأنه يمهد لموضوع آخر:

- عفارم عليك يا واد يا عباس، موضوع بوللي ضربة معلم، لولاك كان صعب نعرف حكاية المصنع وتوكيل الأدوية لأن الورق الرسمي كله باسم واحد خواجة طلياني اسمه ساندرو فانينيِّ!

كدت أكسر ضرسي من شدة الكزّ عليه، الحسرة تعتصرني على أملاكي التي انتزعتها من بين فكي ساندرو ثم صودرت على أنها مملوكة لبوللي. لا بأس، على الأقل حرمته من التمتع بثروتي وضمنت حماية الضباط. لم أجرؤ على التلميح بأنني مالكها الأصلي، اضطررت للقول بأنني مجرد مستخدم صغير بها حتى لا يكشّروا عن أنيابهم ويزمجروا مقبلين نحوي لو اشتموا رائحتي. ربّت الرجل كتفي بمودة فخفف قليلًا من وقع عبارة «واد يا عباس» التي يتعمد مخاطبتي بها مع أنني أكبر منه سنًّا وثروة، سألني عن ممتلكات بعض اليهود وغيرهم من باشوات الزمالك بحكم مشاركتي للمرحوم عبد النعيم في بناء الكثير من فيلاتها ولزواجي من أرملة شيكوريل التي ورثتها. أبديت له دهشتي لعدم معرفتهم بالحقيقة، فكل شيء مسجل وله أصول بالدفاتر، فاجأني بأن عائلات كثيرة فعلت مثلما فعل أشقاء شيكوريل ولم يُكتشف أمرها، باعوا صوريًّا بعض ممتلكاتها للخدم والسائقين والأتباع لإفلاتها من المصادرة والتأميم وبعضهم لم يسجل شيئًا من الأساس.

- ده غير إننا اكتشفنا تزوير في دفاتر مصلحة تسجيل الأجانب، حتى الأختام نفسها كانت مسروقة من عشر سنين ويا عالم عملوا بيها كام شهادة أصلية، انت عارف ان الحكومة بتورث الاجانب اللي ما سابوش وراهم ورثة لكن الناس دي سرقت حق الحكومة!!

ما أن أتم عبارته حتى شعرت بتقلصات حادة في بطني، خرجت مني الكلمات بحروف مشرذمة من الخوف:

- تزوير في إيه بالظبط؟ هو في حد اتقبض عليه يا فندم في سرقة الأختام؟

- حتى الآن لسة، للأسف مش عارفين مين، لكن طردنا اتنين يهود وأربعة طلاينة كانوا بيشتغلوا هناك لما شكينا فيهم ووقفنا تسجيل أراضي كتيرة في مديرية الجيزة وفي اسكندرية.. عمومًا أنا كلفت ظابط عندي اسمه مراد الكاشف يعمل تحريات موسعة. مراد ظابط ذكي وشاطر ويعرف العفريت مخبّي ابنه فين!

تنفست الصعداء وعدت للوراء في مقعدي ثم عرضت المساعدة بمعلومات أخرى ومستندات طامعًا في الحماية حتى لا يسألني من أين لك هذا!!

- عظيم يا واد يا عباس، أول ما تجهز تيجي لي المكتب، إحنا محتاجين الناس الشُّرفا اللي زيّك!

- تمام يا فندم، أنا شهر بالكتير وأبعت لحضرتك الأوراق المطلوبة كلها..

- لا.. لا.. يومين وتكون في مكتبي بالمطلوب كله!

رغم نبرته المتعالية وهو يُشير لي بإصبعين وكأنني خادم عنده، إلا أنني ابتلعتها راضيًا راسمًا ابتسامة واسعة على شفتيّ. استدعيت فهيم ذات الليلة، فلديه دفاتر وإيصالات كثيرة من الملاك الأصليين يمكنني بواسطتها إنهاء

المطلوب بسرعة، أعددت معه سجلًا كاملًا بمَن اشترى منّا بيوتًا ومعلوماتنا عنهم. أفادتني زينب بمعلومات أخرى كثيرة وحكايات عن مجوهرات سيدات الزمالك كُن يظهرن بها ويرتدينها في كل المناسبات وفجأة اختفت، حكت لي أيضًا عن عائلات اليهود الكبيرة مثل يوسف قطاوي باشا صديق الملك فؤاد المقرب وروبرت رولو مدير البنك الأهلي اللذين عرفتهما من خلال زيارات پولا لهما في بيوتهما وما رأته هناك. ذاكرة زينب أشبه بدفتر منتظم لا تفوتها شاردة ولا واردة، كل تفصيلة محفورة بذاكرتها، من وصف المجوهرات والتحف إلى أصغر قطعة أثاث داخل البيوت التي اصطحبتها پولا إليها معها.

كعادتها خرجت زينب عن الموضوع الأصلي وراحت تحكي بإسهاب عن سلوكيات رأتها ولم تنسها. قالت وسط ضحكات فهيم أفندي إن عائلة منشّة باشا اليهودية قد مُنحت أوسمة ونياشين من إمبراطور النمسا، وإن منشّة باشا كان رجلًا أنِفًا وسواسًا إزاء ما يعلق بيديه إذا ما صافح أحدًا، فلديه اعتقاد راسخ بأن كل المصريين يعبثون بأصابعهم في أنوفهم طوال اليوم من باب قتل الوقت، فكان يرتدي قفازات دائمًا، لا يمكن لأحد رؤية أصابعه إلا إذا عزف على البيانو. أخبرتنا أن هذا الرجل لديه عزبة كبيرة قرب القناطر يُخفي فيها بعض ثروته من سبائك الذهب حتى لا تعرف بها زوجته.

مضت زينب تحكي وتسترسل ولم يسلم الأقباط من لسانها ونميمتها، روت حكايات عن عائلات قبطية شهيرة من كبار ملاك الأراضي والإقطاعيين في مصر مثل عائلات وهبة وخياط وغالي وسميكة، وكيف انصهروا مع الإنجليز في مصر، وكانت تلك نقطة فارقة في تقريري بالطبع، طلبت من زينب تفاصيل أكثر عن حفلات نهاية الأسبوع التي كانت تُقام في منزل عائلة ويصا بالعزبة الريفية الكبيرة في أسيوط ورحلات الصيد في الفيوم، ذكّرتني أيضًا بحفلة الكريسماس الشهيرة التي كان يقيمها المليونير «بوبي خياط»

كل عـام، وبالطبع كان لليهود نصيب الأسـد من ذاكرتهـا، فهي تكرههم كراهة التحريم. أضفت للتقرير ما سـمعته أنا بأذني سـبًّا في الثورة وضباطها مما كان يقوله فيكتور سـميكة في ملعب البولو بنادي الجزيرة، حيث كنت أجلس يوميًّا مستمتعًا بدفء الشمس ومحفزًا ذاكرتي على التقاط التفاصيل كلها.

ثمانية وأربعون سـاعة أمضيناها بلا نوم تقريبًا، وذهبت في الموعد المحدد للقاء جاري المسئول عن الحراسـات، رمقني مراد الكاشف مدير مكتبه بنظرة خاطفـة وأعطانـي ظهـره دون تحية، ثـم عاد وتفـرّس في ملامحي ببـطء قائلًا ببرود:

- هو مش أنت اللي بلّغتنا عن ممتلكات بوللي قبل كده من فترة؟!

- حصل يا مراد بك.

- وأنت بقى حتنطّ لنا هنا كل شوية؟ ما كنت تخلص من أول زيارة وتطرُش الكلمتين اللي عندك.

- أنا عندي ميعاد يا فندم مع السيد رئيس اللجنة و...

أشار لي بإصبعه كي أصمت ثم أمر عسكريًّا من عنده باصطحابي للجلوس في صالون ملحق بالمكتب. شعرت بسخونة رأسي من الغضب لكنني ابتلعت الإهانة صامتًا. طالت جلسـتي لأكثر من ساعتين وكلما حاولت إظهار التململ والضيق، رماني مراد الكاشـف بنظرة أشـعر أنها مغلّفة بتهديد خفي، كأن لسان حالـه يقول لن تسـتطيع حتـى المغـادرة إلا عندما نـأذن لك. بعد سـاعتين من الانتظـار، سُـمح لي بالدخـول، فوجئت بالضابـط الكبير يعاملنـي بعجرفة، لم أفهم لماذا تغيّر بين عشيّة وضحاها مئة وثمانين درجة، لم يسمح لي بالجلوس في البداية، قلّب أوراق ملف أصفر متوسط أمامه، ثم قال بتهكم:

- أطيان في محلة مرحوم وحساب في البنك بخمسة آلاف جنيه وعربية كاديلاك وفيلا بالزمالك وجوازة في السر من أرملة أجنبية.. منين ده كله يا سي عباس؟ والا تكون فاكر إننا نايمين على ودانّا مش حنعرف إنك برافان لباشوات وبهوات يا فَسل!

*****

- وبعدين إيه اللي حصل؟!

قالت زينب بجزع وهي تجلس على حرف السرير وتدفس قدمها أسفل مؤخرتها، تنهدت واعتدلت في فراشي لأحكي لها بقية ما حدث. أربعة وعشرون ساعة لم أذُق فيها طعم النوم، استجوابات وتحقيقات وإصرار من مراد الكاشف على أنني واجهة لآخرين، وتعاطف خفي من رئيسه أو هكذا بدا لي، ثم تبادلا المواقع والتعاطف حتى تركاني في النهاية لمّا صدقوا أنها أموالي وليست أموال باشوات آخرين. الشيء الوحيد الذي شفع لي الملف الذي أعدّه فهيم أفندي بإيصالات السداد وكعوب الشيكات المقدمة من مُلاك الفيلات التي بناها مع أبيه، لولا انتظام دفاتره لضعت وصودرت ممتلكاتي، قدّمت لهم إعلام الوراثة الخاص بي وبابنتي ناديا الذي ورثنا به أموال مدام پولا بالبنوك وسيارتها الكاديلاك ليتركوا النقود دون مصادرة. غاب عني تمامًا أنهم مثلما طلبوا مني معلومات عن آخرين فلا بد وأنهم طلبوا مثلها من غيري عني، كلنا نفضح بعضنا بعضًا سرًّا بينما كل شيء مكشوف لهم، رغم ذلك كله لم يتركوني أخرج كما دخلت، أصدروا قرارًا بأن تكون ملكية فيلا قلب النخلة الجديدة التي أسكنها تابعة لجهاز الحراسات على أن يؤجروها لي خمسين عامًا بإيجار رمزي. ختمت حكايتي لزينب بآخر كلمات الضابط الكبير التي قالها وأنا أغادر الإدارة:

- إحنا كده خدمناك ياعباس أفندي علشان ماحدش غيرك من سكان الزمالك يقول اشمعنى!

- خمسين سنة؟! يا مين يعيش يا عباس! يمكن فاروق يرجع ويكرشهم، المهم إن الموضوع خلص ومش حتروح لهم تاني الحمد لله..

- لأ حاروح تاني من أول الشهر، ما انا قلت لك عيّنوني موظف عندهم يا زينب باعتباري خبرة في باشوات الزمالك وفيلاتها!

- وما له، كلّه مصلحة ومن جاور السعيد يسعد!

بالفعل بعد أقل من شهر صدر قرار بتعييني موظفًا في لجنة تصفية الإقطاع ثم أمينًا لها بعد ذلك بسنوات. يوم صدور القرار غادرت مكتب الضابط رئيس اللجنة متجهًا لحي جاردن سيتي لتسلُّم مهام عملي الجديد مودِّعًا بنظرات غاضبة كالعادة من الضابط مراد الكاشف بلا سبب. قُدت سيارتي إلى الغرب ناحية النيل حيث تقع مباني البرلمان وتحلق من حولها كوكبة قصور وفيلات كبيرة كأنها تحميه وربما تستمد حمايتها منه.. لست أدري. انحرفت يسارًا إلى شوارع جاردن سيتي الداخلية، وجدتها ملتوية تحفّها الأشجار بعناية، منازل وبيوت ضخمة أشبه بقصور متلاصقة عكس الزمالك ذات الشوارع المستقيمة العريضة الطويلة والفيلات المتناثرة.

طوال طريقي كنت أشعر بنشوة وجرأة وثقة لم أشعر بهم من قبل، كأننا ورثنا مصر كلها بين ليلة وضحاها، شعور لا يضاهيه شعور أبدًا، رُبّ ضارة نافعة كما قالت لي زينب، ما كنت أخاف منه جاء بالخير أكثر مما كنت أحلم به منذ وطئت قدماي القاهرة، الملك فاروق نفسه كان يحلم بمولود ذكر يرث عرشه ويرث البلد كلها من بعده، فلما جاء وفرح به وجد وراءه مئات الورثة، هبّوا وثاروا وطردوه، ورثوا كل شيء كان يملكه، أنا الآن واحد من هؤلاء الورثة، وكل منّا له نصيب وكل منّا سيحصل على قدر قوّته ونفوذه.

أعطوني عنوانًا لأحد البيوت الكبيرة التي كان يملكها وزير سابق وباشا من باشوات مصر المشهورين، صودرت ممتلكاته منذ شهرين تقريبًا ومن بينها قصره الذي صار مقرًّا للجنة تصفية الإقطاع. من بين مئات البيوت والقصور التي دخلتها ما زلت أتذكر جيدًا أول مهمة لي في إدارة تصفية الإقطاع، كانت مختلفة عن كل ما رأيته بعدها، يوم أن ذهبت مع ضابط كبير وقوة من الشرطة العسكرية وجيش من موظفي وزارة الخزانة إلى فيلا البرنس يوسف كمال في حي المطرية، كان الأمير عائدًا لتوّه من رحلة صيد ثعالب بالصحراء القريبة من قصره وكأن ثورة لم تقم، بهرتني أناقته يومها، يرتدي حذاءً طويلًا من الجلد يصل لركبتيه، وقبعة من الجوخ بلون وبر الجمل وسترة من «التويد الإنجليزي» بمربعات صغيرة بدرجات اللون الأزرق المتداخل مع لون قشرة البندق وبنطلونًا كاكيًا داكنًا منتفخًا من الأمام. حيّانا بالعصا الجلدية التي بيده ورفع القبعة احترامًا للضابط رئيس اللجنة، جلس مستفسرًا عن سبب وجودنا، أخبروه بقرار المصادرة وطلبوا منه فتح خزائنه والسماح للجيش الجرار بجرد غرف القصر كلها، وافق سموّه بشرط وحيد أن يسمحوا له بتغيير ملابسه أولًا، غاب لفترة طويلة في جناحه بالطابق العلوي تجاوزت ساعتين، لكنها كانت كافية جدًّا لموظفي الحراسات لجرد الطابق السفلي وتجريده من أي قطعة صغيرة!

كتمت ابتسامتي لمّا طاف بذاكرتي في نفس اللحظة يوم دخولنا فيلا شيكوريل، عندما كنت أبحث عن الرفائع لأدّسها في جيبي خلسة، رأيت رأي العين موظفين ومسئولين كبارًا يفعلون مثلي، يُخفون منفضة سجائر فضّية أو أخرى كريستال صغيرة في جيوبهم، يفكّون لوحة من إطارها الخشبي ويطوونها بعناية داخل دوسيهات كرتونية حكومية، تماثيل صغيرة وأطباق مزخرفة كانت معلقة على الجدران وإطارات فضية تحوي صورًا للأمير وعائلته رقدت كلها إلى جوار بعضها في صندوق كبير فباتت مقبرة جماعية لمقتنياته وتاريخه وذكرياته!

طالت فترة غياب يوسف كمال، نادى الضابط أحد معاونيه آمرًا إياه بنبرة عسكرية حازمة:

- اطلع هاته حتى لو كان بلبوص، أحسن ما يتجنن ويعمل في نفسه حاجة ويجيب لنا مصيبة!!

قبل أن يقطع عبد المأمور درجات السلم صاعدًا، كان سمو البرنس ينزل بتؤدة وهو يرفل في بدلة رمادية فاتحة، بدا في أوج أناقته هذه المرة أيضًا وهو ممسك بسيجاره القصير الذي اشتهر به، لا يبدو خائفًا منّا بل الحقيقة محتقرًا لنا أو هكذا شعرت أنا. ألقى نظرة فاحصة على الجدران والصالونات واكتشف بسرعة ما فعلوه، ندت من بين شفتيه نصف ابتسامة مستنكرة ثم قال:

- ياريت لو تتبرعوا بعوايدها للمستشفيات.. أكون ممنون جدًّا!

قال عبارته ثم نادى سكرتيره الخاص طالبًا منه تكليف الخدم بفتح كل الغرف، التفت ناحيتنا ووجّه كلامه للضابط الذي معنا موضحًا أن الصناديق الخشبية الكبيرة تحوي لوحات وكتبًا لمدرسة الفنون الجميلة التي أنشأها بالقاهرة منذ سنوات، وبعضها الآخر كان من المفترض شحنه لروما ليستقر بأكاديمية الفنون المصرية هناك.

- يعني كنت ناوي تهرّبها بلاد برة؟

علت الدهشة وجه الأمير واستنكر العبارة كلها مبديًا تحفظًا مهذبًا عليها، شرح بنبرة حادة أنها من حُرّ ماله وعائد أطيانه وأنه اعتاد على ذلك منذ سنوات بعيدة بعدما ساهم في إنشاء الأكاديمية بإيطاليا أيضًا. تركنا بعدها وهو يزفر بضيق واستأذن في الجلوس بالشرفة ليحتسي قهوته، لكن قبل خروجه لمح الضابط يدخن فتناول منفضة سجائر غفلوا عنها وقدمها له، شكره الضابط وهو يهم بوضعها داخل الصندوق، علا صوت الأمير قائلًا بعصبية:

- دي علشان تطفي السيجارة اللي في بُقك يا أستاذ، حضرتك واقف على سجادة عجمي، موش على حصيرة!

على الفور أصدر الضابط أوامره بترك كل الكتب فقط، وما عدا ذلك يُعرض عليه شخصيًا خاصة السجاد!!

انتهزت فرصة الجلبة وتوجهت ناحية الشرفة ثم تسللت منها خارجًا، اقتربت من الأمير محييًا، صافحني بود في البداية لكن التجهم كان يسيطر على كل ملامحه، شعرت أنني أريد قول كلام كثير له ردًا على عنجهيته واحتقاره لنا، لكن طارت الكلمات من على لساني كعصافير فزعة من دويّ رصاص قريب بسبب نظرات عينيه الحادة، كنت مرتبكًا، شرحت له حتمية المصادرة حسبما أفهمها في عبارات قليلة لكن الرجل فهم حديثي على محمل آخر، قال كلامًا مقتضبًا عن الاشتراكية وإعادة توزيع الثروة من خلال الضرائب لا المصادرة، ثم أفاض في أهمية التعليم وتذوق الفنون، كل فينة وأخرى يُلقي نظرة من بعيد على ما يحدث في قصره، حتى اختتم بكلمات لم أنسها وأوجعتني وجعلتني أكرهه وأثور في وجهه، قالها بصوتٍ خفيضٍ كي لا يسمعه الآخرون:

- ما أراه ليس جردًا لممتلكاتي وإنما تجريد لها، هؤلاء مجرد حفنة من اللصوص، لكن حضرتك بتشتغل إيه ويّاهم؟!

- مش مهم شغلتي لكن مهم تفهم إن بيتك متحف ودي فلوس الشعب الغلبان وأرض الفلاحين المصريين..

أشاح بوجهه بعيدًا عني ولم يردّ عليّ، راح ينظر بعيدًا للا شيء. ضايقني تجاهله لي وكلامه عن الجرد فنقلته بالحرف للضابط الذي كان يرقبني من بعيد بنظرات متوجسة عندما طال حديثي مع الأمير، زاد الكلام الذي نقلته من حنق الضابط، فأمر الأمير بأن يخلع ساعته الذهبية وخاتمه، ثم أرسل له

الكاتب المصاحب لنا كي يوقع الأمير على محاضر تحوي سطورًا كثيرة كلها تحمّله عظيم المسئولية وتتوعده بشديد العقاب لو فرّط في الأثاث المملوك له والمتبقي منّا باعتباره أمينًا عليه الآن كعهدة حكومية وممتلكات عامة للمصريين.

قبل انصرافنا لمحت قطعة من قماش «البروكار» الدمشقي، كان أحد الموظفين قد أحضرها من حجرة داخلية وقدّمها للضابط، فركها بكفه وسأل مَن حوله فأفتوا له بأنها مصنوعة من قماش رخيص للتنجيد، مسح بها يديه وفمه بعدما التهم بضعة سندويتشات وقت الظهيرة وألقاها جانبًا، وضعتها في جيبي خلسة، فأنا أعرف قيمتها جيدًا لما باعت پولا قطعة أصغر منها منذ سنوات بمائتي جنيه، أطلعت زينب عليها لما عُدت، قلبتها بامتعاض واقترحت استعمالها في الإمساك بصواني الطعام الساخنة، خطفتها من يدها بضيق، لففتها جيدًا في اليوم التالي وذهبت لرئيسي، قدّمتها له بعدما شرحت قيمتها وكيف غفل أعضاء اللجنة عنها، أيضًا قصدت إعفاءه من حرج جهله حتى لا تصيبني سهامه، قلبها الرجل مثلما يفعل كل مَن يلمسها ثم نظر لي في وجوم، قرأت في عينيه سؤالًا بدا واضحًا: «وماذا أفعل بها؟»، أجبته بسرعة:

- دي متروكات من اللجنة يا فندم يعني في حكم العدم وباقترح تكون هدية للهانم أكيد حتعجبها وتفرح بيها!

هزّ الرجل رأسه راضيًا، اتسعت ابتسامته ودسّها في حقيبة يده، ظننت أن ما فعلته سيجعلني في مأمن كلما قدمت له هدية ملكية، لكني اكتشفت أن عشرات غيري يفعلون مثلما فعلت وعلى مستويات أكبر ومع ذلك تم الغدر بهم لمّا تقدموا لمقدمة الصورة وبانت ملامحهم أكثر!

بعد الانفصال عن سوريا وصلتنا تعليمات بتأميم كل شيء تقريبًا، قيل لنا لا نريد أن ينقلب رجال الصناعة وأصحاب المشروعات الكبيرة على النظام،

أبلغنا وزير الحربية بمعلومات مؤكدة عن اجتماعات تجري لقلب نظام الحكم والتخلص من عبد الناصر، لا نملك إلا هز رؤوسنا بالموافقة، علت الموجة وانخفضت غالبية الرؤوس، طارت فقط تلك التي ظن أصحابها أنهم قادرون على مواجهة التيار بثروتهم ونفوذهم.

– الدنيا اتغيرت وانا حاسس بغدر يا عباس وبافكر اسافر لندن أجازة طويلة ومارجعش.

إذا كان رئيسي الذي ينفذ أوامرهم يخاف غدرهم.. ماذا أنا بفاعل؟ لم أُجبه حتى لا أُحسب على خائف، خبرتي تقول إنهم يشتمّون رائحة الخائفين بسرعة صاروخ «الظافر» الذي نسمع عنه ولا نراه، لا أظن أنهم يفطنون لما أفعله ولا أعتقد أنهم يعرفون شيكوريل كما عرفته أو سمعوا عن دهائه وحيله في إخفاء ثروته، ابتلعت خوفي وخلعت رداء قلقي في بدروم قلب النخلة بعدما أحكمت إغلاق إطار الكاوتشوك الأخير. أنا أمام الحكومة الآن لا أملك سوى راتبي وميراثي من پولا وفيلا بالإيجار من جهاز فرض الحراسة!!

تكرر ما حدث بقصر يوسف كمال في قصور وفيلات أخرى شاركت في جردها لصالح بلدي لتُباع أغلب المقتنيات بالمزاد وتؤول الحصيلة لوزارة الخزانة، سنوات مارست فيها نفس المهمة. ترقيت لمنصب وكيل اللجنة بعد الهدية الخامسة وصرت على مرمى حجر من رئاستها لكنني جبنت عن مجرد الطموح، خوفي دفعني بعد فترة لتفادي النزول بتلك الغارات والاكتفاء بالأعمال المكتبية خاصة وأنني امتلأت من المتروكات، خشيت الشعور بالتخمة كي لا تلتفت العيون نحوي، ووقتها عاودني شعوري بأنهم قد يفعلونها يومًا ما معي لو انقلبوا عليّ ويتخلصون مني، من فرط ما رأيته منهم من غدر مع مَن كانوا قريبين منهم. من وقتها لم أعُد أنام إلا ومسدسي أسفل وسادتي، طلقة جاهزة للإطلاق بالماسورة، وخزانة تحوي طلقة أخرى، الأولى لمَن سيقبض عليّ والثانية كي أنتحر بها.

*****

20

«لم يكفِهِ الغياب، بل حرّض القمر في سمائي فغابا معًا»

ناديا

مؤمنة بأن الحب الذي لا يأخذك معه من أقصى الشمال إلى أقصى اليمين، من مجاهل الشك إلى عمق اليقين، هو أشبه ببحيرة راكدة يلزمها حَجر، عمر سيف الدين كان هذا الحجر الذي أجرى الغرام في عروقي وأعادني للحياة مرة أخرى.

قبل أن يتقدم للزواج مني علمت أن مايسة جارتنا صديقة مقربة لعائلته، انتابتني مشاعر متباينة، فرحت ثم اكتأبت، حبي لعمر وتعلقي بمايسة جعلاني أشعر كمَن يسير نحو حلم سعادته بخطوات واثقة، لكن كره عمتي لها ولكل ما يأتي من طرفها بلا سبب مفهوم لديّ كان هو الكابوس الذي يقتحم حلمي كل ليلة بقسوة ليزيحه جانبًا، يفيقني مذعورة خائفة من تغيير مساري نحو عمر. تراجع أبي خطوات للخلف كعادته حتى توارى ليُفسح الطريق أمام لعنات عمتي التي انصبّت كلها فوق رأسي، هاجت وماجت وهددتني بالطرد من الفيلا وحرماني من حقوق كثيرة لو تزوجت من عمر سيف الدين.

لا أعرف كيف عرفت قصة حبي الوليدة بهذه السرعة، وكأنها تقرأ صفحات مشاعري بإمعان وتلتقط إشارات أحاسيسي بدقة. أنكرت في البداية

لمّا واجهتني، كنت لا أزال متأرجحة في عواطفي، حركت شفتيها يمينًا ويسارًا كعادتها وقالت باستهزاء:

- على رأي سِتّك الله يرحمها كانت دايمًا تقول لنا تلات حاجات مايستخبوش.. الحُب والحَبَل وطلوع الجَبَل!

ليست لديّ جرأة لأقول إنني أحب عمر سيف الدين، لكن لعينَيّ ضحكة تسمعها السماء بوضوح، تُعلن عن كل مشاعري نحوه. عمر رقيق معي، عاشق يحتويني برفق، اصطحبني للقاء أهله فوجدت منهم ترحيبًا لكنه بدا مكتومًا وخُيل لي أنه قبول على مضض، ظننت أنه لسبق خوضه تجربة الزواج مرتين وأنا مطلقة، لكني فهمت بعدها أنهم لا يحبون أبي وعمتي وكلما جاءت سيرتهما تقلبت وجوههم ولم أعرف الصلة بينهم. ما فاجأني هو رد فعل مايسة هانم نفسها، كانت مرحبة للغاية بزواجنا، بل حاولت إثناء أبي عن قرار عمتي، لكنه تمسك برأي شقيقته زينب..

- معلش حاحاول تاني معاهم، تعالي لي على النادي بعد الضهر ونتكلم.

أغلقتُ السماعة وأنا غير متفائلة بكلمات مايسة، ذهبت للقائها بملعب الجولف الغربي، كم هي رشيقة وأنيقة رغم سنها التي يكشفها بوضوح شعرها القصير ذو الخطوط الفضية التي تتركها بلا صبغة على غير المعتاد.

انتهت بعد قليل من كراتها التسع المتبقيات، أخبرتني بضرورة عودتها للمنزل لأمر مهم على أن نستكمل حديثنا هناك، خرجنا من النادي سيرًا على الأقدام كعادتها، بعد مسيرة مئة متر توقفت مُعربة عن استيائها لعدم وجود رصيف نستكمل مسيرتنا عليه، استقلينا تاكسيًّا بعد عدة محاولات منها لاستكمال السير دون جدوى فقد تآكل باقي الرصيف، صارت غالبيته جراجًا للسيارات. في التاكسي بدت متأففة وهي تُشير لأتربة عالقة بظهر المقاعد وأكياس فارغة ملقاة في أرضية السيارة، أدار السائق الراديو لينبعث صوت

أحمد عدوية مدويًا مبشرًا بأن الدنيا زحمة بلا رحمة، لتقول مايسة بالفرنسية إنه يُجعّر ولا يُغني، كتمت ضحكتي لما لاحظت أن السائق يراقبنا بمرآته ولم أشأ إبلاغ مايسة بأن عدوية المطرب المفضل لعمتي زينب. طوال الطريق راحت تُشير لثلاثة محلات أحذية متلاصقة موضحة أنها كانت على التوالي مكتبة للكتب الأجنبية وجاليري للتحف واللوحات ومحلًا لبيع الزهور. قبل انحرافنا ناحية بيتها مررنا بجوار محل فول وفلافل الزمالك، هزت مايسة رأسها وهي تُناجي ربّها بالفرنسية مستنكرة أن تلصق جزيرة الزمالك باسم المحل، ثم تستدرك باللغة العربية مندهشة وهي تتأمل الزبائن الواقفين أمامه:

- دول بياكلوا السندويتشات في ورق جرايد يا ناديا!

تخرج الكلمات من السائق الفضولي، سبقتها أصوات مكتومة من أنفه عقب سكوت أجهده طوال المشوار:

- كلنا ولاد تسعة يا حَجّة.. قولي يا باسط!

في شقتها الصغيرة أعدت الشاي وقطع الكيك ثم أدارت أسطوانة شهرزاد لرمسكي كورساكوف ، طمأنتني بأن زواجي من عمر سوف يدوم، وبالتأكيد عمتي وأبي سيُغيران رأيهما مع مرور الوقت خاصة لو رُزقنا بأطفال، سكتت برهة وهي تتفرس فيّ كأنها ستُلقي خبرًا كالقنبلة، ثم قالت بثقة:

- أنتي غيرهم صدقيني، أنتي متربية ومتعلمة كويس. لازم تتجوزي اللي بتحبيه، دي حياتك ولازم تختاري اللي يناسبك ولو يولا لسة عايشة ماكنش حصل لك كل ده، كفاية عليهم كده!!

شعرت يومها نحوها بعاطفة غريبة كأنها أمي الحقيقية مع أني لم أفهم عبارتها الأخيرة جيدًا. ظننتها في البداية سترفضني وتصطنع الحجج كي تُفشل زيجتي من ابن صديقتها المقربة، فهي بالتأكيد تكره عمتي ولا ترتاح لأبي، لن تنسى ما فعلاه معها وبأموالها وممتلكاتها ومن قبلها شقيقها محمود عمرو باشا

السفير الذي سافر للأبد، اليوم خيّبت كل ظنوني! قبل أن أرد على كلماتها، تولى عمر سيف الدين الرد نيابة عني وكان ردّه عمليًا، أرسل لي خطابًا ما زلت أحتفظ به، قال في نهايته: «فليذهب كل منّا في اتجاهه، أنا نحوكِ وأنتِ نحوي»..

لا أعرف إن كانت هذه كلماته أم أنها مقتبسة من قصيدة شعر، لكني بعد هذه الرسالة التي تقطر عذوبة تزوجت من عمر رغم معارضة بعض أهله وكلّ أهلي. تركت كل شيء لأجله، كنت زوجته الثالثة مع أن عمره من عمري. اصطحبني بحقيبة ملابسي مثلما فعل مراد من قبله، تركت فيلا قلب النخلة ولا أعرف متى سأعود إليها، قاطعتني عمتي بعدما ودعتني باللعنات وظل أبي يتواصل معي سرًّا بفتور وكأنه يؤدي واجبًا ثقيلًا. ليس لديّ ما أخسره، على الأقل أنا أجلس على طاولة القمار هذه المرة بإرادتي لا بإرادة عمتي. غادرت الزمالك كلها مع عمر لأعيش في شقته الصغيرة بجاردن سيتي لكننا لم نُكمل العام بها، فقد قرر فجأة أن يعيش في مدينة شرم الشيخ الجديدة ليلحق ببعض أصدقائه الذين سبقوه إلى هناك بعدما تسلمتها مصر من إسرائيل منذ شهور!

حياته محطات للمغامرة لا يتوقف فيها طويلًا، أحيانًا ينزل من قطاره إذا ما لفت نظره منظر جميل عابر، يقضي وقتًا حتى يملّ ثم ينصرف، لكنه معي أقسم إنني محطته الأخيرة فصدّقته. ربما كنت أريد أن أصدقه وأقتلع طارق من قلبي وأنفض غبار مراد من على جسدي وأطرد صورته من عقلي؟ عشنا عامين إلا بضعة أشهر هناك، في مدينةٍ بِكرٍ كل شيء فيها جميل، افتتح عمر مركزًا للغوص وشارك صديقًا له في فندق صغير، وضع كل ميراثه فيه. حياتنا مقسمة ما بين صفحة الماء ووجه القمر، نُبحر في الصباح، نغوص في الأعماق، نسهر كل ليلة على ضوء النجوم ليراقبنا القمر، نسمع موسيقى، نرقصْ، نشرب، ولا نتوقّف عن الضحك أبدًا وكأننا مكلفون بالحفاظ على طابع تلك المدينة الصغيرة.

عمر يحب الحياة بجنون كأنه سيموت غدًا، ينهل منها بنهم ولا يشبع على الإطـلاق. لا يفارقنـي لحظة، تغفـو عيناه قـرب الفجر على وجهـي، ينام وهو يحتضنني ليصحو على همساتي قرب أذنه، يلتقم شفتَيّ ببطء ثم نغيب في قُبلة طويلة، نتقلّب في فراشنا لنبدأ يومًا جديدًا.. لم أكن أحلم بكل ذلك لكن المرء ينام كل ليلة ولا يضمن زائر المنام، كابوس أم حلم؟!

عشـت أحلى أيام حياتي مع عمر، عندما يقترب مني تتسـلل رائحة جسـده لمسـامي كلها كأنني أعيش تحت جلده، عقارب السـاعة توقفت شهورًا طويلة أو لعلهـا كانـت تتحرك بـدلال، تتراقص فرحة بنا، تتقدم ببـطء وتتراجع لأجل عيوننـا كـي تُطيل فرحتنا.. أضع رأسـي على كتفه ويده تحوط وسـطي وتعبث الأخـرى بخصلات شـعري، حضـوره يسـتدعي موسـيقى الفالـس لذاكرتي، أدور معـه في حلبة وهمية رسـمناها بخيالنا ولم نخطـئ أبدًا، نرقص على أنغام موسـيقاه، أندمج وأقترب، أناملي تُلامس أطراف أصابعه بالكاد وهو يدور في مكانه، نسـتلقي على أريكتنا المفضلة متلاحمَيـن لا متلاصقَين، نضع فردة من سـماعة «الووكمـان» في أذن كل منّا، نعيش اللحظة نفسـها وكأننا امتداد لذات الـروح لتعيش أطول، تصدح فيـروز وتطلب الناي والغناء، فـي مقطعها الثاني يُلقي سـماعته وينزع سماعتي برفق، يحملني كطفلته ويهرول ضاحكًا.. الرغبة ومكر الطفولة يطلّان من عينيه ويفضحانه لكنني لا أزال متأهبة للمفاجأة!

ابتسـامتي ممزوجة بدهشـتي والاثنتان تُعلنان عن انبهـاري، وضعني ليلتها برفـق علـى مقعدي فـي السـيارة وانطلق نحو المرسـى، أخذنا قاربـه البخاري الصغير، شـقّ صفحة البحر الهادئة فأيقظها من سُباتها لتتأهب لغرامنا بما يليق من نسمات لطيفة، موجات صغيرة تنكسر وكأنها تنحني لنا كوصيفات الشرف ليلة الزواج، القمر يظهر لامعًا خجلًا من وراء سـحابة صغيرة عابرة، تلمع عينا عمـر وتُنيران وجهه المبتسـم، يوقف قاربنا ليتهدهد علـى صفحة الماء فيؤجّج مشـاعرنا، خلع قميصـه القطني الأبيض وبـان صدره البرونـزي العريض على

ضوء الخيط الفضي المسترسل من السماء، منحة سماوية لعاشقين محبين في لحظة فارقة، همست وأنا لا أتوقف عن الابتسام:

- أنت مجنون!! إحنا بالليل وممنوع نركب اللانش!

بادلني الابتسامة بثقة ولم يترك لشفتَيّ فرصة بعدها للكلام!

صحونا يومًا على مَن يُبلغنا بإغلاق مركز الغوص لمخالفته شروط الترخيص. عبثًا حاول عمر مع موظفي المدينة والمحافظة لكنهم صدّوه، صارت آذانهم من طين. أدركت متأخرة مَن الذي يقف وراء الستار، اتصلت بأبي فوعدني خيرًا، لكنه لم يفعل شيئًا، وبعدها تحجّج بأنه بلا مناصب الآن وأن مَن يخرج من الحكومة يصير كاليتيم ووجوده في البرلمان مجرد عضو شرفي لا أكثر.. بلا أنياب، فاستجرت من الرمضاء بالنار ولجأت إليها مضطرة!

جاءني صوت عمتي زينب عبر الهاتف لأول مرة منذ عام غاضبًا معبأً بالسباب وكأنني كنت معها بالأمس، لم تتنصّل من فعلتها، بل بالعكس توعدتني مهددة بالمزيد من المشاكل إن لم أعُد إليها، ثم أغلقت السماعة في وجهي بعنف ولم تعُد ترد. بعدها بيومين أغلق المحافظ الفندق الذي يُشارك فيه عمر بسبب شكوك في صلاحية الطعام، فبدأ يتأفّف ويضيق بمحطته تلك وراح يبحث عن غيرها، لكننا لم نستقل القطار بعد.. فقد جاء مَن يؤخرنا.. ظهرت عليّ أعراض الحمل لكنه لم يكن مستقرًا، فاحتاج الأمر لأن أرقد على ظهري الأشهر الستة المتبقية. رقدت لأول مرة في فراشي البارد وحيدة، فقد اندفع عمر نحو معشوقته الأثيرة والوحيدة.. الحياة!!

أشهر ستة حزينة لم يُخفف عني حزني فيها سوى مكالمات هاتفية من مايسة هانم كي تطمئن عليّ وتحاول إعادة عمر لي لكنها فشلت بعدما بدأ يبحث عن شراكة جديدة ويستعد لمحطة قادمة، نسيني تمامًا لمّا تعرّف على فتاة فرنسية، شاركها من الباطن في فندقها وعاد للحياة عن طريقها. كان أبي

يُرسل لي مبلغًا من المال كل شهر ليُعينني على مصاريفي لمّا تعثر عمر في حفرة عمتي، بعد أن أنجبت ابنتي ياسمين بيومين كاملين جاء عمر ليراها، حملها بمودة وقبّلها، أبدى إعجابه باسمها الذي اخترته لها واطمأن عليّ من الطبيب ثم بدأ يتأهب للمغادرة كأنه ضيف عابر مجامل، وليس أباها وزوجي وبطل قصة حب جمعتنا منذ عام ونصف وارتفعت بنا كموجة هائلة لسماء السعادة والخيال لكنها تتأهب الآن للانكسار على شاطئ الحقيقة. مثلما ظهر عمر سيف الدين كومضة راح يتأهب للتبخر كقطرات ماء ارتويت من بعضها مؤقتًا وجفّت، فعلها عمر بسهولة ليتسق مع بداياته ونمط حياته على ما يبدو، لكنني أدركت ذلك كله متأخرة!

لو أنني كنت قد تزوجت طارق وأنجبت منه تلك الطفلة الجميلة لكان من المستحيل أن يتركني هكذا. تضايقت من تفكيري في طارق كلما واجهت مشكلة مع رجل غيره، أمسكت بيد عمر وطلبت منه بكبرياء مغلّفة برجاء رقيق أن يظل معنا، لكنه سحبها ببطءٍ من كفّي فانسابت كرامتي معها بسرعة وتناثرت بين قدميه. ظل يردد أن أولويات الحياة تقتضي منه السفر لفرنسا، يريد تأمين مستقبله الذي ضاع بسبب زينب هانم المحلاوي، قالها بتهكم، ثم راح يثرثر بكلام كثير عن أنه يفعل ذلك من أجلي أنا وطفلتنا، رأيته ضيقًا بي وبعائلتي، نادمًا على قراره بالزواج مني، لم أُصدق كيف تبخرت كل مشاعره فجأة هكذا، سألته عنها وذكّرته بها، تهرّب وابتسم ابتسامة غامضة لا تعني شيئًا بالنسبة لي، وضع ظرفًا بجواري فيه مبلغ من المال، ثم طبع قُبلة محايدة على جبهتي، عند باب الغرفة وقف قائلًا بتردد:

- أنا مش حابب أظلمك، أنا شفت معاكي أيام حلوة.. لو تحبي نتطلق أوكيه.. ماعنديش مانع!

لم أجد ما أرد به، فحين يتحير أي رجل في أولوياته بيني وبين غيري ويتردد بعدها في قراره، فلن يكون شرفًا عظيمًا لي حين يختارني، فما بالي وهو يتخلّى

عني؟! أغلق الباب خلفه ومضى، ارتفع بيننا جدار الصمت الثلجي لمّا خفت لهيب مشاعرنا وخبت الرغبة بين ثنايا الأنانية حتى انطوت عليها وابتلعتها بنهم. ظل عمر جسدًا بلا روح لفترة قليلة بعدها، حاضرًا غائبًا دائمًا، سئمت لعبة الصياد والسمكة وهو يروّض أنفاسها ليختبر طاقة صبرها على احتمال الحرمان والآلام، يقرّبها من البحر لتتراقص منتشية حتى إذا ما لامس جلدها الماء أخرجها بسرعة ليضعها على حافة الموت تتأرجح حتى اللحظة التي تكاد أنفاسها تنفد فيعيدها للماء مرة أخرى وهكذا.. فليكن وفيًّا لحياتي أو لمماتي فلم أعد أستطيع الصبر مجددًا!

قرر السفر فجأة إلى باريس فتمسكت بابنتنا ياسمين أن تبقى معي، تركها بلا أي تفاوض أو شروط وكأنها لا تعنيه، قلب صفحة الود والمشاعر من كتاب حياتنا بسرعة حتى تمزقت بين يديه فأحرقت الكتاب كله، فاتحت مايسة في طلب الطلاق وبدأت أستعد للعودة إلى القاهرة كي أعيش في شقة من شقق أبي المتناثرة بالزمالك، فعمتي لن تقبلني مرة أخرى، لكن عمر سبقني بخطوة، أرسل لي ورقة الطلاق وترك لي بعض المال وسدد إيجار غرفتنا بالفندق الذي ظللنا نقيم فيه منذ وصلنا إلى شرم الشيخ، منحني شهرًا إضافيًّا مدفوعًا بالكامل حتى أُلملم حاجياتي. كم كان كريمًا! لكن ألا يدري أنني أحتاج لسنوات لأستجمع شتات نفسي؟! طارق الذي أخذ منها نصيب الأسد ومراد من بعده الذي التهم لحمي نيئًا، أما عمر فقد طحن ما تبقّى من عظامي، لم يعُد لديّ ما يدفعني للعودة إلى الحياة إلا ابنتي!

هرب عمر وتركني لكن ربما في هروبه حياة وكرامة، أهدرت كبريائي لما علّقت لافتة الحب والغرام لِمَن لا يستحق، وربما كنت أخدع نفسي. ربما أردته فقط أن يحبني لكنني لم أُرد الاحتفاظ به.. لست أدري، كل ما أعرفه أن الحزن نسج خيوطه كلها حول قلبي وراح يضغط بشدة ليختنق الفرح بداخلي، ليتك هربت منذ زمن، ويا ليتني ما اتبعتك!

تأملت ملامح الصغيرة ياسمين، تشبهني إلى حد كبير بينما أنا لا أُشبه أحدًا من عائلتي. لم أكن سمراء فاتحة قصيرة مثل عمتي، ولا أحمل ملامحها الغليظة الكبيرة، ولا أنا في بياض بشرة أبي الذي يُشبه الإنجليز، ولا في طوله، ولا أمتلك لون عينيه، فقط أمي پولا التي أجد بيني وبينها بعض الشبه من بعيد، في رشاقة القوام ووسع العينين ودقة الأنف لكننا مختلفتان في كل شيءٍ آخر. وضعت صورة أمي في حقيبتي، لمحت شعرة بيضاء في مفرق رأسي، أول مرة ألحظها، أنبتت فجأة كي تُعلن عن شيخوختي الوليدة القادمة؟! لكن ماذا عن شيخوخة مشاعري التي باتت تحتضر الآن؟

لويت طرف شعري على إصبعي وعقدته ثم مزقت بعضًا من أطرافه، ليت طارق كان في جرأة عمر وحبّه للحياة، ليته كان يمتلك ثقة وهيبة مراد واحتواءه، دمعت عيناي حزنًا على حالي، انحدرت دمعة مسرعة على خدي استقرت قرب شفتي طفلتي فباعدَت بينهما وقد ظنتها شرابًا، أصدرت صوتًا ربما يُعبر عن سعادتها أو مواساتي، عيناها تضحكان ويداها تلوّحان بحركات آلية فجائية، ترفس بقدميها الصغيرتين، تغرسهما في فخذي وتبتسم. ابتسمت لها ونظرت للمرآة متسائلة في حيرة ويأس: «إلى متى ستظل عيناي تعانداني وقت الابتسام؟!»

أفقت من شجوني وأحزاني على جرس هاتف الغرفة، لا أقوى حتى على النهوض لكنني قمت متأففة منهكة، أخبرني موظف الاستقبال بأن الهانم تنتظرني ببهو الفندق منذ قليل وتلح في طلبي، تهلل وجهي، فلا بد أن مايسة جاءت لزيارتي حسبما وعدتني مؤخرًا. ارتديت ملابسي على عجل واصطحبت صغيرتي، ذكرياتي مع مايسة تمر أمام عيني وأنا أبتسم، آخر مرة التقيتها كانت قبل سفري إلى شرم الشيخ بحوالي أسبوع، بالمصادفة أمام أحد محلات بيع الأسطوانات الشهيرة في الزمالك لما انتقلَت للسكنى في إحدى عمارات عمتي زينب دون أن تعرف أنها مالكتها، ولم أشأ أن أخبرها

حتى لا تترك الزمالك وتبتعد عني، ظلّت لعامين تشكو مُرّ الشكوى من سوء الخدمات وتعطيل المصاعد وقطع المياه، ولطالما تدخلت لدى أبي لتُخفّف عمتي من أفعالها الصبيانية لكنها لم تتوقف عنها. هبطت من غرفتي وما زلت على ابتسامتي متهيئة للقائها، تسمّرت قدماي في منتصف بهو الفندق، غربت الابتسامة ولاحت العتمة. لم تكن الهانم المنتظرة سوى عمتي زينب، أشار لها سائقها نحوي، قامت بصعوبة متكئة على عصاها، اقتربت مني بوجهها الجامد وعينيها المتحجرتين، لما صافحت عيناها وجهي ندت من بين شفتيها ابتسامة ودّ لا تُخطئها العين على غير عادتها، قالت بنبرة عتاب كأم حنون:

– وشِّك مقلوب.. كنتي فاكرة طبعًا أن الولية مايسة هي اللي جاية تزورك، طول عمرك زي القرع تمدّي لبرة، مع إن اللي مالوش خير في أهله مالوش خير في حد!

وجدت سيارتها الكاديلاك في انتظارنا، تعجّبت أنها صمدت لأكثر من ستمئة كيلو متر بعد عشرين سنة بالخدمة، ابتسمت عمتي وهي تقول بفخر:

– فيها الخير زي كل حاجات زمان مع إن أبوكي بعت ورايا عربيتين من عنده، كان فاكر إنها حتتعطل مننا..

التفتُّ خلفي وجدت سيارتين مرسيدس من سيارات مجلس الشعب المخصصة لأبي، نظرت لها نظرة مَن لا يفهم شيئًا ممّا يحيط به فقالت وهي تتكئ على ذراعي:

– أنا سامحتك ورضيت عنك وأظن بعد طلاقك من المخفي عمر لازم ترجعي معايا الزمالك. بيتك وبيت أهلك أولى بيكي!

لم أُعارض، فليس لديّ ما يُبقيني هنا، مضيت كالمُخدّرة معها، وضعوا حقائبي وركبنا، لاحظت أنها تتفرس في فستاني القطني الضيق، مدّت يدها لتجذبه بعيدًا عن جسدي وهي تلوي شفتيها قائلة:

- موش ضيق عليكي حبتين والا إيه؟

صمّمت عمتي أن أجلس بالمقعد المسحور مثلما كنت صغيرة، ألا تدري أن كل شيء قد تغير؟! لم يعُد كُرسي الحكايات والأحلام كما كان، أحلامي أسوأ من واقعي، صارت كلها كوابيس متعاقبة، على الأقل لن أرتفع لسماء التوقعات والأماني وأهبط فجأة مثلما يحدث لي كل مرة. صمّمت عمتي رغم امتعاضي، قالت إنها تريد رؤية وجهي طوال الطريق فقد أوحشتها، أغلقت عمتي الحاجز الزجاجي بيننا وبين السائق، ظللت أتطلع في الصحراء الشاسعة حولي والتلال الجبلية المتناثرة من بعيد، أخرجتني بعنف من شرودي وهي تردد كلامًا كثيرًا عن حالي التي لا تعجبها واستشارتها للشيخ البحراوي الذي أفتى لها بالحل... ظللت أنظر لها كي تقوله وقد حاصرني الضيق من كل جانب، فهتفت بحماس:

- الحجاب يا ناديا.. الحجاب.. الشيخ البحرواي قال لازم تطهري قلبك بالإيمان وتتحجبي!

صمتت بعدها طوال الطريق ثم نامت وعلا شخيرها كعادتها، أما أنا فقد ألجمتني المفاجأة، حتى التفكير فيها صار عصيًّا على عقلي، لم أستوعب كلامها، رحت أتخيل نفسي بالحجاب حتى شعرت بصداع عنيف يضرب جنبات رأسي فنمت بدوري. وصلنا بعد ساعات طويلة كأنها دهر، منذ دخولي الفيلا لاحظت بها تغييرًا، رفعت عمتي السجاجيد كلها واستبدلت بها الموكيت الأخضر الفاقع، رفعت اللوحات من على الجدران واستبدلت بها آيات قرآنية عن الحسد والشكر بإطارات مذهبة عريضة، نظرت لها بدهشة بالغة فقالت بعفوية وهي تخلع حذاءها قرب الباب وتمسح باطن قدميها بالأرض باستمتاع:

- والنبي أريح وأطرى من السجاد وبيفكرني بالغيط زمان!

أجّلت زيارتي لمايسة أكثر من أسبوع، لم أكن في حالة نفسية تسمح حتى بمواساتي، أريد عزلة حقيقية في غرفتي البعيدة عن كل ما يحيط بي ما عدا ابنتي ياسمين. لكن يبدو أن عزلتي تحققت وطالت للأبد، صحوت يومًا فوجدت أبي متوترًا للغاية يُجري اتصالات متتالية بمسئولين كثيرين وعمتي تجلس على الأريكة متنمرة تضع ساقها تحت فخذها وكل برهة تشير عليه للاتصال بشخص محدد وهي تُدخن بشراهة، أما فهيم أفندي فيقف بجواره وقد اسودّ وجهه أكثر وبان بياض عينيه بصورة أوضح، أول مرة أراه دون طربوش ولم أتخيل أبدًا أنه أصلع هكذا. اقتربت من عمتي وسألتها عمّا حدث لكنها تجاهلتني عدة مرات، تحت إلحاحي رمقتني بنظرة حادة لا معنى لها سوى مغادرة الصالون، لكنني التصقت بمقعدي أكثر، فهمت من كلام أبي أن إحدى عمارات عمتي بالزمالك واسمها برج التقوى قد انهارت قرب الفجر، شهقت واقتربت من عمتي باكية، ربتت كتفي وكأنها تبعدني عنها وهي تطمئنني على نفسها. انخرطت في بكاء طويل فمايسة تستأجر شقة صغيرة بهذا البرج. سألت عمتي عنها فلم تُجبني، ابتعدت عن حضن عمتي وتركت أبي منشغلًا في حديثه الهاتفي، سألت فهيم أفندي فقال مطرقًا:

- الله يرحمها.. كل السكان ماتوا!!

عدت لغرفتي باكية، ماتت «طنط» مايسة السيدة الطيبة الرقيقة، ماتت معلمتي وأمي الثانية، اليوم سقط آخر جدار كنت أستند عليه.

في اليوم التالي اقتحمت عمتي غرفتي حاملة لفّة قماش غالبًا، تهلل وجهها وهي تقول:

- اسمعي كلامي وانتي ترجعي زي الفل تاني إن شاء الله.. ادعيلها بالرحمة أحسن لها، وبعدين ربنا بيقول «لكل أجلٍ كتاب» أنتي حتكفري؟!

ظللت أتابعها بقلق ودهشة وهي تفضّ لفّتها، ثم أخرجت قطعًا كثيرة من الطرح الملونة تركتها على حافة فراشي، أغلقت الباب خلفها وهي تبتسم. صحوت قرب الظهر وجدت أغطية الرأس الملونة على حافة السرير منذ وضعتها عمّتي أمس.. لا تبعد عني سوى متر واحد لكن تفصلني عنها آلاف الخطوات من داخلي، مددت يدي مترددة بعد نصف ساعة، اخترت الأحمر ووقفت أمام مرآتي، وجدتني أرى نفسي من داخلي.. مقيدة.. مقهورة، رحت أضغط على تعبيرات وجهي وأشكلها علّها تقنع عقلي بتقبّل الحجاب فوق رأسي، راح شعري ينسدل فوق عيني ثم خصلة طويلة تنساب فتغطّي وجنتي اليمنى وأخرى هاربة أفلتت من زمام الطرحة لتتدلى بدلال، وأخريات كثيرات قرب أذني وكأنها تهمس لها بـ «لا!» أدرت ظهري للمرآة، اخترت لونًا آخر يناسب ملابسي لكنه لا يليق بأنوثتي، لا يُشبه روحي إنما يُغطي رأسي. تأملت وجهي، شعرت أنني كبرت بضع سنين فجأة، صرت أُشبه عمتي زينب الآن وكأنني ابنتها!

عبست وتعكّر مزاجي ومن خلفي سمعت خطواتها، رأيتها من بعيد في مرآتي الكبيرة.. بعباءتها العريضة تقترب وتكبّر كأنها عقرب سوداء تكاد تبتلعني، امتدت أصابعها لرأسي، ضغطت عليها وهي تدس خصلاتي بقوة حتى أحكمت ربطة حجابي وكأنها تخشى تسرّب أفكاري منه. ربطت الطرحة مرة ثانية من الوراء وابتسمت راضية وهي تتراجع للخلف تتأمل فعلتها، همهمت بأن الحجاب يُنير الوجه ثم أردفت:

- بكرة تعرفي قيمته لما يُقف العِرسان طوابير على بابك، وعلى رأي المثل: الست المستحية جوهرة مستخبّية!!

رمقتها بنظرة حادّة متذمرة من تلصصها على هواجسي ودواخلي.. ظللت شهورًا أرتديه وأرفض مَن يتقدم لي، رفضت كل مَن عبر على جسر حجابي

الذي شيدته عمتي كي يصل لجسدي، يعبرونه مغمضين مدفوعين منها حتى يمثلوا أمامي، لا أراهم بوضوح ولا أميز وجوههم فكلهم متشابهون، غالبيتهم من ترشيح صديقاتها ومباركة شيخها، هؤلاء اختصروني في طرحة وفستان بأكمام ومن قبلهما ثروة عمتي وأبي!

مع الأيام أدركت أني لا أُشبه حجابي ولا هو يُشبهني.. مرت تسعة أشهر وبعدها ولدت من جديد.. تنفست لأول مرة بعمق حين داعبت نسائم الخريف خصلات شعري، فرحت كأنني استعدت عزيزًا غاب عني طويلًا!

«بكرة تندمي.. شكلك بالحجاب كان أحلى.. خليكي كده لغاية ما تبوري.. اليومين دول ماحدش بيتجوز واحدة سافرة».

دفعات متتالية من الكلام تخرج من فمها كل صباح، تصطدم بوجهي كرذاذ لزج.. لكن كلمات المرحومة مايسة مُدرّستي العزيزة التي ماتت تحت أنقاض ما شيدته عمتي لا تزال ترن في أذني، صورتها أمام عيني، محفورة في ذاكرتي.. منذ أن دونتها في «أوتوجرافي» الصغير الذي أحتفظ به.. كتبت لي مايسة بالفرنسية:

«ابنتي ناديا.. كوني أنتِ.. لا تتشبهي بغيركِ ولا بهما.. فأنتِ لا تنتمين لهما أبدًا»

الآن أنا أُشبه نفسي ولا أحد آخر.. ليتها عاشت.. يا ليتها بقيت معنا لوقت أطول.

*****

21

«مثل ثعلب يتعقب الدب، لا ليقاتله إنما ليقتات على فضلاته»

عباس المحلاوي

.. لا تـزال ضحكاتـه تـرن في أذنـي لما رويت لـه حكاية المسـدس الذي أحتفظ به منذ سـنوات طويلة. تحسّسـت مسدسـي من تحت وسادتي. ثلاثون عامًـا لـم يتغيّـر موضعه، قبضة يـدي هي التي تغيـرت، ضعفت فلـم أعُد أقوى على سحب الأجزاء أو الضغط على الزناد، يبدو أنهم لن يأتوا للقبض عليّ لما علموا بشيخوختي فتراخت أوتاري.

أغمضت عينَيّ ليمر شريط حياتي أمامي، تسليتي الوحيدة التي تقتل الوقت كل نهار، رأيتني جالسًا أسفل القبة أتابع مناقشات قانون العيب، اليوم لا تصويت على قوانين أو قرارات، مجرد مناقشات للمواد المقترحة من الحكومة، القاعة ستكون شبه خاوية كالعادة، أردت الاسترخاء والبعد عن المساجلات السياسية المزعجـة فاخترت البقاء بها من أجل الراحة، غفوت لما غصت بمقعدي حتى تنبهـت علـى همس مندوب المراسـم بأن سـيادة الرئيس وصـل ويريدني فورًا فـي البهو الفرعوني. أول مـرة ألتقيه فيها بعيدًا عن الرسـميات، وجدته يجلس فـي ركن قصـي وحوله مقاعد وأرائك تُركت شـاغرة عمدًا تسـمح بخصوصية وتُعطـي انطباعًا بأهمية الجالس وحده، على مبعـدة منه يوجد بعض المقربين،

على وجوههم ابتسامة منضبطة للاتساع مع شفتي الرئيس كلما ابتسم، صافحته دونهم بترحاب، سمح لي بالجلوس بالقرب منه، تفرس فيّ جيدًا وكأنما يراني لأول مرة، ثم راح يتحدث، أشاد بجهودي في حشد الأعضاء وقت التصويت، ضغط على مخارج ألفاظه وهو يُردد:

- أنا متابعك من فترة يا عباس.. ومبسوط من أدائك.

عبارة بسيطة لا تخلو من مجاملة لكنها تكفي وتفيض كي يخشاني المقربون أكثر، وفي ذات الوقت تُضاعف من نفوذي، دار بيننا حوار لأكثر من ساعة في السياسة وأحوال البلد، انتهى بالجملة المعتادة: «ربنا يستر.. خير إن شاء الله!»

بعدها أشار لأحد معاونيه مستدعيًا أمينَ التنظيم بالحزب الوطني، فلما مثل أمامه قال بنبرته المسرحية المعتادة:

- لازم عباس من بكرة يتولى شئون العضوية خصوصًا شباب الأقاليم!

دوري الجديد هو نقل خبرة السنين للشباب، إغراؤهم وإقناعهم لضم أكبر عدد منهم للحزب ثم انتقاء المتميز منهم لمهام محددة ووظائف مُهمة قبل الانتخابات المحلية والعامة. قاعدة الشباب التي تكونت في السنوات العشر الماضية بأكثر من عشرين ألف شابٍّ أنا بكل فخر الذي كوّنها. دوري لم يكن سهلًا، لكنه لم يكن صعبًا للغاية، مال الحكومة مال سائب كما يُقال، لكن ليس مَن رأى كمَن سمع، الحقيقة أن هناك أموالًا طائلة وبلا صاحب فعلًا، بلدنا بحر من الأموال لا ينفد فاغترفت منه وأغرقت الشباب فيه بقدر، فصاروا طوع إشارة من إصبعي الصغيرة، أنا الذي أمنح وأمنع، أعطاني رئيس البرلمان صلاحيات واسعة، ورأى فيّ ما لم يرَه في غيري، بل ما لم أرَه في نفسي.

تعددت اللقاءات الخاصة بيننا في مكتبه عبر تلك السنوات، في كل مرة ترتسم بوضوح على ملامحه علامات الرضا والإعجاب، وفي كل لقاء يتعمّد

أمين التنظيم أن يروي له حكاية عني، خاصة دوري في حرب 67 وكيف أنني أخرجت الجماهير بالمئات من مقار الاتحاد الاشتراكي بمحافظات الدلتا لتجوب الشوارع تهتف لعبد الناصر وتستحلفه بألا يتنحى..!

لا أعرف لماذا ينفخ أمين التنظيم في صورتي كل مرة لتكبر أكثر، لكن بعد أول مؤتمر عام للحزب حضرَته النواة الأولى لأمانة الشباب التي كوّنتها وظلوا يهتفون للرئيس أكثر من عشر دقائق متصلة مع التصفيق الحاد، قال له رئيس البرلمان بحدة وغضب:

- إزاي يبقى عندك كنز اسمه عباس المحلاوي وتفرط فيه وتركنه تحت القبة حتى ولو كان مايسترو؟ ده ممكن يقنعك أن التور بيحلبوه.. لازم تاخدوه وزير في الوزارة الجاية!

- وما له يا ريس.. نشوف له وزارة تناسبه!

الآن أنا على الرف..!!!!

نعم..خرجت من كل مناصبي وكأن شيئًا لم يكُن، الكل تناساني لما ظهر مَن يؤدي دوري أحسن مني، هكذا رأوا ولا يمكنني الاعتراض، بل وجب عليّ الشكر والعرفان لما قدموه لي طوال السنوات الفائتة. أغمضت عينَيّ أكثر في فراشي وزممت شفتَيّ وأنا أتذكر أيامي الأخيرة في البرلمان.

سئمت الحياة بعدما حصلت على كل ما أردت منها وأكثر، كل صباح أشعر أنه يومي الأخير، أنام قلقًا وأتمنى الموت في فراشي، لا أريد الدخول معه في معارك خاسرة، أنا قادر على مقاومته بعقلي لكنه لو راح مني سأُهزم من أول ضربة، أقعدني المرض وكسبني في جولات متتالية لكنه لم يكسب معركته الأخيرة بعد، صحيح صرت لا أُفارق الكرسي المتحرك لكني ما زلت أقاوم، لديّ بعض الصحة وقليل من الآلام وكثير من العقل. اقتربت من شرفتي

أتأمل النيل يجري من بعيد، شبه موجات صغيرة تنكسر قبل أن تتكون غيرها متلاحقة متسارعة وفي أحيانٍ كثيرة تبدو صفحة النهر ساكنة، حياتي أقرب لها، أنا شخص لم يكن له همّ في الحياة سوى جمع المال، لم تهمني السياسة أبدًا ولم تشغلني يومًا، عملت بها كوسيلة للمال لا كغاية لطموحي، أردت أن أصبح رجلًا غنيًا مثل الخواجة شيكوريل، لديه كل شيء، ولا شيء أكثر!!

لكن هل أصبحت مثلما أردت؟! أشك!

ظللت أعيش في بحبوحة من العيش منذ وطئت قدماي حي الزمالك، التصقت دومًا بالقويّ صاحب السلطة والمال، تقلدت مناصب سياسية مهمة في الحزب الوطني، صرت عضوًا بالبرلمان وتدثرت جيدًا بحصانتي، على مدار عشرين عامًا لم أفعل شيئًا إلا رفع يدي بالموافقة والرفض حسبما يطلبون مني وممّن أُسيطر عليهم بالحزب والمجلس، وافقت على مئات القوانين والتشريعات والاتفاقيات ولم أقرأ إحداها كاملة وغالبيتها لا أعرف عنها شيئًا، لديّ فكرة عمّا يُقال ويُطبخ وحاسة الشم عندي تميز الرائحة من بعيد، آمنت قديمًا بأنهم سيفعلون ما يريدون، وفي المقابل سيتركون لنا مساحة صغيرة نلعب فيها بجوارهم لكن تحت أعينهم وبغير صخب، ربما أنا الوحيد الذي يدرك قواعد اللعبة مبكرًا جدًّا، أثناء توزيع الكروت على اللاعبين في كل جولة وكل عهد، ومهما تغيرت القواعد كنت أدركها قبل فوات الأوان كل مرة، لا أعتبر نفسي خاسرًا فمهما انحنيت لهم لن يتوانوا عن قطع رقبتي، فهناك دائمًا ضحية وقربان لبقائهم!

أظن أنني على صواب، فلم أجهد عقلي في التفكير والتدبير للغدر بمَن هم أكبر مني منصبًا ونفوذًا، عشت أقتات على فتات الكبار قانعًا، لتمتصها زينب من دمي بسهولة، زينب المختبئة كالقُرادة بفرائي طامعة في المزيد.

ألا لعنة الله عليك يا شيكوريل، كأن عقلي توقف يوم فتحت خزانتك واكتشفت كنزك وقلدتك، لم أكن في مهارتك وشهرتك ونجاحك لكن

لـديّ الآن مـا يجعلنـي أموت مسـتورًا، أموالـي وممتلكاتي تكفـي عائلة كبيرة من خمسـين شـخصًا لتعيش غنية أكثر مـن مئة عام قادمة علـى الأقل، لكن لن يتذكرنـي أحد، سـيقولون إن عباس المحلاوي كان رجلًا طيبًا خيّرًا ولا شـيء أكثـر، لـن أترك أثرًا أبعد من ذلك، صرت مثلك في كل شـيء حتى حرمني الله أيضًا من أبناء ذكور يُخلدون اسمي من بعدي، بعدما فقدت إبراهيم!!

نعـم.. إبراهيـم ابني الوحيد الذي مـن صلبي غادر الدنيا منـذ عام وتركني وحيـدًا.. وكأن هذا ما كان ينقصني، لم أسـتطع الحفاظ عليه رغم كل ما أنفقته لعلاجه، فقد سبقني القدر بخطوة!!

إبراهيم عباس المحلاوي. هذا الفتى الذي لا يعرف عنه أحد شيئًا، جبنت حتـى عن مواجهة زينـب بإنجابي له، لا أعرف لماذا حرمنـي الله منه، لماذا لم يحرمنـي من بعـض أموالي؟ لماذا اختـار مَن تعلقت به مـن دون الناس؟ لماذا يُعاقبني في الدنيا إذا كان ينوي عقابي في الآخرة مع الآخرين؟!!

أغمضـت عينـي مـرة ثانيـة أو ثالثـة لا أعـرف، لـم يبقَ لـي سـوى اجترار ذكرياتـي، رأيتنـي أصل مطـار هيثرو في بداية شـهر يونيو كالعـادة، أجده واقفًا مع أمه بالخارج في انتظاري، سـيتقدم نحوي بخطوات عشـوائية مسرعًا فاتحًا ذراعيه لا يزال يخطو خطواته الأولى في هذه السـن المبكرة، أنثني على ركبتَيّ كي أحتضنه، يضم أنامله الصغيرة على سبابتي. الآن كبُر، سأظل واقفًا مكاني، سـيتقدم نحوي بخطوات ثابتة مضمومة واثقة، سـأُصافحه كما يُصافح الرجال بعضهـم بعضًا، فقد قارب على إنهاء دراسـته الجامعية هذا العام، سـيحتضنني بقوة، فجيناته شـرقية خالصة، كلها مني، ملامحه تُشبهني حتى إنني أرى شبابي فيه، صار يُشبهني، ملابسه نفس مقاسي، صوته وطريقته في التعبير كأنه يقلدني، نسـتقل ثلاثتنا السيارة لشـقتي، سـيحدّثني طوال الطريق عمّا فعله طوال غيابي عنـه رغـم أن مكالمتنا الأسـبوعية لا تنقطـع، لكنني أحب أن أسـمع منه مرات

ومـرات. في لنـدن أراقب احمرار وجهه لما تتصل بـه صديقاته هاتفيًّا، لا أكتم خوفـي على صحتـه لو كان يدخن من دون علمي، أتأملـه وهو يحلق ذقنه بدقة كأنني أرى نفسـي في مرآة، عشرات التفاصيل التي تُبهج قلبي وتُنعش ذاكرتي، عشرون عامًا وتسعة أشهر مرّت يا إبراهيم كأنها أيام معدودات.. لم أشبع منك بعد حتى ترحل!!

كنـت أحلم بولد مثله يرثني ويحمل اسـمي، بمصانع يديرها تحمل شـعار منتجاتـي يختار هـو تصميماتها، بضائع تُباع فيتذكر الناس لقبي كلما اشتروها منـه.. لا شـيء علـى الإطلاق من ذلـك قد تحقـق. ظللت أُقلد شيكوريل في كيفيـة اكتنـاز المال ولـم أسـتغله أبدًا، كبـرت ثروتي ودخلت قلـب النخلة ولم تخـرج لإبراهيم ولـن أُخرجها طواعية لغَيـره، ربما الآن سـيقولون كان عباس المحـلاوي لصًّـا.. ليكن.. لن يصدّقهـم كثيرون فالبلـد غالبيتها من اللصوص والكل يحترمهم ويوقّرهم!

هـزت رأسـي بأسـى وأنا أتذكـر كيف خططت لعـودة إبراهيـم كي يعيش بجـواري فـي القاهـرة ويحقـق حلمـي وأحلامه كلهـا، دبرت مع فهيـم أفندي كيـف أخبـر الجميع بوجـوده وأقدمـه للناس فخـورًا بولدي الحقيقـي الوحيد الذي سيُحافظ على اسـم العائلة ويُخلده، لكن القدر اختاره بطريقة عشـوائية فـي حادث سـير غريـب بليلةٍ عاصفـةٍ ممطـرة، كل مَن كانـوا معه في السـيارة أُصيبوا بخدوش إلا هو، تحطم عموده الفقري وأصابه الشـلل وراح في غيبوبة لشهرين، اسـتدعيت له كل الأطباء المتخصصين في لندن وباريس، لكنه رحل رغم ذلك وهم من حوله عاجزون مثلي!

توقـف فجأة رنين الجهاز الداخلة أسـلاكه كلها في جسـدهَ السـاكن، يرقد مغمضًا فوق سريره الطبي وأنا قرب قدميه، تحسّسته غير مصدق، قبّلت جبهته، بللت وجنتيـه بدموعي، ناجيته، ناديته باسـمه، صرخـت وترنحت، أخرجوني

بالكاد ولحقوني بالمهدئات، انغرست الحقنة في ذراعي لأتماسك، لكني شبه مائل للسقوط، بعد يوم عدت لحجرة مجاورة بذات المستشفى، رقدت فيها لمدة أسبوع حتى تعافيت لكنني لم أعد كما كنت، تمكن مني المرض، ضرب كل جنباتي الضعيفة لما مات ابني الوحيد وماتت معه كل آمالي. لم تبقَ إلا صورته كي أُقبّلها كل صباح عندما تبخرت رائحته وغابت روحه.

دفنت إبراهيم في إنجلترا بالقرب من بيتنا في برايتون وبقيت زوجتي بجواره هناك، وحيدة مكلومة لا تريد هي الأخرى شيئًا، لكني أخفيت عن الجميع وفاته، حتى المحامي الخاص بي لم أُخبره حتى الآن بوفاة ابني، ظللت أشيع أنه سافر لأمريكا لاستكمال دراسته، ما زلت أخطط لما سأفعله كي أموت مجبورًا بعدما خسرت إبراهيم في مقامرة كنت أظنها مضمونة، لكني نسيت أن مَن كان يجلس أمامي على الطاولة تلك المرة هو القدر!!

*****

- الخولي تحت يا باشا ومعاه إيراد العزبة!

قاطعني خادمي فتشوشت ذاكرتي قليلًا، صرفته بإشارة عصبية من يدي، لا داعي لنزولي، سيتولى فهيم أفندي أمره كالعادة. عدت بسرعة لذكرياتي، كيف غفلت عن تذكر الأرض من قبل وبها أعز ما أملك؟ تلك جذوري التي رويتها وكبرت أم أنني لا أشعر بأي انتماء لها؟ هززت رأسي في ضيق، أنا أقتني الأطيان ولا أزرعها، لديّ عزبة في بلدتي محلة مرحوم تتجاوز الثمانين فدانًا الآن، لكن يزرعها غيري ولا أذهب إليها إلا نادرًا، اشتريت كل الأرض التي حول دارنا من بعد وفاة أمي، قريتنا رسميًا تُسمى الآن عزبة المحلاوي، بعد دخولي البرلمان غيّرت اسمها هذه المرة، صارت أشهر من نار على علم. كتبوا عني وعنها تحقيقًا طويلًا على حلقات منذ أشهر قليلة في جريدة «الوفد»، قالوا إن محلة مرحوم أنجبت شخصيات مهمة منذ العهد الملكي، أشادوا بعائلة

المحلاوي باشا وكيف صنعت جزءًا من تاريخ مصر، كتبوا عني باعتباري من رجال الاقتصاد والمال العصاميين ونصير الفلاحين وصوت الشعب في البرلمان، صدّق الناس ما قرأوه عن نائب الحزب الوطني الشهير وعضو أمانته العامة وثاني أقدم البرلمانيين في مصر، كتبوا أن أبي وأنا من بعده كنّا وفديين، قاومنا الاحتلال وأيّدنا الثورة وقدّمنا أموالنا لخدمة الحزب وسعد باشا زغلول ثم مصطفى النحاس، ومن بعده تضررنا وقت عبد الناصر لكننا لم نكن نشكو لتعبر سفينة الإصلاح إلى بر الأمان!

تذكرت أبي بحذائه المقطوع وجلبابه القديم وهو يترنّح من سُكره، غمغمت «ها أنا صنعت لك تاريخًا.. محوت عنك عار السجن وصرتَ رسميًّا مناضلًا ضد الإنجليز».

أجروا معي أحاديث صحفية كثيرة، أتلقى السؤال وإجابته في آنٍ واحدٍ لأُراجعهما قبل النشر، ثم صدر كتاب مهم من مطبوعات «الأهرام» بعدها بعنوان: «شخصيات وطنية من قلب ريف مصر»، احتللت وعائلتي فصلًا كاملًا منه، نقل بعض المؤرخين الكُسالى ما نُشر ووضعوه في مراجع أخرى، ترددت الحكاية حتى ترسّخت الكذبة بعمق وانتشرت لأقصى مدى فصارت حقيقة، كنت عباس أفندي الأعور قبل الثورة، وبعدها بعامين صرت عباس بك بأموال عبد النعيم ونفوذ لجنة الإقطاع، ومن قبلهما فهيم وخدماته الجليلة في تزوير التوكيلات، ولما مات عبد الناصر ولحقه السادات لم يعُد أحد يناديني إلا بعباس باشا المحلاوي!

مؤخرًا عرضت عليّ إحدى دور النشر الكبيرة كتابة مذكراتي، لكن عقلي لم يطاوعني بعد على تلك الخطوة، ففي مصر إذا ما سبق لسانك عقلك.. طارت رقبتك!

الآن يُلح سؤال على رأسي، أهذه هي الحياة التي رغبتها؟ أهكذا تنتهي الرحلة؟ رجل عجوز ثري يمرض ويموت على فراشه ببطء ليستمتع مَن

لا يستحق هنا ببعض أمواله، بينما ابني ووريثي الحقيقي يُحرم من كل شيء لمجرد أنه مات؟!

لا والله لن أقبل بهذه النهاية التقليدية أبدًا، لم أُغادر الطاولة بعد، لديّ ما ألعب به، في جيبي كارت أخير لم يرَه أحد، كارت سيغيّر النهايات كلها على نحو أكثر إثارة، سأحرم زينب من كل المال وأترك القليل لناديا، على الأقل عاشت مطيعة وأحبتني بلا مقابل، سأُعطيها عشرة آلاف جنيه عن كل عام عاشت فيه معنا.. لا بل سأعطيها عشرين ألفًا وشقة باريس الصغيرة التي استعملها كبار المسئولين من أصدقائي كجارسونيرة على مدار سنوات مضت، ومن قبل كتبت فيلا قلب النخلة وسرايا العزبة باسمها حتى أحرم زينب منهما، ناديا يتيمة وأوْلَى من غيرها بالصدقة، اتفقت مع مكتب محاماة في بريطانيا بشأن ممتلكاتي هناك لتؤول بعضها لزوجتي مع ناديا ورتبت مع فهيم أفندي هنا كل شيء، آخر خطوات التنفيذ الليلة، سأُطلعه على الأوراق التي حرمت زينب بمقتضاها من ميراثي وأرسلتها إلى البنوك هنا منذ أسابيع، الليلة أيضًا سأضع نسخة ثانية من الخريطة بالخزانة ليزيد عدد اللاعبين، الليلة عندما تغيب ناديا وياسمين لساعات طويلة، ستكون مناسبة جيدة.. سنة جديدة وبداية جديدة.. فمَن يدري كم سنة سأعيش بعدها؟!

أغلب عقاراتي بعتها ووهبت ما تبقى من أموالي السائلة لدار المسنين التي بنيتها وافتتحت منذ عامين بإلحاح من الشيخ البحراوي الذي أكل عقل زينب وبعضًا من أموالي مع أنها رفضت وقتها حضور افتتاح الدار متحججة بكونها نذير شؤم، على الأقل الدار تحمل اسمي وستُخلده للأبد، ابتسمت رغمًا عني وأنا أتخيل أن يكون فهيم أفندي أحد زبائنها قريبًا بعدما صار ينسى مؤخرًا. لم يعُد باقيًا سوى خطوة واحدة، صحيح أن فهيم يسرقني منذ فترة بانتظام كلما زوّر توكيلًا، لكن ما باليد حيلة، لم يعُد العمر ولا الصحة يسمحان بسكرتير جديد، على الأقل لن يقتلني مثلما فعل السائق آرنستي مع الخواجة شيكوريل،

ثم إن فهيم مثله مثل الباقين لا يدري بأنني أُخبئ الماس كله في إطارات الكاوتشوك الفارغة.. سيبحث مثلهم ومعهم وسيجدونها بصعوبة بالغة.. هذا إن وجدوها!!

آه لو يعلمون بما تحويه الإطارات.. كل ثروتي بها، كل الماس ملفوف جيدًا ومُغلّف وموضوع بها، كل إطار يحوي خمس ماسات في أنبوب جلدي صغير، مُخزّن بعناية بتجويف إطارات كاوتشوك قديمة في بدروم القصر الريفي بعزبتي في محلة مرحوم، آخر مكان يمكن أن يتوقع مخلوق أنني أُخفي فيه هذه الثروة هو السرايا، فأنا لا أذهب إلى هناك إلا مرتين فقط في العام، ولا أضع حراسة على البدروم كي لا تلفت الأنظار.. الليلة سأترك النسخة الثانية من الخريطة، والتي تخص مكان الماس، في خزانة البدروم، رسمت خريطتي الأولى وتركتها في خزانة غرفتي مثلما فعل شيكوريل، لكنها لن تكون واضحة كخريطته، سيبحثون كثيرًا ويُعملون عقولهم، فأنا لن أترك ثروتي لأغبياء كسالى من بعدي ينعمون بها بسهولة، لا بد وأن يتعبوا ويفكروا مثلما فكرت وتعبت، الذكي منهم فقط سيحصل على نصيب الأسد بعدما يحل رموز الخريطة. أنا لم أحب في حياتي إلا لعبة الذكاء ولا أجيد غيرها على ما أظن!!

تنهدت بعمق، ارتحت لما وصلت إليه من قرارات، سأرقد في قبري هادئًا مبتسمًا، بينما هم يشقون من بعدي للفوز بالثروة، لن أموت نكرة أو مجرد ظل لزينب التي كبرت وتضخمت. أنا مَن صنعها، أنا الذي أزال الطبقة الطينية من على وجهها، أنا مَن مسح التراب الذي كان فوقها ونزع عنها الصدأ، لتأكلني بنت الكلب بعدها بوحشية وتمتص دمائي وتبتلع نصف ثروتي، ثم تضعني دائمًا في خلفية الصورة، والآن تهددني لما عرفت بموضوع ابني إبراهيم، أنا رجل الظل لسيدة الزمالك كما تسميها صديقاتها الحيزبونات، تلك العجوز

التي تتصدر المشـهد منذ سـنين بعيدة بعدما نسـيت أصلها، لكنها تتناسى أنني مَـن خطـط وفكّر ودبّر ودفع الثمـن، أنا الذي يقـف وراء الكواليس، أنا الوحيد الذي بإمكانه إطفاء الأنوار كلها وإنهاء العرض في أي وقت.

*****

22

«مصر من فوق أجمل، لو كان لديك ما يستحق أن تصعد عاليًا لتراه»

زينب المحلاوي

مع أنني التي صممت على وقوعه، جاء طلاق ناديا من مراد ثالث الضربات الموجعة في حياتي بعد موت هانم وهروب ساندرو ثم مقتله على يد عباس. تمنيت استمرارها مع رجل قوي مثله، لكن علامات الضعف بانت على مراد في السنة الأخيرة ولم يعُد لديّ أمل في عودته لمنصبه، بل بات أقرب للسجن، بدا أمامنا الطريق مظلمًا بعد اختفاء مراد المفاجئ ورفضه الطلاق ثم هربه من مصر بسبب القضية التي اتهموه فيها بالانقلاب على عبد الناصر مع وزير الحربية، وقتها اتخذت قرار طلاق ناديا وأبلغتها به، لدهشتي رفضت وقرّرت أنها لا تفكر بالطلاق، لم أناقشها فهي عنيدة، حاولت تليين رأسها ببطء وإفهامها أن الأيام القادمة ليست أيام مراد، ولا بد من الخلاص منه، فلا حاجة لنا به كما قال عباس «ماتوا يوم مات المشير»، تمسكت به ناديا أكثر وزادت دهشتي. لم أُضع وقتي معها وضغطت على أخي كي لا نتركها معلّقة، حتى عاد لنا يومًا من سفرته الصيفية الطويلة في لندن بوثيقة طلاق ناديا من مراد، قدّمها عباس لي قائلًا:

- مراد وافق على الطلاق وحيعيش في لندن.. بلّغي أنتي ناديا بالموضوع، أنا عملت اللي عليّا..

قال لي بعدها إن مراد طلّقها مقابل حصوله على تأشيرة خروج من مصر آمنًا، ساعده أخي في الحصول عليها وخطط للإبلاغ عنه في آخر لحظة كي يضعه في السجن، لكن مراد كان حويطًا أكثر منه، اشترط الخروج من مصر أولًا، ووقّع على شيك بعشرين ألف جنيه على أن يُسلّم عباس الشيك لمَن يُسلّمه وثيقة طلاق ناديا في لندن. سكت عباس ولم يزد بعدها حرفًا في هذا الموضوع حتى نسيناه جميعًا، أو على الأدق حاولنا نسيانه.

بعد الطلاق تقدم كثيرون لناديا لكنها رفضتهم كلهم مع أني رأيت بعضهم مناسبين لها، يبدو أنها كبرت وصارت أكثر عندًا وأنا أيضا كبرت وصرت أكثر لينًا، أردت لها حياة مستقرة مع رجل مقتدر يعرف قيمتها وقدر عائلتها بعد تجربتها مع مراد لكنها تريد رجلًا من عمرها تحبه ويحبها، من المؤكد أنها لم تفهم مراد وإلا ما تزوج عليها عرفيًا مثلما أخبرني عباس بعد الطلاق، كنت أريدها تُنجب طفلًا أو اثنين فلم نعرف ما إذا كان مراد عقيمًا أم لم يُسعفه الوقت أيامها وكان يحتاج للمزيد ليترك لنا ذرية من بعده، يشغلني فراغها الآن فأردت أن أشغلها، لم أسمح لها بأن تغيب عن عيني أبدًا، ولا أريد أن تخرج الثروة التي كوّنتها مع عباس بعيدًا عن أيدينا مهما حدث!

- مسيو آدمون موجود في البهو من ساعة يا زينب هانم!

أشرت لخادمي لينصرف وتركت آدمون ينتظر نصف ساعة أخرى، بعدها أمرت بمثوله أمامي بالحديقة الخلفية قرب النيل حيث كنت أتناول قهوتي بعد الإفطار وأقرأ الجرائد، وقف الرجل شبه محنيّ يضم كفّيه أمامه في أدب جم كعادته. بعدما نال الزمن كفايته منه ولم يعُد ما تبقى يشفي غليلي، دون أن

أنظر إليه أخبرته بأنني أريد منه أن يُلقن ناديا دروسًا في البيانو، ثم أزحت نظارة القراءة قليلًا قائلة:

- هـو مش أنـت كنت مدرس موسـيقى قبل ما تفتح مدرسـة الإتيكيت في الزمالك، والا نسيت أصلك يا آدمون أفندي؟

أومأ الرجل بالإيجاب وتلعثم قليلًا ثم قال:

- أمركِ يا زينب هانم.. لكن ده كان زمان وأنا...

قاطعته قائلة:

- حاديلك خمسـة جنيه في السـاعة، تعالَ مرة والا مرتين كل أسبوع، أظن أحسن لك من قعدتك في نادي الجزيرةَ من غير شغل!

انحنـى آدمـون وانصـرف بظهـره أولًا، ثـم لمحته مـن بعيد يسـتدير بنهاية الحديقـة خارجًـا، بينما خادمـي ينادي عليه من مكانه حسـبما أمرتـه، ليُقدم له ظرفًا به خمسة جنيهات كعربون، فعاد ليلتقطها منه فرحًا وهو يحصيها.

*****

أحوالنا وأحوال البلد كلها لا تسر وتدفعنا إلى قلق من نوع آخر، بدا لي أنور السادات مثل غيري ضعيفًا غير مرحب به، لم يملأ كرسيه بعد كما يقول عباس عنـه، فقـد عمل معه بمجلس الأمة آخر ثلاث سـنوات، ممـا جعلني أؤجل كل مشـروعاتي لخمس سـنوات كاملة حتى انتهت حرب أكتوبر، تغيرت الأوضاع وبـدأ عصر جديـد لننفتح معه على الدنيـا كلها كما قال بعدمـا ظللنا محرومين لسنوات قاربت العشرين.. تغيرت نظرتنا له وصار عباس يُردد في كل جلساتنا كلماته الشهيرة عن السادات ليُذكّرنا بها بعدما غيّر رأيه فيه:

- الجـدع طلع فلاح قراري يا زينب، راجل عُقر مش سـهل، دِيب راقد في بطنه تعلب!

وقتهـا أردت دخـول مجال المقاولات مثلما فعل عبـاس مع المرحوم عبد النعيم قديمًا لكنه بدا غير متحمس، اقتنع لما هددته ليوافق على شـروطي، كان قـد بـدأ يميل للاسـتقرار والكُمون قانعًا بمـا جمع من ثروة لكنها ليسـت ملكه وحده كما يظن، أنا شـريكة بالنصف فيها إن لم يكن أكثر، لكنه يحتاج دومًا أن أُذكّـره بذلك، كنت متأكدة أنه يُخفي عني قيمتها الحقيقية بسـبب كثرة أسـفاره لوحده إلى لندن كل عام، ولا أدري حتى الآن ماذا يفعل هناك!

عبـاس تنقّـل فـي وظائـف مختلفة، مـن لجنة الإقطـاع للحراسـات لأمانة الاتحاد الاشـتراكي، ثم عضوية اللجنـة المركزية لعضوية مجلس الأمة، والآن صـار عضـوًا بمجلـس إدارة شـركتي النصـر للسـيارات ومصر للتأميـن، لكنه لا يريـد اسـتثمار أمواله في عقارات، مـا زال يحوّلها إلى مـاس مثلما تعلّم من شيكوريل، ثم يتصرف في بعضها بالبيع في بلجيكا كما يقول، بعدها يطير فجأة للنـدن في إجازة اسـتجمام طويلة، لا يُخبرني عـن تفاصيلها أبدًا، يعود بخميرة طيبة فشـلت في معرفـة مصدرها لكنها تسـمح ببناء عمارات تناطح السـحاب إن أردنـا، ومـع ذلك يكتنزها كالعـادة. لما اقتنع وخضع دلّنـي على طريق آخر يحتاج لجرأة وعلاقات قوية، فيلات وقصور قديمة لباشـوات وبهوات وأثرياء وفروق أراضٍ عبارة عن مسـاحات طولية بين بنايات كثيرة في الزمالك، لأضع يـدي عليها تباعًا، علـى أن يتولى سـكرتيره فهيم عمل الباقي بالشـهر العقاري وإدارة الأملاك بالمحافظة من خلال شبكته الكبيرة التي كوّنها على مر السنين، فلا تكاد تمر شهور إلا ويكون البناء الجديد قد ارتفع.

بـدأت أجذب زبائن جددًا لمّا جرت الأمـوال في أيدي الكثيرين بعد انتهاء الحرب ببضع سنين، صرنا نُسمّي العمارات الضخمة التي نبنيها أبراجًا لنجذب إليهـا بعض العـرب، خصّصنـا الأدوار الأرضية والأولى لمحـلات كبيرة تبيع الطعـام والأحذيـة والملابـس، اقتطعنا جزءًا كبيـرًا من جـراج كل عمارة لفتح دكاكين صغيرة تخدم السكان في يومياتهم الضرورية، وكل ذلك بتسهيلات من

فهيم وعلاقاته بإدارة الحي التي كان له بها نفوذ كبير، لكن كلها أيضًا بأموالي أو بـالأدق نصيبي من أموال عباس التي كان لي نصفهـا وفقًا لاتفاقنا القديم الذي يحاول دائمًا التملص منه!!

صرت الآن أشـهر سـيدة في الزمالك، أحلى لحظات نشوتي عندما تقترب سـيارتي من عمـارة مـن عماراتي الجديـدة، يتجمّع عشـرة رجـال على الأقل حولهـا، ترتفع الأيادي فوق الرؤوس، تنطلق الحناجر بالسـلام والدعاء، يبطئ سـائقي قليلًا وهو ينحرف لليمين لتقف الكاديلاك السـوداء أمام البوابة مباشرة بعدما أفسحوا لها مكانًا يسع ثلاث سيارات عادية. ألمح من خلف الزجاج مَن يُهـرول وراء العربـة لأمتار كثيـرة قبل أن تتوقف لأنزل منها بعـد برهة لما يفتح سـائقها الباب الخلفي، ينحني بعضهم ويُقبّـل يدي، الجميع يعرفني، يتحدثون عنـي، ينسـجون القصـص حولي، أشـغل تفكيرهم ولا أنشـغل بهم، يُشيرون نحوي بإعجاب، يتمنون رضاي عنهم، بينما أتفقد أملاكي كل شهر وأتابعها مع السماسـرة الذين سمحت لهم بدخول الزمالك واخترتهم بعناية من ترشيحات فهيم أفندي لي.

تهـبّ فجأة ريـح ترابية قوية تحجب الرؤية، تلفح الوجوه بهوائها السـاخن الثقيـل، أُغلـق النافذة بإحـكام حتى تزول وترحـل، تتلون الأبنيـة بلون رمادي باهـت، ذرات التـراب مـا زالـت متناثـرة لكن الريح تنقشـع، تظهـر واجهة من واجهات سلسـلة محلاتي التي أفتتحها في أغلب أبراجي، محلات «الريماس» لبيع «العبايات» وملابس المحجبات. فأبتسم شبه راضية.

يظل شيء ما بداخلي لا يُريحني أبدًا، أشعر بغُصّة في حلقي باتت تلازمني كلمـا ابتعـدت عن هـؤلاء التابعين، لأصطـدم بصخرة سـيدات مجتمع ما زال غريبًا عني، يعشن في ماضٍ بعيدٍ كنت فيه على الهامش والآن أحاول تغيير هذا المجتمـع العتيـق فلا أفلح، يتعمّدن التحدث بالفرنسـية أمامـي، أفهم قليلًا من كلامهن، لا أُجيد التعبير مثلهن بطلاقة، أرتبك وأتلعثم بلا سبب، يتذكرن مدام

بولا ويترحّمن على أيامها وأناقتها وعزّها وأنا صامتة، أشعر أنني المقصودة بتلميحاتهن وغمزاتهن، أكاد أسمع ضربات قلبي وهي تعلو، أخاف أن أطحن ضروسي من فرط كزّي عليها، أُغادرهن كل مرة لأعود لمملكتي التي بنيتها، أستمتع بما أراه حولي من مبانٍ تسد عين الشمس، أغسل جروحي بكلمات الإطراء والمديح التي لا تخفُت أبدًا من أصحاب الدكاكين الصغيرة، أُقسم بيني وبين نفسي كل مرة أنني سأصرف آخر قرش معي كي أتملك الزمالك كلها التي تعيش فيها غريماتي، حتى أراهُنّ يومًا من التابعات!

كان حظي موفقًا في هدم أكثر من ثلاثين فيلا في الزمالك من التي بناها حماي عبد النعيم مع عباس وقبله، بنيت أبراجًا عالية بدلًا منها، لكنني رفضت هدم أي فيلا بشارعنا حتى لا يزعجنا كثرة السكان والمترددين وأصحاب المحلات، ساعدني عباس في منع غيري من هدمها وإعادة بنائها، يضحك كل مرة وهو يتذكر أيام الأربعينيات قائلًا:

- إحنا انضحك علينا زمان لما بنينا الفيلات دي يا زينب، أخدنا منها ملاليم، لكن ربك بيعوضنا تاني.. سبحان الله!

لم تكن الحياة وردية كما تظن بعض صديقاتي، ولم يكن طريقي سهلًا دائمًا، فقد تبرّعت مضطرة في مرة بنصف قطعة أرض مما وضعنا يدنا عليها لتصير مدرسة حكومية، وتركت فيلا صغيرة أخرى طواعية لمحافظة القاهرة بعدما اشتدت حملة صحفية ضدنا فطلب مني عباس الانحناء أمام ريحها القوية حتى لا يفقد منصبه الجديد لما عيّنه الرئيس مبارك في أمانة الحزب الوطني، كنت حزينة على رحيل السادات وعلى أيامه التي فعلنا فيها كل شيء، شعرنا أن البلد بلدنا بالفعل، وفجأة قتلوا الرجل وسط جيشه. خفت على ممتلكاتي وثروتي، لكن عباس طمأنني بأن الحال سيكون على ما هو عليه لما أفضيت له بهواجسي وقلقي، ضحك يومها قائلًا بثقة:

- مافيش حاجة بتتغير يا زينب، وعلى رأي أمك الله يرحمها: الأرانب كلها من نفس المقطف بس ده أسود والتاني أبيض واللي بعده رمادي..!!

*****

فرغنا من تناول الغداء في مطعم برج القاهرة، جلسنا في ركنٍ منزوٍ نتناول القهـوة، فعبـاس لا يحب الارتفاعـات، قبل الغروب بقليل طلبـت منه أن يُلقي نظرة على القاهرة كلها من فوق ليرى جمالها، خرجت قبله إلى الشرفة الدائرية وارتكنت على السـور الحديدي الذي تُشـكله أوراق زهرة اللوتس وتُزين قمة البرج، أتأمل الزمالك وفيلاتها القليلة المتناثرة وسط العمارات الضخمة. أحب دومًا النظر لأي شيء من أعلى، استطعت بسهولة تمييز عشرة منها قمت ببنائها مؤخرًا، دعوته ليقترب، خوفه أثقل قدميه فبقي بعيدًا بمسافة قرب الجدار متكئًا على عصاه الأبنوسية التي يستخدمها من باب الوجاهة ليس إلا، بدا ظلّه الممتد عن يساره ضخمًا كبيرًا طويلًا لينتهي عند قدمي، لكنه لا يزال خائفًا!

- صدّقني مصر من هنا أحلى..

ابتسـم قائلًا بنبرة ماكرة إنها قد تكون أجمـل من زاوية أخرى. عاد لمائدتنا وأنا خلفه يجرّني الفضول من رقبتي، جلس وهو ما زال على ابتسـامته الخبيثة، ثم فرد أمامي على المائدة خريطة لمدينة المهندسين الجديدة التي ألححت عليه لإحضارها منذ فترة وكان مترددًا. بسط يده قائلًا بنبرة متفاخرة هذه المرة:

- اختاري يا هانم!

ظللت مشدوهة للحظات غير مصدقة ما أراه أمامي حتى أردف:

- تخيلي دي كلها غيطان وفيها كام فيلا وخمسين عمارة بس!

- قصـدك كانـت غيطـان يا عبـاس، دلوقت حتتعمـر لما نزرعهـا عمارات وأبراج!

ضحكت بعدها وأنا أضع إصبعي على القطع الملونة بالأحمر، أخبرني أنها محجوزة مسبقًا وعلينا الاختيار من بين القطع البيضاء فقط!

- مين سبقنا وحجزها؟

- البلد دي يا زينب فيها ناس كتير أكبر مننا، فيها ظباط جيش وشرطة، فيها قضاة ودكاترة مهمين ومحاسيب وصحفيين ليهم كلمة، وفيها من قبلهم وزراء ومسئولين كبار ومسئولين سابقين بس أيديهم لسة طايلة لغاية النهارده، وفي كمان الناس اللي زيّنا!

- وفيه ناس كتير غيرنا يا عباس معاهم فلوس، أنت مش عامل حسابهم والا إيه؟ أكيد حيطلبوا نصيبهم هُمّا كمان!

- لا يا زينب، الناس دول همّا اللي حيشتروا مننا علشان يسكنوا جنب الوزرا والمسئولين، هي البلد متقسمة كده بقالها عشرين سنة وشكلها حتفضل كده خمسين سنة كمان على الأقل!

هززت رأسي غير مقتنعة بكل كلامه فعاد يقول بضيق:

- اختاري من المساحات الفاضية أو الفيلات لأن سهل نهدّها..

أشرت إلى شريط طويل يحزم المنطقة السكنية كلها تقريبًا بلون أخضر، قال إنها مساكن لمحدودي الدخل ستُبنى بمعرفة الدولة، اقترحت أن نبنيها لهم، رد بأسى أن مكسبنا لن يساوي عناء تشييدها، سكت قليلًا ثم أردف:

- كل منطقة جديدة لازم يحزّموها بعمارات عشوائيات كأنهم بيخوفوا الأغنيا بالفقرا، مش قادر أفهمها أبدًا!

- بالعكس يا عباس ده تخطيط لصالحنا وحينفعنا في كل متر حنبيعه!

ارتسمت على وجهه ملامح الدهشة فقلت:

- لأن السكان محتاجين اللي يخدّم عليهم ولما بيوت الخدامين والصنايعية تبقى قريبة منهم حتبقى الخدمة أسهل وأرخص، سيب الموضوع ده عليّا، وماتشغلش بالك بيه خالص!

- بس دى مساكن لموظفين وناس محتاجة سكن مش للصنايعية وخدامين في البيوت زي ما أنتي فاهمة.. دي سياسة تانية يا زينب..

- سيب السياسة ليهم وفكّر في مصلحتنا، العشوائيات كلها بتتباع قبل ما حد يسكن فيها، كل شقة منهم قد الجُحر مفيش موظف حيرضى يسكن فيها، لازم يبيعها ويستفيد بفرق السعر، المهم دلوقتي حنحتاج نبيع بونبوناية ولا اتنين علشان نبني عمارات جديدة!

ضحك عباس ضحكة صفراء ممتعضة كعادته كلما وصفت الماس بقطع الحلوى الصغيرة وطلبت منه بيعه، أخبرني يومها أن سعر الماس حاليًا في نزول ولا يريد أن يخسر ما جمعه طوال السنين كي تقينا تقلبات الزمن إن غدر بنا مثلما فعلها بغيرنا، لم أقتنع بحججه وصمّمت على بيع بعض قطع الماس الصغيرة، لكنه اقترح طريقًا جديدًا نغترف منه ولا نخسر رأسمالنا.. نحصل على قروض من البنوك، والفائدة نحمّلها على المشترين، نبني بأموال البنك ونعيد الفائدة مع أصل القرض بعد البيع الذي يتم على الورق..

- والبنك يضمن فلوسه منين يا عباس؟

- بالفيلا.. حنرهن قلب النخلة يا زينب. أنا استرديت ملكيتها من إدارة الحراسات من شهرين وقيمتها اتنين مليون جنيه على الأقل النهارده، ونقدر ناخد القرض بضمانها!!

*****

على مدار عامين اشترى منا المصريون الذين يعيشون في الخليج كل ما شيدناه، اشتروه وهو مجرد رسم على ورق، دفعوا قيمته بالكامل ودخلت جيوبنا الملايين بسهولة. في البداية ظلت الصحافة تهاجمنا بسبب عمارة الزمالك المنهارة لكننا قدمنا ما يفيد أن ترخيص البناء باسم فهيم أفندي، قضى شهرين في الحبس على ذمة القضية ثم حصل على البراءة من أول جلسة، لكن ظلت التراخيص الجديدة باسمه أيضًا تحسبًا لأي انهيار آخر. تعجبني دومًا أفكار عباس، لم يُخيب ظني يومًا حتى وإن اضطررت للضغط عليه أحيانًا بسبب نفسه الأمارة بالسوء، فقد نقل ملكية الفيلا وكل ممتلكاتنا التي كانت باسم ناديا باسمه، خفت على أموالي وعلى نصيب ناديا من غدره، اشترطت عليه أن يوصي لها بنصف ممتلكاته وأنا النصف الآخر من بعده، فعلها على مضض وكتب الوصية وحفظها بالخزانة، معي نسخة منها أخفيتها بعيدًا عنه. استقرت وصيته بجوار بعض الدوسيهات الصغيرة لكنني لم أرَ قطع الماس تلك المرة، هذا الرجل ما زال يفعل شيئًا غامضًا لا أعرفه لكني سأكشفه قريبًا!

شرد عباس قليلًا ثم بادرني بسؤال مباغت:

- أنتي صحيح يا زينب مش بتوافقي تسكّني أقباط عندك؟

- والنبي ما صحيح، أغلبهم ساب شبرا وراح مصر الجديدة بس الصراحة الجماعة بتوع الخليج فلوسهم حاضرة ومش بيفاصلوا..

بدا غير مقتنع بردّي وأسرّ لي بمخاوفه من شكاوى وصلت لمجلس الشعب تتهمني باضطهاد المسيحيين، هل يقصد رسالة خفية كعادته كي أتوقف عن دعوة الشيخ البحراوي لإلقاء الدروس في الفيلا؟ أعلم أنه لم يكن مشجعًا ولا مرحبًا لعقد هذه الدروس الدينية بقلب النخلة، لكنها وسيلة جيدة لجلب زبائن جدد لعماراتنا ومعرفة سيدات كثيرات من المجتمع صرن صديقاتي وزبائني. لم أكن الأولى ولا أظنني الأخيرة، بيوت كثيرة تستقبل الشيوخ للإفتاء

في أمور الدين وتناول الطعام، وفتيات كثيرات تحجّبن مؤخرًا، موضة وكان حتمًا عليّ مسايرتها.

- يا أخي اعتبرنا بنعمل خير ينفعنا في الآخرة!

قلتها لعباس ليسكت لكنه لم يكن مقتنعًا بأي حرف أقوله، هزّ رأسه ومال به جهة اليسار فهمست في أذنه أن الشيخ البحراوي هو أول مَن أشار علينا ببناء زاوية صغيرة أسفل كل عمارة كي نُعفى من الضرائب العقارية، أبدى عباس إعجابًا حاول أن يخفيه وأظهر لي بدلًا منه تذمرًا من المسئولية عن إدارة تلك الزوايا، عدت بظهري في مقعدي وأنا أرد بثقة:

- كل بواب عندي مسئول عنها وبيجيبوا قرايبهم من الصعيد يمسكوها. إحنا مالنا ومالها؟ وبعدين الحكومة شايفة وسامعة وساكتة ولو كانت حرام والا غلط كانوا منعوها وفي الآخر ورقنا كله متستف ومظبوط وربنا يخلي لنا فهيم افندي.

عاد يُذكرني بضرورة الانحناء أمام الريح القوية وأن بقاءنا في الظل أفضل ألف مرة من الظهور الساطع والصعود، حتى لا نكون هدفًا سهلًا لدود الأرض كما يصفهم، يومها اقترحت عليه تغيير نظام البناء والمقاولات والخلاص من وجع الرأس والكلام الذي يدور حول مَن يسكن ومَن لا يسكن عندنا عن طريق تسليم الشقق كلها على المحارة بدون تشطيب، لم ترُق له الفكرة في البداية ولم يقتنع بأن لها صلة بالأقباط والمسلمين. ثار فجأة وعلا صوته قائلًا:

- أنتي بتلاوعي يا زينب وحتفتحي العيون علينا!

- أنت نسيت لما كنا بنبخّر الشقق من كام سنة علشان تتأجر؟ دلوقتي الدنيا اتغيرت والخير كتير..

أجبته..لكنـي بالفعـل أراوغ، فمنذ ارتبطـت بحضور دروس دينية للشـيخ البحراوي وافتتاحه لأكثر من برج سـكني مما شـيدتهم جاءني الخير على يديه وببركته، نصحني بتجنب الجارة القبطية والمسـلمة المتبرجة، التزمت بوعدي لـه فبعت أكثر. لم أخبـر عباس بكل هذه التفاصيل، لكننـي أصريت على تنفيذ فكرتـي لتحقيق مكاسـب أكبر. مع الضغط لان رأس عبـاس وأعطاني تمويلًا، تقبّـل المشـترون الفكـرة بعد تخفيض نسـبة ضئيلة مـن قيمة كل وحـدة، لكنه عـاد بعدهـا ينقل لي مخاوفه من عيون الصحافة بسـبب تضخـم حجم أعمالي وتوجيـه عيون الجهات الرقابية إلينـا ومن بعدها المدّعي الاشـتراكي وبالتالي تطبيق قانون من أين لك هذا، وهو لن يستطيع البوح بمصدر الأموال أبدًا.

استشـرت الشـيخ البحـراوي فنصحنـي نصيحـة أشـرت بهـا علـى عباس على الفور وهي الإعلان عن بيع شـقق لدينا للجهات التي نخشـاها بالتقسـيط المريح!

رغـم دهشـته بدا مسـتوعبًا مـا أقول لكنـه لا يتوقـع نجاحه، رحت أشـرح بالتفصيل ما نصحني به فضيلة الشيخ البحراوي بأن كل جهة لديها نادٍ اجتماعي يوفـر خدمـات لأعضائه وكل دورنـا أن نقدم لهم الخدمة بتسـهيلات كبيرة في السـداد تجعلهم لا يشـعرون بقيمتهـا وفي ذات الوقت لا يضيـع معها حقنا مع مرور الزمن، لكننا في المقابل سننعم بحمايتهم للأبد!

- وتفتكري حيوافقوا بسهولة يا زينب؟

- دول مـا حيصدقـوا.. وبكـرة نبقـى مش ملاحقيـن على الطلبـات.. بس المهم نختار منهم اللي يستاهل الخدمة!

هذه المرة بدا عباس مقتنعًا بكلامي بسـهولة على غير عادته، لا يريد جدلًا ولا نقاشًـا، لكن دهشـتي زالت بسـرعة وحل غضبي محلها، فقد كانت حقائبه

متراصة بجوار باب حجرته ويستعد للسفر إلى لندن بعد ساعات حيث سيغيب أشهر الصيف كلها مثل كل عام، ولا يريد أن يضايقه أحد قبل سفره، أكدت عليه للمرة الرابعة أن يُسجل ملكية العمارات الخمس الأخيرة باسمي ويكلف فهيم أفندي بهذه المهمة. أخشى منذ فترة سفره المريب للندن بسبب كثرة تحويلاته المالية إلى هناك حسبما عرفت من مديرة البنك التي تحجّبت مؤخرًا بجلسات البحراوي، لابد وأن له نشاطًا آخر أو تزوّج هناك لكنه لا يبوح أبدًا بما يكتمه ولا يُفصح عنه، سألته بحدة عن الأموال التي يُنفقها ونصيبي منها فالتفت لي وقد تبدلت ملامحه قائلًا:

- عمرك ما حتشبعي يا زينب!

لا يهم! أعرف أنه لن يجيب أبدًا، قبل أن يخرج اصطحبته لمكتبه بعيدًا عن عيون ناديا وآذان الخدم، أغلقت الباب جيدًا وأخرجت من حقيبتي ورقة صغيرة بها أربعة أسماء بجوارها أرقام ملفاتهم، مددت يدي بها إليه وأنا متجهمة متنمرة، نظر فيها متمعنًا ثم قال بضيق:

- تاني يا زينب؟! ما كفاية اللي دخّلناهم كلية الشرطة السنين اللي فاتت وكمان اللي اتعينوا في الـــــ..

قاطعته بحسم قائلة:

- كل مرة بتقول كده وأنت عارف وفاهم الناس دي بتخدمنا إزاي بعدين.. أنا بانقّيهم نقاوة.. والا نسيت فهيم أفندي خرج إزاي من القضية زي الشعرة من العجين؟ حتى فترة الحبس كان كأنه نايم في بيتهم.. الأسماء دي لازم تتعين يا عباس، أنا اديت كلمة خلاص.

- مفيش فايدة، عمرك ما حتشبعي برضه..

منذ سنوات وهو يكرر تلك المقولة السخيفة وأنا لا أرد عليه. لا أفكر مثلما يفكر عباس، أخشى غدره لكني أيضًا لديّ أحلام كبيرة بامتلاك كل شبر تطأه قدمي ولا بد من ظهر قويّ أستند إليه في كل جهة. لم تفرغ بعد خزانة أحلامي، لا تزال ممتلئة مثل خزانة عباس.

سافر وعاد وتكررت سفراته ومر عامان أو يزيد لكنه لم يعُد كما كان. هناك شيء ما قد تغير. حوّل مبالغ كبيرة إلى لندن وسحب الكثير من السيولة نقدًا حسبما أخبرتني مديرة فرع البنك الذي نتعامل معه ولا أدري ماذا فعل بها. ازداد قلقي على مالي وحق ناديا وابنتها ياسمين بعد طلاقها من عمر سيف الدين، لا أريد لهما أن تشقيا من بعدي، فلا أظن أن ناديا ستتزوج مرة ثالثة. يا ليتني ما وافقته على تحريرها توكيلًا عامًّا له، ها هو نقل كل شيء باسمه وأصبحنا جميعًا تحت رحمته! هذا العجوز مشوّش الذهن صبياني التصرفات في الفترة الأخيرة، الذي بات يختلس قرصات من مؤخرات الخادمات كلما مررن بجواره وجبينه يندى بحبّات عرق تزينه وتفضحه في آنٍ واحد، صحيح لم أضبطه متلبسًا لكن قالتها لي خادمتي الجديدة التي جلبتها من محلة مرحوم ولا أظنها تكذب!

فجأة توقفت سفرات عباس لإنجلترا تمامًا وتغيرت كل أحواله، عاد آخر مرة من لندن منكسرًا، مهزومًا، لكنه لا يحكي أبدًا، لزم البيت بعدها لأكثر من عام ونصف العام لا يخرج إلا للسفر للعزبة يومًا أو اثنين ويعود، حتى فهيم أفندي لم يعُد يصطحبه معه إلى هناك كما كان، صار شاردًا أغلب الوقت وكأنه زهد الحياة كلها فجأة. أشار عليّ الشيخ البحراوي باللجوء لمكتب محاماة إنجليزي شهير يتعامل هو معه شخصيًّا لكشف سر عباس هناك، أوصاهم بالاهتمام بي لكنه لم يوصهم بالترفق معي في الأتعاب، قسموا ظهري لكنهم أعطوني معلومة صادمة تساوي ثروة عباس كلها، وبدأت بعدها أُخطط للخلاص منه قبل أن تتسرب الثروة من بين أيدينا للغريب!

- بقى في السن الكبيرة دي تعمل عملة وسخة زي دي، تتجوز ممرضة وتخلّف منها وكمان يطلع ولد، أنت لو فاكر أنك حتديله مليم من فلوسنا تبقى بتحلم.. ورحمة أمي يا عباس ما في قرش حيطلع لغيرنا!!

واجهته فجأة وظننت أنني سأُربكه وأُخيفه كما أفعل كل مرة، لكن وجه عباس بدا جامدًا.. متحجرًا، نظر لي بعمق وحدّة نظرة أخافتني مثلما كنت أرتعد منه منذ أربعين عامًا، لم يقُل شيئًا، لم تتحرك ملامحه، لم ترمش جفونه، أدار كرسيه المتحرك الذي يجلس عليه أغلب وقته وتركني مكاني خائفة.. مرتبكة.. لا أدري ماذا أفعل، فصرخت فيه وهو يبتعد:

- من بكرة حاخد حقي أنا وناديا.. من بكرة يا عباس!!

لكنه حتى لم يلتفت.. فرجفت!

ليتني استطعت الحَجر عليه، لكن المحامي المصري أبلغني أن الحَجر يتطلب سفهًا وهو بخيل لا سفيه، وهذا اللعين فهيم أفندي لا يُطاوعني أبدًا حتى في الخفاء، رغم أني أجزلت له العطاء، ما زال ولاؤه لسيّده الذي يُطعمه أكثر مني كما آواه من قبل!

أملي الأخير أن يقول القدر كلمته في مشوار عباس بسرعة كي يطمئن قلبي وأرتاح من قلقي. لكن القدر كان يتلصّص على أفكاري ويتربّص بي وحدي، فقد زلّت قدمي بسبب شرودي وكثرة تفكيري، سقطت من فوق سلالم الفيلا في ذات الليلة، كُسرت ساقي فلزمت فراشي، بدأت أمراض الشيخوخة تحاصرني بعدها حتى حددت تحركاتي، كانت حديقة الفيلا هي آخر ما يمكنني الذهاب إليه، لكن اشتدّ المرض عليّ أكثر فأصبحت دنياي كلها بين أربعة جدران تحيط بحجرة نومي، بينما ظل القدر متواطئًا مع عباس، منحه

بعـض الصحة وكل العقـل رغم عمره الكبير ليبقى قادرًا علـى التدبير والتفكير حتى وهو يسـتخدم كرسـيًا متحركًا. لا يزال هناك أمل آخـر من خلال خادمتي التي لا تُفارقني، بقيت محطة أخيرة سنصلها بعد أسابيع قليلة، وبعدها سأُفارق عباس للأبد.

*****

23

«كل الجماعات الدينية أوتار في نفس الآلة تعزف اللحن ذاته بطرق مختلفة»

طارق المصري

.. أغلقت باب الغرفة ورائي بإحكامٍ، فركت كفّي وبسملت وحوقلت ثم أضأت المصباح المتدلي من السقف، من بعيد ترامى لسمعي صوت نباح كلاب وخطوات لأقدام مسرعة، عبارات سباب متطايرة لا أميزها، ثم صوت حجر يُقذف يتبعه آخر أحدث دويًا كأنه اصطدم بصفيحة فارغة، أسمع عواءً متقطعًا يقترب ثم عودة للنباح المنتظم، ألقيت نظرة عابرة على الطاولة الخشبية وانتظرت لبرهة حتى سكنت الحارة وابتعدت الكلاب، فبدأت العمل!

راجعت الأصناف التي طلبت منهم تحضيرها، أشعلت الموقد الصغير، طحنت عشرين قرصًا من الأسبرين، وضعت بعضها داخل وعاء زجاجي، أضفت ملعقة صغيرة من الماء وقلبت المزيج، سكبت فوقه نصف كوب من الكحول ووضعته على النار، بدأ الخليط يغلي وأنا أقلّبه ببطء، راحت السخونة تلفح وجهي، ارتعشت يدي قليلًا وأنا أضع مزيدًا من البودرة البيضاء بحذر، انتهيت وجففت عرقي، تلفتُّ يمينًا ويسارًا حتى وجدتها، أمسكت بالملعقة الكبيرة، أضفت ثلاث جرعات من النترات، ظللت أراقب المحلول ولونه يتحول من الأصفر إلى الأحمر، خفضت اللهب قليلًا حتى عاد اللون برتقاليًا،

نظـرت لسـاعتي، أذان الفجر يُرفـع وصوت المؤذن يكاد يختـرق أذني، حبات عـرق تتأهب ثانية للانحدار من جبهتي فـي ذات اللحظة، رفعت الإناء وتركت المزيج يبرد ثم سكبته داخل وعاء آخر سددت فوهته بورقة الترشيح، احتجزت الحبيبـات البرتقالية فوق سـطح الورقة، غسـلتها تباعًا داخـل مغرفة كبيرة بماء بارد، سلّطت عليها هواءً ساخنًا على دفعات متلاحقة من مُجفف الشعر.

فجـأة انفتـح بـاب الحجـرة بعـد طرقـة واحـدة لا لزوم لهـا، دخـل الأمير وخلفـه ثلاثـة من أتباعـه، نقل بصره بيـن الحبيبات ووجهي، قلت بسـرعة قبل أن يسألني:

- جاهزة يا شيخ.. سأضيف البارود والمسامير فقط ثم أضبط المؤقت!

تهللت أساريره لوهلة ثم سرعان ما قطب وأزاحني جانبًا، أشار لأحد أتباعه حتى يأخذ موقعي ليُنهي تجهيز القنبلة وهو يقول بحسم:

- المـرة القادمـة دع حمزة يقف بجوارك كي تعلمـه، خيركم من نقل علمه للناس!

لم أعترض ولم أتذمر مثلما كنت معهم منذ عامين، سيفشـلون مثل كل مرة ولـن يتعلم أحد منهم شـيئًا، كلهم جهلـة أغبياء وأنصاف متعلمين، سيفشـلون ويحتاجـون لخبراتـي، أنا الوحيـد الذي يعرف سـر تصنيـع «الميلينيت»، هذه الحبيبات شديدة الانفجار والمحرضة على الحريق أيضًا، يسمونها قنبلة النار، هـي إحدى حسـنات أبو أيمـن بالتأكيـد التي نقلها لـي. تركت الغرفة منشـغلًا بالمسـبحة وآخـر ينادينـي للوضـوء، أومـأت برأسـي وضربت صـدري بكفّي ضربتيـن ففهم أننـي ما زلت على وضوئـي. التكليف هذه المـرة بوضع القنبلة أمام مدخل مديرية أمن القاهرة مباشـرة لإحداث الانفجار، اكتشفنا من الرصد اسـتحالة التنفيـذ بسـبب انتشـار القـوات أمامها بكثافـة، ولا بد أن هنـاك أيضًا

عشرات المخبرين يسيرون بين المواطنين ولا نعرفهم، بعدما صنعت القنبلة اقترحت عليهم فكرتي فخرجت عيونهم من محاجرها إعجابًا.

نفذوا ما اقترحته بحذافيره، وضعنا يومها القنبلة في سيارة قديمة مسروقة، بدلنا لوحاتها المعدنية وقادها حمزة إلى حيث متحف الفن الإسلامي المواجه للمديرية وتركها وانصرف مسرعًا، بقية خطتي اعتمدت على وزارة الداخلية نفسها في توصيل القنبلة إلى قلب المديرية، فقد اكتشفت من خلال المتابعة والرصد وجود جراج صغير خلف مبنى المديرية تابع لإدارة المرور، يتركون فيه السيارات المخالفة لحين حضور أصحابها، الباقي سهل توقعه بالطبع لما أتى الونش مزمجرًا بعد ربع الساعة ورفع السيارة في طريقه إلى الجراج، لكن لأن القنبلة كانت غير مُصنّعة جيدًا بسبب تدخل حمزة فيها بالتعديل الذي أجراه على ما صنعته، صارت نسب البارود والمسامير بها غير متوازنة مع حبيبات الميلينيت، انفجرت لكنها لم تؤثر بقوة، ضعفت موجتها الانفجارية كلها وتحولت للخلف بدلًا من الأمام، ذهبت باتجاه فراغ الطريق حيث مدخل الجراج، لم تقتل أحدًا، لكنها أحرقت سيارات وأصابت عشرات الأفراد وأمناء الشرطة بحروق وجروح.. لكن رُبّ ضارة نافعة، فقد ألهمتني بعدها بفكرة!

عاد حمزة ورفاقه يجرّون أذيال الخيبة، سمعوا تقريعًا شديدًا من أميرهم لما كشفت خيبتهم، قالوا قدّر الله وما شاء فعل، رددت بأنهم من المتواكلين، انحاز الأمير لصفي مرغمًا رغم أنه يكرهني كراهة التحريم، يومها اشترطت ألا يشاركني أحد لا في التصنيع ولا حتى في الرصد والمعاينة، وافقوا على الأولى ورفضوا الثانية والثالثة، لم يكن وجودهم يضايقني بقدر ما كنت من داخلي أتحين الفرصة للهروب منهم للأبد والإبلاغ عنهم ولكن كيف السبيل؟!!

– محل توماس شارع 26 يوليو الزمالك.. أمامك أسبوع!

قالها الأمير وهو يسلمني ورقة بيضاء صغيرة بها تكليف المعاينة لهذا

العنوان، لم أكن بحاجة لها، فالمكان ليس غريبًا عني أبدًا ولي به من الذكريات الكثير، شعرت بضيق في صدري وأنا أحرق ورقة التكليف ثم غادرت في طريقي للمعاينة..

أوقفت الدراجة البخارية بعيدًا وترجّلت، عبرت نهر الطريق بسرعة ثم قطعت المسافة جيئةً وذهابًا أمام واجهة محل توماس، توقفت بعدها عند فرشة جرائد وتظاهرت بالبحث عن كتاب محدد، اشتريت جريدة «الأهرام» وبدأت أقلب صفحاتها بهدوء، عيني على أبواب المحل، أراقب مداخله ومخارجه وأماكن جلوس الزبائن من وراء الواجهة الزجاجية، أرصد مواقع العاملين خلف طاولة إعداد الطعام الرخامية التي تتصدّر المدخل الرئيسي، لُكت السواك في فمي وبدّلت من موقعي لأرى من زاوية أخرى، هذه ثالث مرة أعاين فيها المحل، لكنها المعاينة الصباحية الأولى، إذ ربما يحدث تعديل في اللحظة الأخيرة بموعد التنفيذ مثلما يفعلون دائمًا!

فجأة سمعت من ورائي صوتًا يناديني:

- طارق المصري؟! مش معقول!

تعلمت منذ فترة طويلة ألا أرتبك بسرعة، أحافظ على ثباتي الانفعالي قدر الممكن، أنا الآن معروف بـ«أبو أيمن» بائع العطور والسواك ببولاق الدكرور وبطاقتي الشخصية جعلوا اسمي فيها أمجد راضي، فمَن الذي يعرفني هنا؟!

تعمّدت البقاء بمكاني دون أدنى التفاتة، أبقيت كل حواسي منتبهة، تحسّست السنجة المدببة التي أُخفيها أسفل جلبابي ملاصقة لجسدي، تنبهت فجأة لأنه صوت لا يجب أن تخطئه أذني، فهي لم تنسه أبدًا، اقتربت خطواتها تدق الأرض برقة من على يساري، لاحت لي ثم اكتمل وجهها أمامي وهي تتفرس في ملامحي مندهشة قائلة:

- طارق! بتعمل إيه هنا؟ وإيه الهدوم الغريبة دي؟!

من الصعب ألا ألين ولو قليلًا أمام وجه ناديا الرائق، من العسير ألا تعلو دقات قلبي وتتسارع أنفاسي وربما يتلعثم لساني، تفرست في ملامحها لعلّي أتمكن من فض غشاء غموض نظراتها، لكن قلت لنفسي لا بد من التغلب على الشهوات ووساوس الشيطان، استعذت بالله ثلاثًا وتلوت وِردًا ليُثبتني، ثم ابتسمت لها بهدوء، مدّت يدها لتصافحني، لا إراديًا أمسكت بمرفقها وأنا أنحيها ناحية اليمين ومضيت، لنسير سويًّا مبتعدين عن محل «توماس»، وضايقني تصرفي معها بعدم مصافحتها.

- كنا بنتقابل زمان في نفس المكان يا طارق.. فاكر والا نسيت؟

هززت رأسي ولم أرد، سارت بجواري لكنها لم ترفع عينيها عن لحيتي وجلبابي كأنها تشاهد كائنًا غريبًا، قبل أن تمطرني بأسئلة اعتدت عليها ممّن يتعرفون عليّ بعد عودتي من السفر، صددتها بأن أحوالي المالية مرتبكة هذه الأيام، ثرثرت بأن الدنيا أدارت لي ظهرها وفقدت وظيفتي وحاليًا أتولى بعض الأمور الإدارية بالجمعية الشرعية في منطقة إمبابة، لكنها لم تستسلم قائلة:

- وليه لابس هدوم زي شيخ الجامع؟

كدت أضحك لكنني تماسكت في آخر لحظة، كنا ننحرف يمينًا في شارع حسن صبري بالزمالك، قلت بصوت خفيض وأنا أميل ناحيتها:

- الحكومة بتدور عليّا وكان لازم أغير هيئتي، وبعدين ده لبس شرعي.. سُنة عن سيدنا النبي يا ناديا..

تمتمَت بالصلاة والسلام لكنها ظلت على اندهاشها وأبطأت من خطواتها، أمسكت بذراعي وطلبت أن نجلس سويًّا لتناول الشاي ونتحدث، تملصت

منها بحجة مراقبتي، خفضت من صوتي، أخفتها بنظراتي ومن داخلي اشتهيتها كأنثى، وددت أن تبقى وترفض حججي، بعدها تذبذبت وكدت أسألها عن سببَ عدم ارتدائها الحجاب كي تيأس وتبتعد عني، لكنها باغتتني قائلة:

- أنا مبسوطة إنك لسة بتعزف على الكمنجة رغم ظروفك!

- كمنجة؟! لأ طبعًا ده كان زمان و...

- ليه مصمم تُصدني يا طارق؟ أنا شايفة عصاية الكمنجة وسط هدومك!!

لم أجد ما أقوله، تحسست موضع السنجة المشدودة لفخذي واستعدلتها مرتبكًا، بدأت أتوتر قليلًا ثم ابتسمت لها ببلاهة، ابتعدت خطوتين للوراء منهيًا اللقاء الذي أثار غبرة الماضي وذكرياته بلا داعٍ، بدت متفهمة الآن وإن سألتني عن سبب مطاردة البوليس لي باهتمام شديد، تعللت بديون أثقلت كاهلي وصدور أحكام ضدي بسبب شيكات بدون رصيد، بلا مبرر وكررت لها قولي إنني اضطررت لتغيير هيئتي حتى يصعب التعرف عليّ، بدا لي لوهلة أنها لا تسمع كلماتي باهتمام وتراني بعيون أخرى، زيّنت ابتسامتها وجهها فزادتها إشراقًا رغم تجاوزها الأربعين.

تردد سؤال على لساني لا أدري كيف التقطه عقلها فقالت دون أن أسألها:

- أنا مطلقة للمرة التانية.. قسمة ونصيب!

لم أُعلق وإن تهلل وجهي رغم يأسي من توقيعي على وثيقة زواجها الثالث في يوم ما، تحصنت بصَمتي، دائمًا وأبدًا أشعر بالدونية أمامها، قلتها مرة واحدة وكانت كافية كي أعرف أنها لا تبادلني نفس المشاعر فاخترت الطريق الأسلم، حاولت مرة ولم أجد استجابة، تركتني وتزوجت من جلادي، لن أنسى ذلك أبدًا، وها هي تقول إنها طلقت منه لمرة ثانية، أي إنها عادت إليه بعد كل ما فعله

معي ولا بد أنه أخبرها متفاخرًا به، قلت لها يومًا إني أحبها فلم يردّ عليّ سوى الصمت فاعتبرتها إجابة كافية على مشاعري الساكنة، أنا أشتهيها الآن مع أنني أشعر بكراهية كبيرة لها، كانت دومًا متعالية مغرورة والآن بعدما فقدت كل شيء تريدني، تعتقد أن ابتسامتها تمحو خطاياها وتجعلني أنسى كل ما حدث منها وبسببها.. هيهات!

أخرجت من حقيبتها ورقة وقلمًا ودوّنت رقمًا ثم مدّت يدها قائلة:

- ده رقم تليفوني الخاص.. في أوضتي، محدش بيرد عليه غيري، اطلبني أي وقت لما تقدر، أحب أسمع صوتك يا طارق، ولو محتاج أي حاجة أنا موجودة..

ترددت قليلًا ثم أطبقت على الورقة بأصابعي ورميت عليها السلام، قفزت في أقرب سيارة أجرة كانت تتأهب للدوران يمينًا بالشارع الذي نقف على ناصيته طالبًا من سائقها بصوتٍ عالٍ أن يقلّني لجامعة القاهرة حتى لا تعرف أين أقيم، بعدما أمليت عليها رقمًا خاطئًا لهاتف لا يخصّني ولا أدري إن كنت أخطأت أم أصبت، التفتّ في مقعدي، من بعيد رأيتها ما زالت واقفة في مكانها على مفترق الطريق، تدوّن الرقم في مفكرة حمراء صغيرة.. لكنها تبدو حائرة.

*****

- مَن تلك المرأة المتبرجة التي جعلتك تترك مكانك؟!

سألني أمير جماعتي بنبرة محقق بأمن الدولة لا كأخ في الإسلام كما يقولون لنا ليل ونهار، تجاهلته وانشغلت بإعداد الطعام بالحجرة التي أقيم فيها مع اثنين آخرين من شباب الجماعة الذين يرصدون معي محل «توماس» تمهيدًا لحرقه بمَن فيه لبيعه الخمور ولحم الخنزير، اقترب الأمير وهو يُعيد السؤال بنبرة بدت أخف قليلًا، أجبته بأنها زميلة دراسة من أيام المدرسة

تُدعى ناديا وحاليًا تُعطي دروسًا لمَن يريدون تعلم العزف على البيانو، طالما يراقبونني فمن الأنسب أن أضعها في خانة يصدقون وجودها فيها وتليق بها، جعلتها خريجة معهد الكونسرفتوار وهي الآن دون حاجة للتدخل مني سيدة من سيدات الزمالك، ما الذي يمكن أن تكون عليه هيئتها بعد اثنين وعشرين عامًا سوى ما رأوه اليوم في ناديا؟!

- أعطتك ورقة.. ماذا كان فيها؟

- رقم تليفونها.

- أعطني الرقم واسمها بالكامل وعنوانها.

- ألقيتها بالطريق ولم أحفظه ولا أعرف أين تقيم ولا أتذكر اسمها بالكامل.. تلك مرحلة في حياتي لا أريد تذكرها مرة أخرى يا مولانا..

- نصرانية؟

- لا.. لا.. مسلمة..

قبل أن يُبادرني بأسئلة أخرى خرجت مني الكلمات بسرعة:

- أنا ضقت بمراقبتكم ولست مرغمًا على العمل معكم، أنا أتيت بإرادتي وأنتم مَن يحتاجني، ولا أريد الحديث في هذا الموضوع.

دار الرجل حولي نصف دورة وبدا غير مقتنع لكنه لم يبُح بما في عقله، جلسنا لتناول الطعام وأنا ألوكه شاردًا في لقائي معها اليوم، كيف رأتني، هل تكرهني أم شدّها الحنين؟ لماذا لا أتقدم خطوة واحدة كل مرة؟ لِمَ أتقهقر للوراء دومًا أو على أحسن حال أتسمّر في مكاني؟ رحت أفكر فيما أنا عليه

الآن، ما الذي حققته؟ سؤال ثقيل على نفسي لطالما تهربت منه، تجاوزت الأربعين من عمري ولا أدري ماذا حققت؟ لا شيء بالتأكيد!

هزيمة الجواب أثقل من السؤال ذاته، مفزعة، تهز كياني كله وتزيدني إحباطًا، التقت عيناي بعيني أمير الجماعة، يبدو من نظراته أنه لم يرفعها عني منذ التففنا حول طبلية الطعام، بادرته بسؤال هجومي لأصد شكوكه المطلة من مقلتيه اللامعتين:

– لماذا لا تثقون فيّ؟ لماذا لا تسلمونني مسدسًا مثل غيري؟ السنجة كادت تسقط مني اليوم وكان من الممكن أن...

أشار لي بالسكوت ثم تجشأ الرجل وهو يمسح بعينيه وجوه زملائي الذين لم ينطقوا في حضرته وقال:

– لم ترقَ بعد لحمل سلاح ناري، لا يزال أمامك وقت.. والثقة أساسها الالتزام والطاعة وأنت لم تقدّم ما يجعلنا نثق بك مثل الآخرين. دائما محل شك!

غادرت الطبلية غاضبًا، ما زالوا يعتبرونني غريبًا عنهم، شكوكهم مسلطة عليّ طوال الوقت مثلما تضيء كشافات السجن كل حبة رمل بفنائه الكبير أثناء الليل فلا سبيل لهروب آمن، ألا لعنة الله عليهم جميعًا، أنا لا أحبهم ولا أثق بهم لكنني الآن أريد أن آمن شرّهم! هذ هو كل طموحي للأسف!!

نادى الأمير للصلاة، أقامها أحد تابعيه وأمّنا هو، لما فرغنا التفت لي معاتبًا وهو يُسلم:

– والكاظمين الغيظ يا أبو أيمن، واصبر إن الله مع الصابرين. إذا أردت الرحيل فليكن لك ما تريده لكن بعد عملية توماس إن شاء الرحمن.

زفرت في ضيق ولم أعلّق لكني أشحت بيسراي غاضبًا، منذ خروجي من السجن منتصف السبعينيات وأحوالي تسوء، رفضت الحكومة تعييني لأنني من أصحاب السوابق السياسية، طُفت على مهن متواضعة صابرًا وكلما حسبتها انفرجت ضاقت حلقاتها أكثر حتى كدت أختنق. ودّعت الإخوان وانضممت للناصريين أملًا في العثور على وظيفة ومكانة اجتماعية وهو ذات السبب الذي دخلت الإخوان من أجله، فانتهى الحال بي يومها في السجن، به رأيت صنوفًا من العذاب جعلتني أعتقد بأن زبانية جهنم سيكونون أكثر رحمة وشفقة بي حتى ولو قتلت نفسًا بغير حق في هذه الدنيا!

رحب بي اليساريون بعد خروجي من المعتقل، زيّنوا لي الدنيا، كما يحلو لهم أن يجملوا صورتهم لتبدو أكثر وجاهة في مجتمع يتخبط في جدران أُميته من نشوة الجهل، لكن السادات لم يمهلهم وقتًا طويلًا، ضاق بهم ومنهم بسرعة وأطلق الأمن وراءنا بعد انخراطي معهم لشهور، عملت مرشدًا للمباحث ووشيت لهم بأسماء الناصريين الذين أعرفهم وأماكن اجتماعاتهم فأمنت شر الحكومة وسجنها، عُدت للإخوان المسلمين مرة أخرى لما وجدت الدولة مرحبة، بل فاتحة ذراعيها لهم، كنت متوجسًا عند عودتي، لكنهم احتضنوني بمودة كابن ضال عاد لرشده، ألحقوني بشعبة الإرشاد والتوجيه، وقتها عرفت لأول مرة كيف يجندون الشباب ولا بد أنهم فعلوا معي نفس الطريقة مع أنني ظننت الأمر سهلًا، لكنني اكتشفت تعقيداته من الداخل بصورة أوضح الآن، هناك كشّاف يختار من بين طلبة الجامعة الانطوائي والمنهزم وقليل الحيلة والمنبوذ، كل هذه الصفات تُزكي قبوله وتُعجّل بانضمامه، ومن بعدها يأتي دور الفرّاز الذي يُجنّب ما اختاره الكشّاف لينتقي الأصلح منهم، الذي يتوسم فيه الطاعة والولاء، ثم يتسلمه المُربّي ومن بعده المعُلم ومسئول الأسرة وهكذا.. طابور طويل لا ينتهي!

تنهدت وشردت في بداياتي لما سخر مني أصدقاء ناديا بالجامعة، نعتني أحدهم بمطرب العواطف لما عرف أنني أحب الموسيقى وأعزف على الكمان، انزويت بعدها حتى اقترب مني شاب من عمري له وجه بشوش قال إنه يعرفني، ابتلعت الطُّعم بسهولة، ظل يستدرجني وأنا أجيب فعرفني بالفعل، بعد أن صلينا العصر بمسجد قريب بمنطقة بين السرايات اكتشفت أنني حتى تلك اللحظة لم أكن أعرف اسمه!!

اتفقنا على اللقاء بعدها بيومين، عرّفني على آخرين من أصدقائه بكلية الهندسة، تمشينا في نزهات طويلة، يكفي أن يفتح أحدهم موضوعًا ليُجبرني على الحديث، بدوا دومًا مبهورين بكلامي وآرائي، لم أكن أعرف أنني مثل خروف يتم علفه وتسمينه قبل ذبحه، انطلقت في المرعى مهرولًا فرحًا وهم يرفعونني لعنان السماء حتى وجدتني بين ليلة وضحاها أُقسم معهم على مصحف ومسدس بالولاء لمرشدنا!

تختلف المسميات مع كل جماعة إلا مع أهل اليسار، أكثر ما يغيظني فيهم ضحكتهم البلاستيكية التي تسود ملامحهم وهم يتكلمون، لا بأس هم يقولون عنّا كذلك أن لنا ابتسامة لزجة ونحن نتحدث، لكنهم غيرنا فهم يختارون بعناية ودقة، يشترطون الثقافة وحرية الرأي جوازًا للمرور إليهم وبعدها كل شيء قابل للتفاوض، على الأقل ليس لديهم ذلك العيب القاتل في جماعة الإخوان التي تتدخل في كل تفاصيل حياتك، تفتش في عقلك كل يوم وتنفض ما علق به من أفكار الآخرين!

ظلت السنوات تمر والدنيا تُعاندني وأحوالي تسوء، كنت أشبه بكلبٍ ضالٍّ، يومًا يجد قوته من بقايا طعام في سلة قمامة، ويومًا آخر يقذفه المارة بالحجارة لمجرد مروره على مقربة منهم، أعلم أن الدولة تُشجع الشباب على السفر لأفغانستان وباكستان للجهاد، تنتقيهم ثم تغض الطرف وهم يغادرون

حدودها إلى هناك، فكرت في عباس المحلاوي، صوره تملأ الجرائد وأخباره على كل لسان، رجل السياسة القوي بالحزب الوطني، لا بد وأنه يستطيع مساعدتي وترشيحي للسفر، ترددت في البداية لكنها ضاقت واستحكمت حلقاتها فلم يعد هناك خيار آخر، بالكاد نجحت في الدخول لمبنى الحزب الوطني على الكورنيش، لم يسمحوا لي باستعمال المصعد فصعدت سبعة أدوار على قدمَيّ، طلبت لقاءه وأنا ألهث من الإعياء، رمقني مدير مكتبه بنظرة متعالية ثم قال بقرفٍ وهو يُشير إلى الباب:

- آخر الطُّرقة على اليمين مكتب الخدمات الصحية والاجتماعية!

التقطت أنفاسي وتماسكت، أخبرته بأنني لست مريضًا ولا أريد إعانة، فقط أريد لقاء الباشا، لم يُعرني اهتمامًا لأكثر من ساعة وانشغل عني بأمور كثيرة، لما أوشك الملل على افتراسي بالكامل دوّنت اسمي كاملًا في ورقة واقتربت من مدير المكتب خافضًا صوتي مركزًا عينَيّ في وجهه قائلًا:

- بلغ الباشا إن طارق ابن أخوه حسانين موجود هنا!

ثم عدت لمكاني ووضعت ساقًا فوق أخرى في ثقة، نجحت الخطة ودخل الرجل أخيرًا بالورقة، غاب طويلًا حتى ظهر بوجه مبتسم متهلل فنهضت متأهبًا للقاء عباس المحلاوي، لكن مدير المكتب جذبني برفق من يدي نحو الباب وهو يدس ظرفًا في جيبي ويهمس بنبرة لا تحتمل إلا تفسيرًا واحدًا:

- الباشا بيقولك الـ 100 جنيه تمَشّي بيها نفسك وتِمْشِي من هنا ما نشوفش وشك تاني!

عُدت للإخوان المسلمين منتظمًا بشعبتي يائسًا، كل ما أريده الآن السفر لباكستان، سمعت الكثير من القصص عن شباب سافروا ليجاهدوا، نالوا أموالًا طائلة وأيضًا نجوا من الموت، لِمَ لا؟ هذا هو حلمي على وشك التحقق،

السفر والجهاد قدر الممكن مع هؤلاء المجانين، ثم أجني المال لأذهب به إلى أوروبا، أفتتح مطعمًا تُعزف فيه الموسيقى كل مساء على العشاء.

تحدثت مع المسئول بشعبتي عن أحلامي فلم يُعلّق، اكتفى بابتسامة لزجة كالعادة وأحالني لمَن هو أعلى منه رتبة، تلقيت تقريعًا شديدًا على أفكاري ووصفها بأنها رجس من عمل الشيطان، صوّر لي أن شيطاني أعماني حتى اسودت الدنيا كلها في عيني، لم تمضِ أسابيع قليلة حتى سافرت بواسطتهم للخليج، عملت بائعًا ومراجعًا للحسابات أيضًا في محل للعطارة والحبوب، لا وجود للموسيقى هنا، غالبًا يعتبرونها من رابع المستحيلات كما أنني نسيت العزف بعدما دقّت طبول الحزن والألم رأسي بقوة فأظلمت ذاكرتي على الجزء الخاص بها، ولم أعد أدركها!

في الرياض تعرفت من خلالهم على رجل يُدعى أبو أيمن هو نفسه الذي حملت كنيته من بعده، سافرت معه إلى صنعاء بعدما أقنعني بالانضمام لجماعته، الجماعة الإسلامية، ليس لديّ ما أخسره، وعدني بالحور العين وأنهار الذهب والفضة في الدنيا لا في الآخرة فقط، كما يقول الآخرون، فالتصقت به. بعد أشهر معدودات خرجت من جنة الرياض القاحلة لنار اليمن التعيس، هناك التحقت مجبرًا بمعسكرات تدريب في الصحراء تابعة للجماعة الإسلامية فندمت على نار الإخوان في القاهرة التي كانت بردًا وسلامًا على عقلي وجسدي ممّا رأيته هنا، حاولت التراجع في البداية لكنهم رفضوا وشعرت من نبرات صوتهم أن الغدر يختبئ خلفها، لا أحد يعود من هنا إلا في نعش، فلم أُدر ظهري لهم أبدًا.

انتظمت في معسكر القادسية، لا شيء نفعله سوى التدريب العسكري والحرص على الرقائق.. نحفظ القرآن، نقرأ التفاسير بعدما تُتلى علينا الأحاديث وتملأ آذاننا بسيرة الصحابة وبطولاتهم في نصرة الإسلام وعزته، نتلقى دروسًا

لتقوية العزيمة وشدّ الأزر كل يومين، جلست شاردًا وسط الرمال الممتدة على مدى بصري، بجواري جمل عجوز يمضغ عشبًا لا ينتهي وكأنه يستحلبه، عيناه نصف مغلقتين، يبدو قانعًا صابرًا لكني لو صبرت مثله سأظل أركبه هنا عشرين عامًا أخرى بينما نحن في نهاية القرن العشرين، زفرت بضيق.. كرهت الصحراء وكل مفرداتها!

مضت ثلاث سنوات عجاف هنا طالت فيها لحيتي حتى قاربت سُرّتي، تبدّلت ملامحي تمامًا وشعرت أيضًا بغربة نفسي، عُدت للسؤال الثقيل على عقلي، ما الذي حققته يا طارق؟!

لا أريد أن أقول بأن المحصلة صفر كبير أشبه بمؤخرة أمير الجماعة الذي يوليني ظهره الآن ويتحدث في سماعة الهاتف بصوتٍ خفيض، فقط أريد أن أعود لنفسي لكنني لا أستطيع، كل طريق مررت به سبقتني إليه السنون والظروف لتمحو علامات العودة من عليه، كل جماعة انضممت لها ترى نفسها الأحق بالخلافة والأوْلَى بالاتّباع، كلهم على ضلال أو حق لم يعد يعنيني الأمر، أنا أريد مالًا فقط، أستر به أيامي القادمة من تقلبات الزمان، أريد أن أعيش في سلام، لكن هؤلاء بالتحديد لن يتركوني حتى ألقي السلام عليهم وأنصرف، سيشيعونني لمثواي الأخير إذا ما انشققت عنهم أو فكرت مجرد تفكير في باب الخروج!

أعطوني مَسكنًا ومالًا بعدما فقدت كل مدخراتي باليمن إثر غارة أمريكية على معسكرنا، احترق كل شيء، المال والسلاح والعتاد والأفراد، مات أبو أيمن في انفجار كبير، رحل الرجل الذي علّمني صناعة القنابل الحارقة والقنبلة الموقوتة بميقات الغسالة الكهربية وقنبلة المسامير، تناثرت أشلاؤه مثلما فعلها في غيره عشرات المرات، هربت بعلمي الذي استقيته منه حتى التقطني أحدهم بشوارع صنعاء، كنت هائمًا على وجهي، دعاني للإقامة في بيته لفترة بدلًا من

المسكن الجماعي، ولما علم بما أختزنه في رأسي لمعت عيناه كمَن عثر على خبيئة من ذهب، عاد بي إلى القاهرة لألتقي أمير الجماعة الإسلامية في محافظة الجيزة، لأصبح من تابعيه مع أنه يصغرني بعامين على الأقل!

- أنت لا تشبع أبدًا!

قالها أمير جماعتي بصلف ثم تعمّد تكرارها أمام بقية التابعين الخانعين، استرسل معددًا حسناته وهباته من الأموال التي حصلت عليها منهم، رددت بذات النبرة المتعالية:

- وأنا أفضل مَن يصنع قنابل النار في بلدك، ومن حقي أن...

قاطعني الرجل بعنف وقد علا صوته:

- ليس لك حقوق، أنت فرد في جماعة، لك ما لها وعليك ما عليها، وإن لم تلتزم تخرج، أمامك يوم واحد لتُفيق، وبعدها لا تلومنّ إلا نفسك!

تركنا الأمير وانصرف، خلد التابعون للنوم المبكر كعادتهم، انزويت، انحنى ذيلي متراخيًا لموضعه بين فخذَيّ فأطبقت عليه خانعًا مستسلمًا، اضطجعت بركن الغرفة واضعًا كفي تحت ذقني وبالأخرى أعبث بأنفي، أنظفه وأمسح ما يعلق بسبابتي في طرف جلبابي، عدت لشرودي ولرهبة إجابة سؤالي التي أتهرب منها وتلاحقني كظلي، حياتي وطموحاتي كلها انحصرت بين طعامي ومنامي بتلك الغرفة الخانقة، ضاقت دائرتي حتى صرت كالبهائم لا تُرى إلا في موضعين.. الأكل والنوم، حتى خالي سالم لا أستطيع العودة إليه بعدما لفظني وأبلغ عني حتى تبتعد عنه عيون البوليس ولا تضبطه وهو يُقامر كل ليلة، مثله مثل أبي كما روت أمي، الإخوان اعتبروه ضالًّا يتعين هدايته أولًا، والجماعة الإسلامية اعتبرته كافرًا يجب قتله، أنا أيضًا أكرهه وأتمنى موته مثلما

تمنيت لكثيرين، لكنهم لا يموتون، ولو قتلت مَن يقهرني ويقمعني سأكون إرهابيًّا في نظر المجتمع ولو ظل هؤلاء الطواغيت يتحكمون فينا لخرج من بيننا مئة إرهابي كل يوم، يا ليتني ظللت مع أهل اليسار ولم أُبلغ عنهم، على الأقل هم مسالمون وبالتأكيد كنت سأحصل على وظيفة إدارية في أي جريدة ثقافية أو حزب بعيدًا عن الحكومة.. الآن أنا مع أنصار الإسلام هو الحل ولا أجد حلًّا لأبسط مشاكلي، أخرجت الورقة الصغيرة من حافظة نقودي وفردتها أمام عيني، أعدت قراءة رقم هاتفها حتى حفظته، كان مميزًا للغاية، أحرقت الورقة وأنا أبتسم على ضوء اللهب، لكن ابتسامتي لم تكتمل.

*****

24

«الجالسون في الظل يستمتعون بما نهبوا، زبائن مثاليون لرجل ثروته المعلومات مثلي»

مراد الكاشف

.. غصت قليلًا في مقعدي مستريحًا، تركت المذيعة تسترسل في ذكر تاريخي السياسي والعسكري وهي تقدمني للمشاهدين مثل كل مرة، رسمت ابتسامة وقورًا متحفظة واثقة كعادتي، أعلم أن غالبية تاريخي مختلقة، لكنها تُرضي الناس وتُقنعهم، مع أن تاريخي الحقيقي أقوى وأعظم لكنهم يحبون مَن يخدعهم، حتى رتبة اللواء التي تخاطبني بها مقدمة البرنامج لم أحصل عليها، فأنا تركت الخدمة عميدًا، اكتشفت عند عودتي للقاهرة أنني أستطيع الالتزام بقواعد اللعبة بل وتطويرها وتطويعها لصالحي رغم أنني لا أعمل بمفردي الآن، لا أملك قراري لكنني أجني مالًا من تلك اللعبة المعتمدة على التنقيب في الدفاتر القديمة وما أكثرها، كثيرون ظهروا على الشاشة وأطلوا علينا من الماضي، لِمَ لا أزاحمهم على تلك النافذة ليراني الناس منها؟!

ألححت في ذكر حكايات غير حقيقية بحواراتي الصحفية، خرجت أحيانًا عن النص لكنهم استحسنوا تجويدي، كتبت بطولات في بيانات سيرتي الذاتية التي أقدمها لمُعدي البرامج، كلفت صحفيين آخرين بالكتابة عني مقابل مبالغ

كبيرة سدّدها مَن يشغّلونني راضين، فهم يعلمون أن قيمتها عظيمة في صنع ماضٍ قوي سوف أتكئ عليه عند ظهوري كفزاعة لآخرين، فضلًا عن إطلالتي التلفزيونية الأسبوعية كخبير أمني ومحلل استراتيجي ورجل سياسة مخضرم كما اختاروا لي أن أعود للحياة مرة ثانية في مصر، أنا مسيّر الآن لا أملك حق اختيار الطريق وإلا فقدت كل ما قدموه لي في غمضة عين، لكني محظوظ، فلو تركوني كنت سأُكمل حياتي وحيدًا في شقتي أتسول طعامي، ولو فكرت بالعمل بمفردي بعيدًا عن مظلتهم فبالتأكيد سأموت في حادث سير مفاجئ أو بانتحار إجباري!

حصلت بتزكية منهم على عفوٍ شاملٍ من العقوبة في القضية التي صدر بها حكمٌ غيابي ضدي، الآن صرت نائب رئيس حزب سياسي، صحيح أنه لم يسمع به أحد ولا يتجاوز عدد أعضائه أصابع اليدين لكنه معترف به من الدولة، يكفي أنه جواز سفر للظهور في القناة الأولى بالتلفزيون المصري، ولكتابة مقال يومي في جريدة «الجمهورية» بعنوان «حضرة المواطن!»

- الزمالك لو سمحت يا أُسطى!

غصت كعادتي في مقعدي بالتاكسي في طريقي لشقتي الصغيرة التي أستأجرها بطابق أرضي قرب نهاية شارع أبو الفدا بالزمالك البحرية بعدما كنت أسكن في عمارة لوبون، أفخم عمارات الزمالك كلها، آه يا زمن الأنصاص! تدفقت ذكرياتي رغمًا عني وراحت تمر أمام عيني لتزيدني اكتئابًا، مررنا في طريقنا بمبنى مجلس قيادة الثورة في الجزيرة، طغت ذكرى المحاكمة العسكرية التي مثُلت أمامها قبل هروبي على ذاكرتي وكأنها حدثت بالأمس، ما زلت أتذكر كل تفصيلة صغيرة بدقة، البدلة التي كان يرتديها رئيس المخابرات اللواء صلاح نصر، لون رابطة عنقه الداكنة التي لم يغيرها، حرصه الدائم على تلميع الحذاء بداخل القفص ذي السياج الحديدية المنخفضة التي تسمح

لرئيس المحكمة بأن يرانا بوضوح حتى ونحن نجلس، ترن بأذني همهمات صلاح نصر ومساعده العميد حسن عليش أثناء الاستراحة لإقناعي بالعدول عن اعترافاتي مؤكدين أنها زوبعة في فنجان، ما زلت أتذكر ضحكاتي في سري وقتها وأنا أراهما مغيّبين متغافلين عن حقيقة كون صلاح نصر أكبر كبش فداء في التاريخ بعد كبش سيدنا إبراهيم، تذكرت أيضًا انفعالي عليهما ذات مرة بأن المشير مات والحي أبقى وأولى بالاتباع الآن حتى ولو كان مريضًا منكسرًا مهزومًا!

دارت أمام عيني ونحن نتجاوز دوران الميدان ببطء أطياف مهزوزة لوجوه رؤسائي السابقين حتى توقفت أمام صورة وزير الحربية، كأنما ثبتت بمخيلتي لأتذكر كلماته الأخيرة قبل هروبه إلى لندن، أرسل لي محاميًا برسالة شفوية بعدما قبضوا عليّ بأيام قليلة، قال: «اعترف بالقليل لتجني الكثير، رأس صلاح فقط هو الذي سيطير..!»

رغم اعترافي واعتقادي بأنهم سيعتبرونني شاهد ملك، عاد وزير الحربية يرسل لي رسالة ثانية لكنها تلك المرة مكتوبة على آلة كاتبة.. كتب: «عندما ترى أنيابه فلا تصدق أن الذئب يبتسم.. احترس منهم.. المخلص شمس!»

للغرابة أن الذي أتى لي بتصريح الخروج من مصر كان عباس المحلاوي، مع أنني طلبت من وزير الحربية أن يساعدني ويأخذني معه لكنه خذلني وتركني وحيدًا، لا أعرف كيف فعلها عباس لكنه قدّم التصريح لي مبتسمًا، عرفت السبب منه بعدها، سلّمني جواز سفر خاص وتصريح مغادرة ووقّعت شيكًا بعشرين ألف جنيه ضمانًا مقابل تطليقي لابنته ناديا، قدّمت وثيقة الطلاق بيميني وتلقيت أوراق الخروج والشيك بشمالي في معركة كلانا فاز فيها. الوحيدة التي خسرت مبكرًا كانت نجوى، طلقتها بعد انتحار المشير بشهر، خفت من الفضيحة واستغلال زواجي منها ضدي بعد الانقلاب علينا رغم أنها كانت حاملًا في ابني الوحيد.

في لندن التقيت وزيري السابق بعد الإفراج عنه والسماح له بالسفر آمنا، عشت معه شهورًا في بيته لكننا لم نتحمّل بعضنا أكثر من ذلك، عاتبته لتخليه عني والهرب بمفرده لكنه رد بأعذار واهية، ظل يعاملني كمرؤوس له مع أنه وقتها لم يكن سوى شريك في محل بقالة صغير على أطراف لندن. قبل أن أنفصل عنه ولا أراه مرة ثانية علمت أنه نجح في تهريب مستندات كثيرة وتسجيلات مهمة لبعض الكبار من مكتبه، خططت لأسابيع حتى عرفت مكان إخفائها ثم سرقتها من منزله مطمئنًّا أنه لن يستطيع الإبلاغ عني، فاللصوص لا يبلغون الشرطة إذا ما سُرقت منهم المسروقات، أيضًا لم تعد له أنياب أو أظافر كما كان، صار أليفًا يبحث عن المرعى كل يوم ليُسكت بطنه وينام.

لا أحب تذكر تفاصيل حياتي بالغربة، أنا أتردد على أصدقائي القدامى منذ عودتي من لندن منتصف الثمانينيات خاوي الوفاض مضطرًا لمّا أوشكت مدخراتي على النفاد، لواءات على المعاش ومسئولون سابقون، الحقيقة لست خاوي الوفاض تمامًا، لديّ سلاح يصعب التفاوض أمامه كثيرًا والمساومة على نتائجه خائبة ودائمًا لصالحي، التسجيلات القديمة والمستندات عن أصول بعضهم وطُرق جمع ثرواتهم، وقتها حدث الاتصال وقابلت مسئولًا مهمًّا وعرفت أنهم بانتظاري، فقد كانوا يتابعون وزيري السابق ويعرفون أنني سرقت المستندات منه، صلاحيات المسئول الذي التقيته تذكّرني بنفوذي بالستينيات لكن المسميات الوظيفية اختلفت، مجرد مسميات شكلية ولا شيء أكثر. لا بأس، المهم المال والعودة للحياة مرة أخرى!

سيارة سوداء كبيرة تقف تحت شرفتي القريبة من الأرض، أرى مَن فيها بوضوح، خرجت لهم متوترًا من داخلي لكنني بدوت متماسكًا، ذهبنا باتجاه شرق القاهرة، نفس المبنى المهيب الغامض الذي يبدو مهجورًا للداخل إليه، لكن ما أن تفتح غرفة من غرفه المغلقة حتى تشعر بفورة الحياة بداخله، وجدت ترحيبًا مشوبًا بنبرة تهديد خفي أدركتها بسهولة من كثرة ما فعلتها،

وصلت الرسالة سريعًا وكنت مستعدًّا لاستقبال أقل منها، قررت أن أوافق على بياض ولمّا أغراني المقابل جهرت بموافقتي. أخبروني أنهم لا ينسون خدماتي للوطن أبدًا وعفا الله عمّا سلف وكان العفو الرئاسي عني بإسقاط عقوبة السجن عربونًا للثقة الكبيرة بيننا يومها.

التعليمات التي صدرت لي كانت واضحة، الابتعاد بمسافة كبيرة آمنة عن الذين لا يزالون بكراسي السلطة، فهؤلاء لا يجوز اللعب معهم من موقعي إلا في توقيت محدد عندما يحين أوانهم، لأنهم الآن يستطيعون إخراسي ودفني حيًّا مع أوراقي وشرائطي في غمضة عين، سألوني عن لعبتي مع الجالسين في الظل ويستمتعون بما جمعت أيديهم واغترفت على مدار السنين ولا يدري بهم أحد، أخبرتهم بأنهم زبائن ملائمون جدًّا لرجل ثروته المعلومات مثلي، أتعرف عليهم، أزحف نحوهم ببطء، أقترب لمسافة أكبر، أهمس ببضع كلمات تفي بالغرض، تشلّ التفكير وتشوّشه، ثم أرسل ظرفًا يحوي بعضًا ممّا في جرابي، ربما يكون كله لكن ضحيتي لن يُدرك أن الجراب صار خاويًا بعدها، سيظن دومًا أن الحاوي لا يزال يخبئ الكثير. فحصلت منهم على أموال كثيرة لإسكاتي، بل وشاركت بعضهم واشتركت مع آخرين لتهديد مَن يضايقهم ويقف في طريقهم، فكل شيء كان له ثمن في مصر!

حصلت منهم على الضوء الأخضر لاستمراري في لعبتي الجديدة، وعندما سألت عن الثمن الذي سأدفعه مقابل تركي ألعب لعبتي تلك، قيل لي:

- لا شيء سوى أننا الذين سنختار لك زبائنك كل مرة!

لا بأس، تلك قواعد اللعبة الجديدة، هم يُصفّون حسابات مع آخرين وأنا مجرد مخلب قط، لكنني راضٍ وقانع طالما سأحصل على المال، هذا حقي ونصيبي بعد سنوات عجاف قضيتها في لندن طريدًا هاربًا من حكم بالسجن عشر سنوات في قضية انحراف جهاز المخابرات، وبالطبع الاستغناء عن خدماتي، وقتها كان الحقير عباس المحلاوي يبدأ رحلة صعود أخرى بالحزب

الوطني، وربما ثالثة على مدار حياته، صار هذا الكلب الأجرب مهمًّا منذ سنوات وصاحب يد طويلة لدرجة أنها طالتني في لندن وأجلستني هناك في بيتي بلا عمل بعدما ظننت أن الفاتورة قد سُدّدت كاملة لما طلّقت ناديا، لكنه كان يريد الإجهاز عليّ للأبد. واليوم حان دوره في لعبة المعلومات والماضي الخفي. لكنّي أنتظر تقليم أظافره أولًا!

نجحت في إلحاق ابني الوحيد بالكلية الحربية وسيتخرج منها بعد عامين بالكثير، أنا أرى شبابي فيه مرة أخرى، جميل أن يعيد التاريخ نفسه على مدار خمسين عامًا. رغم استمتاعي بلعبتي فلم أنسَ بعد عباس المخلاوي ولن أنساه، ظللت أتابع أخباره عن قرب على مدار أربع سنوات حتى علمت بقرب إنهاء خدماته مع آخرين من الحرس القديم للحزب، سيتخلصون منهم تباعًا لصالح أمين التنظيم ورجاله الجدد، رغم أن كلًّا منهم جذر عتيد فروعه تتشعب في أرض مصر منذ عشرين عامًا على الأقل، كوّنوا خلالها ثروات ونفوذ جعلهم حاكمين فعليين لمصر، لكن وضح لي الآن أن الرياح ستقتلعهم لا محالة. طلبت من الجهة التي أعمل لحسابها الإذن باللعب مع عباس المخلاوي بعد خروجه إلى الظل، وافقوا بلا مبالاة ممزوجة بالدهشة وكأن لسان حالهم يقول الضرب في الميت حرام، لا يعلمون أنني انتظرت هذه اللحظة طويلًا كي أنفذ إلى عباس والسيدة زينب عن طريق ناديا، أعلم علم اليقين أن ثروتهم تقدر بمئات الملايين، لكنني لن أتركه يورثها لهما دوني، نصيبي فيها مؤكد وثابت، لديّ من المستندات ما يسمح لي بأخذها كلها إن أردت، ستكره ناديا نفسها لو عرفت حقيقة أهلها، ووقتها سيقدمون جميعًا لي صاغرين كل ما لديهم من ثروة، لا لشيء إلا لكي أسكت للأبد.

- فين يا باشا في الزمالك؟

أفقت من شرودي على سؤال سائق التاكسي فتلفت يسارًا ثم قلت:

- ادخل في الشارع الجاي يمين ناحية النيل.. عند فيلا قلب النخلة.

*****

25

«لم أفقد عقلي بعد، وإن كنت أرقد باستهتار غير عابئ على حافة الجنون»

طارق المصري

صلينا الجمعة في مسجد عمرو بن العاص بمصر القديمة، يحوطني زحام بشر ولا يوم الحشر، سبقت بعض أعضاء جماعتي أثناء خروجي بمسافة كأنني أتبرأ منهم، انحنيت قرب باب الخروج وأثناء انهماكي في ربط حذائي مال الأمير على رأسي هامسًا وهو يرتدي نعليه:

- من اليوم تتخلص من لحيتك.. لكن اترك شاربك وشعرك أيضًا طويلًا.

أومأت برأسي ولم أرد، انصرفوا بصحبته باتجاه القلعة وقادتني قدماي حتى ميدان الجيزة عابرًا كوبري عباس، من ضوضاء الميدان وجلبة الباعة الجائلين قفزت في ذهني صورة عادل رمزي، رفيق الزنزانة لسنوات طويلة، ممسكًا بجيتاره يعزف بضوضاء مماثلة تلح على عقلي، عادل خرج قبلي بعام والتقيته ثلاث مرات بعدها عرَضًا وفي كل مرة أجده بحال مختلفة لكنه لم يفقد بريقه أبدًا، استقرّ به المقام قبل سفري عازفًا بفرقة موسيقية في أحد ملاهي شارع الهرم، وذهبت أنا للرياض ومن يومها لم أرَه!

توجّهت لبيته بالزمالك حيث يقيم في نهاية شارع بهجت علي بالطابق

الأرضـي قريبًـا من شـقة أبي التـي اسـتولى عليها خالي سـالم، لمـاذا اخترت الذهـاب لعـادل الآن؟ هل من أجل أبيه أم من أجل المرور على بيت ناديا؟ هل يحتاج عقلي لحجة فارغة من لساني كي يُقنع قدمَيّ؟؟ هل ظهور ناديا المفاجئ هو السبب؟ ربما الذكريات باتت مثل المصائب تأتي تباعًا..

أنزلنـي الميكروبـاص علـى ناصية شـارع 26 يوليو لأخترق بضعة شـوارع داخلية، خرجت في نهايتها على شـارع محمد مظهر وانحرفت يسـارًا لأمر من أمـام فيلا قلـب النخلة، تلك هي المـرة الثالثة التي أُعاين فيهـا المكان وأرصد سـاكنيه خفية بمفردي، تتملكني أحاسـيس متناقضة لطالما تجنبتها لكنها مُلحة كبـركان ثائـر يمـزق ضلوعي ويوشـك على الانفجـار، خاصة لمـا رأيت مراد الكاشـف يدخل ويخـرج من الفيـلا يوميًّا، أصبحـت أكره المكان وسـاكنيه.. إلا هـي.. الحنيـن يجعلني أتباطأ أمام بيتها، رغم أنهـا خدعتني، لم تكن مطلقة إذن مـن مراد كمـا قالت، ربما منفصلان فقط لكنه مـا زال يعيش معها في قلب النخلة. رفعت رأسـي قرب نافذتها لعلي أراها لكن كل النوافذ مغلقة بإحكام، بدت الفيلا مهجورة وغارقة في سُبات عميق كالمدن القديمة، إلى يمين البوابة وجدت كشـكًا للحراسـة أحد ضلوعـه مخلوعًا، يبدو مهجـورًا، بداخله برميل تعلـن ثقوبه العشـوائية عن تفشـي الصـدأ في هيكله، جـررت قدمَـيّ الثقيلتين بالكاد وكأن قلبي يشدّني لأبقى بينما عقلي يدفعني لأبتعد.

وصلت بيت عادل رمزي منهكًا، من بعيد لمحت مراد الكاشـف يسـتوقف تاكسـيًّا نال الزمن منه لكنه ما زال متماسـكًا، شـعرت لا إراديًّا برغبة في التبول كمَن يرى شـبحًا في كل مكان يذهب إليه، ربما ابتلّت ملابسي الداخلية، لست متأكـدًا، بالكاد هرولت رغم شـعوري بثقـل قدمَيّ، انزويت فـي مدخل عمارة قريبـة ألهـث من الخـوف حتى اختفى مـراد، وقفت أسـتجمع شـتاتي، انتابني هاجـس قـوي بأن مراد الكاشـف هـو الذي يراقبنـي ويرصـد تحركاتي، قرأت

قصار السور لأهدأ، انتظرت لأكثر من نصف ساعة بمكمني ثم خطوت خارجًا في اتجاه بيت عادل، دكان أبيه يحتل واجهة العمارة من جهة اليسار، لافتة جديدة تعلوه عليها صورة مقص وظل أسود لوجه رجل وكلمات مكتوبة بخط جميل: «صالون رمزي للرجال»، عبرت الطريق بخطى مترددة، طرقت الباب لأنني لم أسمع للجرس صوتًا، قدمان تزحفان وتحكان في الأرض ببطء، ثم شبح لرجل هزيل طويل مهوش الشعر خلف زجاج الشراعة، فتحها أولًا ثم تهلل وجهه وهو يصيح بنبرته الساخرة الحادة:

- الشيخ طارق المزيكاتي! والله زمان يا رفيق!

ابتسمت لأول مرة منذ عودتي من السفر، بعدما فارقت الابتسامة شفتيَ وهجرتهما وظننتها ماتت فلم أعد أستخدم شفتيّ إلا في التمتمة بالدعاء على مَن أدخلني في هذا الطريق الذي سرت فيه ولا بد أن أضع له علامة نهاية قريبًا.

روح عادل رمزي لم تتغير لكن جسده نحل وذبل.. بعد ثلاث ساعات من الجلوس سويًا في ركن المزاج كما يسميه رأيت ما يفعله بنفسه، يبتلع أقراصًا ملونة، يفض قطعًا بنية كانت ملفوفة بعناية في ورق سيلوفان أصفر، تتسيد المنضدة كومة صغيرة من مسحوق أبيض، رتّبها عادل بعناية في سطور أمامه ثم استنشقها بغطاء علبة الكبريت بعدما فرده ثم لفّه على هيئة أسطوانة صغيرة ضيقة وضعها بفتحة أنفه.. أعاد رأسه للوراء مغمضًا ثم ابتسم لي بلا معنى، بعدها انغمس في لفّ السجائر وتدخينها تباعًا حتى صار الدخان يلف المكان بسحابة ثقيلة لا تريد مفارقتنا، تقترب منّا وتهبط كل فترة، تحوم فوق رؤوسنا وكأنها تتنصّت علينا، لا يفتح النوافذ أبدًا ولم يعُد يُغادر بيته منذ عام تقريبًا كما قال لي، آلات الموسيقى متناثرة بعشوائية، لمعان بعضها ووضعية البعض الآخر تشيان بوضوح إلى استخدامها بانتظام، ربما يزوره أصدقاؤه العازفون

القدامى كل فترة ليشاركوه هوايته وحرفته، عادل عازف بارع على الجيتار لكنه مؤلف موسيقي مجنون لموجة جديدة لم تطرب جمهور شارع الهرم ففقد وظيفته منذ عام حسبما أخبرني!

- وأنت ليه عامل في نفسك كده زي مجاذيب الحُسين؟ رجعت تاني لإخوانك المسلمين؟

قالها وهو يتفحص هيئتي كمَن سيوظفني عنده ويلف سيجارة جديدة باستمتاع وحماس وكأنها الأولى، ضحكت ولم أُجبه، كنت أستمع بانسجام لأغنية Hotel California التي أدار أسطوانتها قبل قليل، رحت أضرب بكفي على فخذي مع نغماتها خاصة مع تعالي صوت الجيتارات، نظر لي عادل طويلًا ثم قال مبتسمًا:

- صدقني يا ابني الطبع يغلب التطبُّع، سيبك من الجماعة السُّنية دول وتعالى معانا هنا اضرب نفسين واسمع مزيكا نضيفة، أنت عمرك ما كنت لايق عليهم ولا عمرهم كانوا بيحترموك أو بيحبوك، أكيد حنرجع نعزف تاني لناس من بتاعة زمان وأكيد الذوق الهباب اللي بيسمعوه ده حيتغير.. مش ممكن نعيش كده كتير!!

- وأنت عايش إزاي كده يا عادل؟

- وأنت إيه اللي فكرك بيّا أصلًا؟ أنا بقالي عشر سنين ماشوفتكش!

ابتسمت وأنا أُمسد لحيتي بكفي ثم قلت:

- أبدًا كنت في السعودية ولما رجعت قلت آجي لأبوك يحلق لي!

ضحك عادل عاليًا وهو يُشعل سيجارته، ثم فتح ثلاجة صغيرة على مقربة منه، أخرج منها زجاجة بيرة فتحها بأسنانه قائلًا بخبث:

- معنديش حاجة تشربها هنا غير مية ساقعة أو تقوم تعمل لنفسك شاي بحليب!

هززت رأسي بأنني لا أريد شيئًا، ما يعجبني في عادل أنه رغم كل ما مر به إلا أنه يضرب الدنيا كلها بالصرمة القديمة، حتى وهو في المعتقل كان أكثرنا تعايشًا مع الجدران الأربعة وباب الزنزانة الثقيل وكأنها بيته، عادل دخل المعتقل لجريمة لم يرتكبها مثل أغلبنا، بل ربما لم تكن تشغله أفكار الشيوعيين وقتها مثلما اهتم بهم في السجن على مدار السنوات التي قضاها معهم، الفارق بيننا وبينه أنه لم يُحاكم ولم يحُقَّق معه لا في المباحث ولا أمام النيابة ولا حتى بالسجن الحربي، من الدار للنار كما نقول، هو معتقل بلا أوراق كأنه يعيش لكنه غير موجود، مثل حاله في الدنيا بالضبط، كل جريمته أنه أحب فتاة جميلة وأعجب بها غيره في ذات الوقت، صحيح خطبها عادل قبله لكن هذا الغير أنهى الخطوبة مبكرًا ببساطة، قبض على عادل وأودعه المعتقل، وكما نُسي أعوامًا طويلة تذكروه فجأة في عيد الفطر فخرج مع بعض المسجلين الجنائيين.. حُسن سير وسلوك أيضًا كما دخل!

الغريب في الأمر أن الفتاة تزوجت هذا الرجل القوي الذي أرسل عادل وراء الشمس، ثم مَلّ الرجل منها فتركها، ومع ذلك لم تعُد لعادل ثانية وتزوجت غيره، لفظته بعنف وكأنه هو الذي تركها من قبل وارتبط بغيرها! حكى لنا حكايته أكثر من مرة وكان متماسكًا، لكن اليوم تبدو الدنيا وقد هزمته بالضربة القاضية، يتلوّى أمامي على أرضية الحلبة، ينظر بشفقة للحَكَم كأنما يستعجله العد ليُنهي اللقاء ويرحمه فلم يعُد قادرًا على تحمُّل ضربات أخرى، تأملت جسده الهزيل وهو يرتكن بظهره على الحائط ممدّدًا نصفه السفلي على الأرض مسترخيًا كاشفًا ذراعيه حتى بعد منتصفهما بقليل، عروقه شبه الزرقاء تتعرّج في عشوائية تحت جلده كثعابين الغيط الصغيرة، فتح نصف عين مثل ثعلب جريح أنهكه العراك لكنه يُصرّ على مواصلة النِّزال قائلًا:

- شكلك مش مريحني المرة دي، عينيك فيها تحدي وانتقام.. كأن شيطانك راكبك ومدلدل رجليه!

رفعت كتفَيّ ومططت شفتَيّ ثم رحت أتأمل صورة كبيرة لسيدة محجبة معلقة على الجدار المواجه لي، قال عادل بشجن إنها المرحومة الحاجّة والدته!

- حاجّة؟! يخرب عقلك.. تصدق إن أنا وكل الإخوة كنّا فاكرينك قبطي!

ظل عادل يضحك حتى دمعت عيناه، ثم تجرّع نصف زجاجة البيرة دفعة واحدة قائلًا:

- علشان يعني عمري ما ركعتها معاكم تقوموا تخرّجوني من ديني يا كفرة.. طيب يا سيدي أنت عرفت أهو إني مسلم، ادعيني بقى للجماعة بتاعتك يا أخي.. اهديني يا بتاع الإسلام هو الحل، اللي بتكتبوها على حيطان مدارس الزمالك كلها لغاية ما خربتوا دماغ التلامذة ونسّيتوهم الفن الجميل.. ما كل حاجة عندكم حرام!

استغرقه الضحك والسخرية مني حتى قاطعته قائلًا:

- جاوبني يا عادل.. أنت إزاي قادر تعيش كده؟

- إحنا مش عايشين يا طارق.. دي حلاوة روح يا حبيبي.. إحنا مدبوحين من زمان بس بنتحرك من غير راس ولا عقل، بنمثل إننا عايشين لغاية ما روحنا تطلع فعلًا.. الأولاني عمل فينا كده والتاني خلانا كده وكده واللي بعده بيعمل فينا أكتر من كده وحنفضل يتعمل فينا كده!

- مش فاهم قصدك!

- لأ فاهم وبتستعبط، مش إخوانك هُمّا اللي سمّوه ربّان السفينة الحكيم واللي قبله كان الرئيس المؤمن علشان يكسبهم، واللي قبل اللي قبله هتفنا له وقلنا ده الزعيم المُلهم وحبيب الملايين، احنا شعب متدين بطبعه وبتوع ربنا أوي وقت اللزوم وعمرنا ما حنحاسب مؤمن ولا ملهم ولا حتى حكيم على أي حاجة عملها، لأنه حيموت على الكرسي طول ما فيه عبارة «لمدد أخرى»!!

- أيوة عندك حق إحنا بنحب نعمل أصنام ونعبدها ولما نزهق منها نكسرها! بس أنا برة الحسابات دي كلها.

ندت نصف ابتسامة من شفتي عادل وكأنه يكذبني ثم قال:

- ده على أساس إنك بتشتغل لوحدك ولا بتستعبط تاني؟

لم أرد على تهكمه، نهضت بصعوبة من جلستي وكدت أسقط لما ترنحت، ضحك عادل وهو يؤكد بفخر شديد على جودة الصنف الذي يتعاطاه من قوة تأثير دخانه، ضحكت رغمًا عني بلا سبب واضح، اقتربت من مكان الآلات الموسيقية، خالجني شعور غريب أشبه بما كنت أشعر به لمّا ألتقي ناديا بفيلا قلب النخلة ونحن صغار، تحسست عودًا قديمًا صغيرًا برفق كأنه يدها، جرت أصابعي على أوتاره مثلما كانت تتخلل شعرها، عزفت مطلع أغنية «أروح لمين»، علا صوت عادل الواهن بالكاد وهو يدندن:

- وأقول يا مين ينصفني منك.. ما هو أنت فرحي وأنت جرحي وكله منك!

وضعت العود ولم أُكمل العزف، التفت ناحيته بعدما فتحت النافذة وسحبت كرسيًا جالسًا على مبعدة من دخانه قائلًا:

- سيبك من السياسة يا عادل وقول لي.. إنت عايش ليه من غير أمل؟ ليه بتبهدل في نفسك وأنت حالك أحسن من حالي ومن غيرك، على الأقل إنت رجعت للمزيكا وبتعمل اللي إنت عاوزه أو بتحاول، وأبوك جنبك وعايش كويس.. إيه ناقصك يا أخي؟

- يا ابني إفهم ما تبقاش حمار، أنا وأنت وأبويا والناس اللي في الشارع.. كلنا مش عايشين، إحنا بنمثل وبس.. إَحنا مجرد كومبارس متكلم وكومبارس رخيص أوي.. مجرد مجاميع بتهتف واللي مش عارف يمثّل يشد له كرسي ويتفرج على الممثلين ويصقف لهم.. أنا بس اخترت أكون كومبارس موسيقي زي ما انا علشان المسرحية تكمل وأقول اللي في نفسي.. عادي يعني ما هو في ناس بتخرج أحيانًا عن النص!

سكت عادل قليلًا ثم هتف وكأنه يُجيب عن سؤال لم يسأله أحد:

- أيوة..وكلنا كمان مرضى!

- مرضى؟!

- أنت عمرك زرت القصر العيني؟

- مرة واحدة زمان علشان كنت...

قاطعني عادل وهو يتجشّأ بعدما فرغت زجاجته قائلًا بنبرة مسرحية:

- أهو احنا عايشين في جمهورية القصر العيني العربية، كل شوية يجيلك واحد لابس بالطو أبيض ويقولك أنا الدكتور، أنا عارف مرضك كويس وأنا حاعالجك بطريقتي، ويجرب فيك وتاخد أدوية غلط وتمرض أكتر ويزيد وجعك لغاية ما تموت، وغيرك يشكره ويصقف له، وبعدين ييجي الدور عليهم ويطلع غيرهم وهكذا، وحوالين كل دكتور جيش كبير من تمرجية وصبيان وبياعين عطارة ودجالين وسحرة بتعابين، وشوية موظفين بختم النسر لزوم إن

الصورة تكمل وتحس إنك في مستشفى بحق وحقيقي وبرضه بنموت! عارف كل ده بيحصل ليه يا طارق؟

قبل أن أرد قال بأسى:

- لأنه مش دكتور ولا بيفهم في الطب!!

سكت عادل رمزي وسكتت معه كل أصوات الضوضاء الآتية من الشارع، كأن الجميع صاروا يراقبوننا كتماثيل، يسمعون دورهم في الحياة كما قال عادل رمزي، سكت عادل لكن لم يُصفق له أحد، لا أحد يصفق لعادل رمزي، كلهم يصفقون فقط للطبيب المزعوم، لم يعُد هناك ما أقوله، أنا اخترت دوري مثله وربما أخرج عن النص أيضًا.

شرد عادل بعيدًا وهو ينظر نظرة ميتة ناحية لوحة زيتية لفتاة عشرينية ذات عينين واسعتين، مبتسمة في خجل، ربما تكون خطيبته، انتابني هاجس غريب، شعرت لوهلة أن ملامحها تُشبه ناديا. وجنتاها، شعرها، نظرة العين كأنها تلومني أو تُعاتبني، ارتبكت قليلًا ثم توترت أكثر، راح عادل يلف سيجارة أخرى، ربما تكون خامسة أو سابعة لا أعرف.. طالت نظرته حتى بدت عيناه دامعتين ورعشة بسيطة تدركها العين بسهولة في أصابعه التي تعمل ببطء لخلط التبغ بقطع الحشيش، اقتربت وجلست على الأرض بجواره تمامًا، سألته بصوت هامس:

- كنت قتلتها يا عادل وارتحت من العذاب اللي سببته لك، هِيّا ما تستاهلش تعيش!

لأول مرة منذ دخولي أشعر أن عادل يُجيب بوعي كامل لمّا نظر لي نظرة كلها شجن، متحدثًا عنها بعذوبة وكأنه يشدو:

- ومين يريحني أنا لمّا هي تغيب عني وتموت، أنا يا طارق بنام على صورتها كل ليلة، على نظرة عينيها، على ابتسامتها الجميلة دي، عاوزني أسيب كل الجمال ده وأعيش بذنبها.. حرام عليك يا شيخ طارق، في حد يموت وردة علشان الشوك جرحه..؟!

شردت في ناديا زهرة حياتي التي كادت تذبل وتململت في جلستي، ثم نهضت آخذًا طريقي نحو الباب مغادرًا، الضيق يفتك بصدري ويضرب كل جوانبه ومع ذلك لا يخرج غضبي كله مني، لم أُصافح عادل كي لا أبكي أنا أيضًا، أشعر بأن دموعي على وشك الانهمار ففركت عينَيّ، قبل أن أُغلق الباب خلفي سمعت صوته واهنًا يائسًا من بعيد:

- رايح فين يا بتاع الكمنجة.. هو العمر فيه كام عشر سنين كمان علشان أشوفك تاني!

- ما أنا قُلت لك من الأول.. رايح لأبوك يحلق لي.. خلاص ماعنديش حل تاني!

لوّحت بيدي عاليًا مودعًا عادل رمزي دون أن ألتفت إليه، مقاومًا قدر ما استطعت سيل دمع يوشك أن ينهمر، ثم صفقت الباب خلفي وفكرة الخروج عن النص تراودني أكثر من ذي قبل.

*****

.. خرج ثلاثتنا على دراجتين بخاريتين، كانا يسيران بدراجتهما خلفي، لديّ هاجس غريب منذ أمس أنهما سيغدُران بي، لا بد وأن الأمير طلب منهما التخلُّص مني وإلا لِمَ كل هذا التهامس بينهما؟ وما كل هذا القلق المُطل من العيون؟ ولكن كيف؟ فالقنابل معي وهما غير مسلحين، حاولت التركيز في القيادة كي لا أصطدم بسيارة طائشة أو عابر طريق شارد فينكشف أمري، استقر تفكيري على أن أحرق المحل الليلة وأُبلغ عنهم بعدها، الحكومة ستساعدني،

أعلم أنني لست الأول ولن أكون الأخير، كثيرون قبلي وشوا بجماعاتهم وضمنوا حياة هانئة بعيدة عن العيون، أنا أعرف ضابطًا في مباحث أمن الدولة حقق معي من قبل لما استدعاني مرة للاشتباه، تركني عندما لم يجد ما يُدينني، أعطاني رقم هاتفه، سأُخبره بكل شيء أعرفه عنهم، صحيح أنني لا أعلم الكثير وربما ليست تلك هي أسماءهم الحقيقية لكن على الأقل سأُبرئ ساحتي ويحصل الضابط على ترقية وأنا أُولد من جديد..

ترددت مرة أخرى وفكرت في التراجع عن الإبلاغ، لو ضبطوا سيبلغون بالتأكيد تحت التعذيب عن دوري في محاولة تفجير مديرية أمن القاهرة، سيخبرونهم بكل شيء، والداخلية لن ترحمني، فهي كانت المجني عليه وقتها.. قواعد اللعبة كلها تتغير إذا ما تعلّق الأمر بحقوقهم، لن يتركوني أبدًا ولو نزل رسول من السماء ليشفع لي!

اقتربنا من هدفنا، تبخرت أفكار الهروب وأحلام التمرد وحان وقت العمل، توقّفا أمام محل توماس مباشرة بينما تركت دراجتي البخارية على مبعدة، وفقًا للخطة سيتظاهر أحدهما الآن بالانصراف لكنه سيظل قريبًا للمتابعة، وأهرب أنا مع الآخر على دراجته البخارية بعد وضع القنابل ونترك دراجتي المسروقة للتمويه وتضليل البوليس!

أمسكت بحقيبتي جيدًا ومررت أمامهما ثم تواريت بالمنحنى، عقارب الساعة تقترب من الثالثة فجرًا والطريق شبه خالٍ، والمحل شاغر، به نحو عشرة أشخاص بخلاف أربعة من العاملين، فتحت الحقيبة وأعدت ضبط المؤقت لثلاث قنابل صغيرة من التي صنعتها يدويًا لتنفجر بعد دقائق، طريقة جديدة أستخدمها لأول مرة، وضعت قنبلة واحدة فقط بها كمية قليلة جدًا من مسحوق التفجير، ابتعدت بحذر من أمام الواجهة وعُدت مسرعًا لأستقل الدراجة البخارية خلف زميلي، لمحته فجأة يعبث في جانبه ليُخرج مسدسًا، لم يُعطني

فرصة لعمل أي شيء سوى الدهشة، أطلق نحوي طلقتين ثم مضى مسرعًا، صرخت من الألم، أصابتني رصاصة بجرح في كتفي وخابت الثانية، لمحت من وراء زجاج واجهة توماس أشخاصًا تتأهب للخروج نحوي، جريت بأقصى سرعة في الشارع الجانبي، قبل أن أبلغ نهايته دوى انفجار القنابل، انعطفت يسارًا وهدّأت من سرعتي، أُمسك كتفي بقوة لإيقاف النزيف البسيط، لا أحد الآن يتبعني على الإطلاق، ربما لم يرني وأنا أنعطف، أسرعت الخطى في اتجاه فيلا قلب النخلة القريبة من المكان، عند أقرب كشك من الفيلا توقفت وطلبت رقمها، نظرات البائع تلتهم وجهي وكتفي، بقعة الدماء تكبر قليلًا وتفضحني وهو يثبت عينيه على ملامحي وكأنه يرسم لي بورتريهًا، استغرقت ناديا وقتًا طويلًا لترد، جاءني صوتها نائمًا، أخبرتها هامسًا باسمي، علا صوتها كمَن دبّت فيها الحياة فجأة، قلت إنني مصاب من حادث دراجة بخارية بصوتٍ عالٍ حتى يتوقف البائع عن التلصص الصريح، أبلغتها أنني أنزف ثم خفضت صوتي وأنا أُخبرها بعدم استطاعتي الذهاب لمستشفى، لمحت نور غرفتها وهو يُضاء، رأيت شبحها يتحرك خلف الستائر الرقيقة، أخبرتها بمكاني، لم تمضِ ثوانٍ حتى وجدتها على البوابة تُشير لي بالدخول، دُرت حول الكشك وغافلت صاحبه الذي تبدّلت ملامحه وهو يدعو لي بالشفاء وأنا أضع السماعة، تواريت بالأشجار الكثيفة وجذوعها الضخمة، مرقت من البوابة، اصطحبتني فورًا للبدروم وبعد دقائق طويلة كانت قد سيطرت على النزيف!!

على مدار ثلاثة أيام شعرت أنني أعود سنوات بعيدة مضت، كأن الزمن قد توقف والصورة ثبتت على ناديا وهي فتاة صغيرة، لم تتغير كثيرًا، فقط امتلأت وترهلت قليلًا لكن روحها كما هي، أحسست أن بإمكاني تغيير القدر.. يمكنني أن أتزوج منها الآن، أستعيد حق أبي حسانين المصري في الفيلا والثروة كما روت لي أمي قبل وفاتها، قالت إن عباس سرقه ودفعه للهرب من مصر كلها

حتى انقطعت أخباره، إلى هذه الدرجة كان يُخيفه؟ لا بد وأنه دبّر له مكيدة كبيرة وورّطه في جريمة، لكن لماذا لم يسأل أبي عنّا؟

هززت رأسي يائسًا، فلطالما سألت نفسي هذا السؤال ولم أجد إجابة عنه أبدًا، حتى أمي التي ماتت صغيرة لم تُجبني جوابًا شافيًا، كل ما قالته «حسبي الله ونعم الوكيل في عباس الظالم!»

رغم كل ما فعلته ناديا معي وبي طوال السنوات الماضية إلا أنني منذ الليلة الأولى هنا شعرت برغبة عارمة في مضاجعتها، نعم.. مضاجعتها وكأنها زوجتي، أريد أن أفعل بجسدها الأفاعيل وأتخيل مراد الكاشف وهو يراني أنام مع زوجته، لكنها كانت تصدّني كل مرة مع أنه خُيل لي أحيانًا أنها تُشجعني على الاقتراب أكثر.. ليتني أنجح ولو لمرة معها لتشعر بحسرتها والقهر لمّا ابتعدت عني، مرة واحدة فقط هذه الليلة قبل أن أُغادر الفيلا للأبد، فبعدها لن أستطيع الاقتراب من ناديا ولا من الزمالك كلها مرة أخرى.

*****

26

«كأنني أظهر في خلفية صورة مهزوزة، فلايلتفت لي أحد»

ناديا

رحت أُنصت أكثر لكن الصوت ابتعد بالتدريج ثم اختفى أو هكذا هُيئ لي، تركت طارق جالسًا على حافة السرير العريض ببدروم الفيلا عيناه تناديانى وفراغ السرير من خلفه يشي بما سيفعله لو اقتربت منه، لمعت عيناه بذات البريق المخيف وشعرت بأنه يتنمّر للوثب نحوي، لم أنتظر كثيرًا بعدها، قطعت عدة خطوات واسعة محسوبة بدقة كراقصة باليه محترفة، مخترقة الردهة الفسيحة حتى وصلت لباب البدروم، اكتشفت أنني نسيته مواربًا فزاد هلعي، أطللت برأسي متلصصة لبرهة، عاد صوت نقر العصا يرن في أذني ليُخيفني ثانية رغم ابتعاده عني، لملمت شتات أعصابي وهرولت لغرفتي، استبعدت أن يكون أبي هو ذلك الشبح ذا العصا، من المستحيل أيضًا أن تكون عمتي قد تركت فراشها بمفردها لتستخدم عصاها هابطة البدروم، الخدم نائمون في ذلك الوقت المبكر من اليوم، وجيراننا في فيلا شيكوريل لا يستيقظون مبكرًا هكذا، الزمالك كلها ربما تكون نائمة الآن، حتى فهيم أفندي لا يأتي أبدًا قبل منتصف الظهيرة.. هذا إن أتى..

على الرغم من تفكيري الذي بدا لي منطقيًا، توجّهت لغرفة عمّتي كي يطمئن قلبي، وجدتها نائمة في سكون الموتى لكن عينيها نصف المفتوحتين

كعادتها أخافتني، عصاها بالقرب من فراشـها متكئـة على الحافة، مائلة نحوها قليلًا وكأنها تطمئن عليها أو ترهبنا بوجودها!

عُـدت لحُجرتي وأحكمت إغلاقها كي أطمئن أكثر رغم تلاشـي الصوت، خشيت أن يكون الشبح قد عاد بعدما نسيناه لسنوات وتوقف عن ظهوره الليلي المعتاد كل أسـبوع، لطالما حكى لي أبي حكايات مخيفة عنه أطارت النوم من عيني وأنا صغيرة، السـاعة تُشير إلى السادسة صباحًا، وضعت له طعامًا وشرابًا يكفيانـه للغـد وطهّرت جرحه، غيّـرت الضمادات الطبية له للمـرة الرابعة وهو يحتضـن حقيبته الجلديـة الصغيرة بقوة وكأنها قطعة من جسـده، ما زال أمامي وقت طويل على بدء السـهرة احتفالًا بالسنة الجديدة، وقبلها سيزورني مراد، تلك الزيارة التي تخيفني وتفوح منها رائحة ابتزاز منفّرة، لكن الفضول سيأكلني لمعرفة سببها، يا ترى ما الذي لديه أكثر مما أخبرني به منذ أيام؟!

أخرجـت المفكرة الحمراء التي أسـتخدمها بانتظام منذ سـنوات لتسـجيل يومياتـي، دوّنـت فقرة جديدة ثم كتبت التاريخ أسـفلها، اليوم الأخير من شـهر ديسـمبر سـنة 1989، مرّرت القلم بين خصلات شعري، حككت مقدمة رأسي به، ثم وضعت طرفه على شفتي السفلى، تأملت العبارات التي دوّنتها، شعرت بأنني أتفلسـف فيهـا أكثر من اللازم، أراهـا نهاية قوية لقصـة حياتي وإن كانت لـم تنتهِ بعد، قررت منذ فترة أن أبدأ كتابتها لعل ياسـمين تقرأها يومًا، فلا تكرر مأسـاتي، أريد التحرر من ضغوط عصبية أرهقتني كثيـرًا خلال العام الماضي، ظهـوره المفاجـئ في حياتـي مرة أخـرى قلب حالها، هنـاك جـدار بيننا مبطن بالكبرياء يدفعنا لنخطو خطوات واسعة للوراء، فهو ما زال يُعاني من الانطواء، ربمـا يحتـاج ليد تخرجه من هوة العزلة، لكنني كلمـا مددتها تراجعت، ترهبني تلك النظرة المخيفة في عينيه وتلك النبرة المريبة في صوته!!

كأن القدر يريد إعادة مشاهد البدايات برؤية جديدة لكنها بدت لي كابوسية، يبدو أن المصائب تأتي مجتمعة، وكأنني جسر العبور الذي لا بد وأن يمتطوه دومًا ليستقروا في أمان متناسين أنني لم أعد كما كنت منذ عشرين عامًا أو يزيد، لكن ألا يدري القدر بتقلبات البشر؟! أشك كثيرًا!

أخرجني من شرودي صوت صفير عجلات الكرسي المتحرك تقترب من غرفتي، اعتدلت في فراشي مبتسمة رغمًا عني، ضغطت على شفتي السفلى وعيناي تلمعان، فهو لا يكف أبدًا عن عادته البغيضة تلك بالتلصص علينا جميعًا، أنا وياسمين والخدم، حتى عمتي لم تسلم من مراقبته، تركت مفكرتي مقلوبة على صفحاتها، وتسللت من الفراش بخفة قطة اشتمت رائحة طعام فانسابت برقة مستهدية بأنفها لتستكشف موقعه!

فتحت الباب ببطء ورسمت ابتسامة على شفتيّ رغم أحزاني وقلقي منه، وجدته خلف باب حجرتي مباشرة، شعر بفزع خفيف لاحت ملامحه بوضوح لما برقت عينه اليسرى فقط، ظللت أتفرس في وجهه وهو يكتفي بابتسامة مبتورة وقد زال انزعاجه سريعًا لمّا رأى وجهي، مزيج من مكر وخجل مفضوح يطلان من عينيه، استدار بكرسيه نصف دورة، ابتعد متجهًا لغرفته التي تطل على نيل الزمالك من زاوية حادة منحرفة، أسرعت خلفه ممسكة بمقبض كرسيه، بدأت أدفعه برفق فأطرق، وضع راحتيه على فخذيه مستسلمًا، ملت برأسي على كتفيه وطبعت قبلة سريعة على إحدى وجنتيه البارزتين، تحسّس خدي بكفه النحيلة وعروقها النافرة، وصلنا إلى حافة فراشه فساعدته على النهوض، نظرة عينيه شديدة الوداعة، تليق برجل عجوز ينتظر كلمة النهاية من قدر منحه ثمانين عامًا إلا شهورًا حتى الآن دون إشارة جادة على قرب انتهاء الرحلة الطويلة، لا يزال ذهنه حاضرًا بقوة يعي ما حوله، ذراعاه تتحركان بسلاسة.. وكانت لديه رغبة عارمة في الحياة حتى شهور قليلة مضت قبل أن ينغلق على نفسه وينهار بلا سبب واضح لنا!

- متأكد أنك مش عاوز تقول لي حاجة يا بابا؟!

تشبث بذراعي بعد سؤالي وأنا أميل نحوه أكثر وأحتضنه حتى لا يسقط مني، انسدل شعري الطويل على وجهه فحجب عينيه عني، راح يتأملني بغرابة وكأنه يودعني، شعرت أيضا أن نظرة عينيه منكسرة كمن يعتذر عن أمر ما، الجلطة التي أصابته تجعل كلامه غير مفهوم، أمسك بإطارات كرسيه ثم نقر عليهما عدة مرات بأصابعه وهو ينظر لي ثم أشار لجلبابه وفرد ذراعه بعدها وهو يهز كفه المرتعشة وكأنه يشير لمكان بعيد، جذب يدي وجعلني أتحسس الإطار برفق، لم أفهم مقصده، أعدت سؤالي عليه لعله يفسر لي أكثر فلم يرد، قدمت له ورقة وقلمًا ليكتب ما يريد لكنه أزاح كفي وأشار إلى عقله عدة مرات ثم أطرق في ضيق كمَن مَل وتعبٌ بعد شرح طويل فلم ألح عليه، عاد نفس الهاجس الذي ينتابني معه منذ فترة وأكده مراد ينقر رأسي، عباس يخدعنا ويخفي عنا شيئًا بل أشياء كثيرة، الآن موقنة بأنه يستطيع النهوض بمفرده في أي لحظة، تلك الكف الطويلة التي تقبض بقوة على ذراعي الآن بأعصاب مشدودة لا يمكن أن تكون لرجل نصف مشلول، شارد، مثلما يبدو أمامي الآن، هذا الصوت الذي أسمعه أحيانًا آتيًا من بعيد في قلب الليل أو قبل بزوغ الفجر بقليل، يُشبه صوته إلى حد كبير، لا يمكن أن تكون كل هذه الأصوات والأحاسيس تهيؤات وأوهام، لا بد أنه يتكلم ويتحرك، يا ترى هل يكون هو الشبح الليلي الذي ظل يزورنا لسنوات ليُخيفنا كما كانا يحكيان لي دائمًا؟! لست أدري.. ربما لم أُجن بعد.. لكنني في طريقي للجنون.

*****

- سيادة اللوا مراد منتظر في الصالون الصغير يا ناديا هانم!

بنظرة غاضبة أشرت للسفرجي أن ينصرف وألقيت أخرى على ساعتي، ما زال أمامي أكثر من عشر ساعات على حفل رأس السنة ولا أعرف سبيلًا

للاعتذار عن عدم الخروج كي لا أُغضب ياسمين. أرقدت أبي بفراشه على ظهره، وقفت أمامه عاقدة ذراعَيّ أسفل صدري أتأمله، تاهت نظراته وهو ينظر لسقف الغرفة، استشرى بياض عينيه حتى غلب ملامحه كلها، لكنه أغمض بسرعة وكأنه يهرب من هواجسي، ربما خاف أن أقرأ الحقيقة على صفحة عينه الغائرة بعمق في وجهه، بينما الأخرى استسلمت للجفن المنسدل عليها في خنوع، تركته لينام قليلًا كعادته، هبطت الدرج وصورة مراد الكاشف لا تفارق خيالي، فهو مَن دفعني لأعيش هذا الكابوس، وأدون مشاهده كل يوم في مفكرتي الحمراء بزياراته المتكررة لفيلّتنا، لما ظهر وهددني بتعريتي إن لم أُعطه ما يريده، لم يكن يجرؤ على مواجهتي أو الحديث معي حتى سقط أبي مريضًا وفقد منصبه الكبير ومعظم نفوذه، فاستأسد علينا من يومها.

كشف لي مراد جانبًا من الحقيقة في زياراته السابقة بطريقة مسرحية، أشهد أنها كانت صادمة لدرجة أربكتني جدًّا، وأبكتني كثيرًا، وقتها تساندت على أقرب مقعد، جلست منتبهة تفور دمائي بداخلي، تغلي بعنف منافسة براكين الحواديت القديمة المفزعة في حدّتها، شعرت لوهلة أننا في مسرح مظلم صغير، اعتلى مراد خشبته بثقة وغموض، بوجهٍ جامد الملامح لا يعرف الابتسام، انفتح الستار ولا أحد ينحني أو يحيي المتفرجين، فلا أحد هنا سواي، الضوء كله يتركز عليه وحده وأنا قابعة في ظلام الصالة متأهبة لتلقّي الحقيقة وحدي!

خلع مراد البيريه بهدوء، بدا شعره الأبيض مهوشًا، عيناه غائرتان بعمق في وجهه النحيل المجهد، لكنهما تلمعان ببريقٍ مخيف، تجمّدت مع حركات يديه في مقعدي بالصف الأخير، أنتظر آيات سحره بفضول ولا أنوي التصفيق، خائفة، قلبي منقبض، يداي مرتعشتان، ليقول كلامًا كثيرًا عن عائلتي بنبرة عصبية زاعقة لا تخلو من إهانة، كان فصيحًا مفوهًا كأنه يقرأ ورقة تلو الأخرى من كتاب حياتي، صمت قليلًا، ثم أضاف بجدية:

- آن الأوان إنك تعرفي حقيقتك كلها وتفكّري في عرضي قبل ما ترفضي طلبي!

اعتدلت في جلستي قدر ما استطعت، بادلته ابتسامته الصفراء بأخرى مستنكرة لكل كلامه لكنها خرجت مني مرتعشة، فبدت خائبة، قلت متلعثمة وأنا أستجمع شتاتي في محاولة أخيرة لإنكار الحقيقة:

- أنت بتكذب زي عادتك وأنا كنت...

وضع إصبعه على فمه لكي أصمت، والغريب أنني استجبت فورًا، فشلت محاولتي لزعزعة ثقته بنفسه وإسكاته، غلبتني شدة فضولي كي أعرف أكثر، أربكني بنظراته الحادة واقترابه مني بخطى واثقة، كلمات مراد تمزقني، لا أريد تصديقها لأعيش حياة موازية متوازنة قدر الإمكان، امتدت لأكثر من أربعين عامًا ولم أعد أعرف كيف ستنتهي، عباراته تهيج جروحي وكنت ظننتها التأمت لمّا غاب أسبوعًا عني، يجلدني بقسوة مع كل كلمة ينطقها، تنزف روحي مزيدًا من كبرياء جمعتها بالكاد على مر السنين، حتى هويت من عليائي فجأة، صرت هشّة.. مندهشة.. منكسرة تحت قدميه، أراه قويًّا ضخمًا وأشعر بضعفي وضآلتي وأنا أرفع عينَيّ نحوه.. مثلما كنت دائمًا معه!

فجأة سألني باستنكار ممزوج بكثير من الاحتقار وهو يعقد ذراعيه أسفل صدره:

- تحبي أقول لك يا ناديا، ولا تفضلي تعرفي اسمك الحقيقي؟!

- تقصد إيه باسمي الحقيقي؟!

تجاهل مراد سؤالي، الحقيقة أنني لم أستوعب جيدًا مقصده، يبدو أنه يحاول استفزازي أكثر، يلمّح لي الآن بأن اسمي الحقيقي ليس ناديا وأن لي اسمًا آخر وربما أنتمي لعائلة أخرى، ربما قصد إضفاء غموض على بدايات

كلامه لأستمع إليه بإنصات أكثر، مع ذلك تظاهرت بلا مبالاة وفرحت بنجاحي في إخفاء فضولي طوال ساعتين، ظل يحكي فيهما روايات أظنها مفبركة عن والدي، كان يكرهه ولا شك، سبب كافٍ كي يختلق روايات كثيرة عن بدايات متواضعة لعائلة المحلاوي وصفقات مشبوهة لأبي مثلما فعل منذ أسابيع لاستفزازي، لكنه لم ينل مراده..

- أنا مش موافقة على أي حاجة أنت...

- حتوافقي لما تسمعي حكايتك كلها!

لم أتسرع بالرد هذه المرة رغم مقاطعته لي، قد يكون كلامه به بعض الصواب لكننا لسنا بالصورة السيئة التي يرويها مراد بخياله المريض، كنت أعرف أنه يموت غيظًا من برودي فتماديت فيه، حتى تطاول فجأة على أمي وأبي وعمتي..

- أنتي على نياتك طول عمرك، كلهم ولاد كلب طماعين ضحكوا عليكي!

عباراته الأخيرة جعلتني أنتفض كالحية لأنهشه:

- اخرس! أنت عارف كويس أنا بنت مين، إياك تتكلم عن أمي وأبويا أو حتى عمتي زينب مرة تانية.

ضحك مراد ضحكة بدت لي هستيرية وهو يردد محاولًا السخرية من طريقة كلامي:

- الله يرحمهم جميعًا!

- واضح أنك بدأت تخرف.. هو أنا أهلي كلهم ماتوا؟

تجاهلني مراد مرة ثالثة، وضع ساقًا فوق أخرى وهو يُشعل سيجارته، عاد إليه غموضه الذي اكتسبه من عمله لسنوات طويلة ومكّنه من الاطلاع على

ملابسنا الداخلية طوال الثلاثين عامًا الماضية كما يحلو له أن يقول بفخر دائمًا وما زال، مضى مسترسلًا في حديثه، بدأت أهتز هذه المرة من الحكاية لكنني تظاهرت بالصمود أمامه وإن كنت أتيت على نصف علبة سجائري في أقل من ساعتين، حتى زلزل كياني قائلًا:

- عباس عنده ابن يهودي اسمه «إبراهام إيدرزهايم» على اسم عيلة أمه الإنجليزية وعايش في لندن!!

ترنّحت لوهلة من كلمات مراد، أبي أنجب طفلًا في لندن؟! متى؟ ولماذا؟ وما عمره؟ ومَن أمه؟ وما هذا الاسم الغريب؟ مَن سيُجيب عن كل هذه الأسئلة التي خلفها مراد وراءه الآن كعاصفة رمال تُغشي الأبصار وتُرهق العيون وتُربك العقل. اختفى مراد من أمامي فجأة، تيبست على مقعدي لا أشعر بأطرافي، حتى ذاكرتي توقفت على صورة مراد وهو ينهض من مقعده، بعد برهة عاد يسير ببرود كعادته، أشار لي بكسارة الجوز، يبدو أنه أحضرها من الأوفيس القريب، مضى يروي بغير توقف كأن محدثه كان يلقنه ما سيقوله، كدت أفقد صوابي ممّا أسمعه، حكى لي أنه رأى أبي في لندن بعدما طلقني بأربعة أعوام، كانت الحرب قد انتهت منذ تسعة أشهر والصيف يجعل لندن مزدحمة مثل عاصمة عربية تقريبًا وكأنهم يحجون إليها كل عام في نفس التوقيت، اختصر مراد كل التفاصيل ودخل في قلب الموضوع مباشرة، استمر يتكلم دون مقاطعة إلا صوت كسارة الجوز كلما هشم واحدة والتهم قلبها من بين ثنايا قشرتها بتلذذ!

حكى تفصيلات كثيرة عن يوميات عباس في لندن ولعبه للقمار بملهى «بلاي بوي» وتجارته في السلاح مع جارنا الضابط الكبير الذي ترك الخدمة بعد زواجي من مراد وهاجر إلى إنجلترا، روى مراد أنه بدأ يتقرّب منهما مرة أخرى لكن أبي لفظه وعامله الضابط الكبير بجفاء شديد فلم ينسَ انقلابه عليه وإبحاره في زوارق الوزير وقتها ليتركه وحيدًا على شاطئ الإحالة للاستيداع،

قال مراد إنه ظل رغم ذلك يعيش في لندن ولم يعد للقاهرة وابتعد عنهما بمسافة مرغمًا، قالها بنبرة تفيض بالغل، أوضح أنهما حارباه وتسببا في فصله من كل الوظائف التي امتهنها حتى لو كانت تافهة، ظل بعدها كل فترة يتعثر في عباس المحلاوي أو أخباره إلى أن مات فجأة الضابط الكبير، سقط من شرفة مسكنه وقُيد الحادث على أنه انتحار واختفت كل أموال الرجل السائلة ومجوهراته، واختفى عباس أيضًا لشهور طويلة بعدها، حتى ظهر فجأة مع ولده الصغير وزوجته الإنجليزية.

- وبعدين؟ كمّل كلامك أرجوك..

ظل يتفرس فيّ ببرود وابتسامته اللزجة تكبر ببطء، ثم قطم قصته فجأة بأن هذا الولد كبر الآن ويبدو أنه غادر لندن مع أمه للدراسة في أمريكا!

سحب مراد نفسًا عميقًا من سيجارته ثم أردف وهو شارد:

- لسة مش متأكد من مكانهم هناك لكن أكيد حاعرفه.

- أرجوك يا مراد.. عاوزة أعرف تفاصيل أكتر..

- نسيت أقولك إن عباس اشترى بيت من عشرين سنة في مدينة برايتون بيعيش فيه أشهر الصيف كل سنة، وصرف فلوس كتيرة على مراته وابنه، إبراهيم غيّر اسمه وديانته لأمه وأخد لقبها زي ما قلتلك، بقى يهودي يعني زيها! آه، نسيت أقولك كمان إن الظابط اللي انتحر كان بيتاجر في السلاح وعباس عمل فلوس كتيرة من وراه وبعدها كان...

قاطعته بصوت ضعيف متلهفة على ما يهمني:

- وأخويا اليهودي ده، عمره أد إيه يا مراد؟

- السنة الجاية يكمل واحد وعشرين سنة، لكن الغريب إن أبوكي كتب له وصية في لندن ومن سنة تقريبًا لغاها تمامًا، مكتب المحامي البريطاني عندهم

نسخة من أوراق بتوقيع عباس المحلاوي وكلها موثقة ومعتمدة، أنا عشت كتير في لندن ولسة عندي علاقات وقدرت آخد نسخة من بعض المستندات، مفيش وقت كفاية يا ناديا.. لازم تضغطي على عباس وزينب وتهدّديهم علشان ناخد حقنا منهم أو تسيبيني أنا أتكلم معاهم بطريقتي!!

سكت برهة ثم أضاف:

- الأهم أنك تنقذي سمعة العيلة من الفضايح.. ده اللي حيخوف عباس ويخليه يسمع كلامك كله ويديلك فلوسه كلها كمان، تاريخه المهبب في التزوير مع فهيم وابن في إنجلترا وكمان يهودي ده غير تجارة السلاح واشتباه بأنه قتل الظابط الكبير و...

أشرت له بيدي كي يصمت، لم تعد بقية يوميات أبي في لندن مثيرة للفضول، مراد بدأ بفصل النهاية وحرق الأحداث كلها، الدنيا اسودّت أمامي فجأة، تماسكت بالكاد حتى أقول له:

- أنا مش مصدقة ولا حرف من كلامك، أنت طول عمرك كداب وحاقد، أعلى ما في خيلك اركبه!!

- حتصدقي.. أسبوع بالكتير ويكون عندك صورة من كل المستندات، حابعتها لك على الفاكس، لكن سيبك من كل ده لأنه مش مهم، في حاجة تانية أهم بكتير من حكايات عباس في لندن وهي اللي خلتني أجيلك وأتكلم معاكي.. حكاية تخصك أنتي شخصيًّا ولازم تعرفيها قبل أي قرار!

أشعلت سيجارة فلاحظت أن يدي ترتعش، رددت على مراد بنبرة يائسة:

- إيه اللي ممكن يكون مهم في الدنيا بعد المصايب دي كلها؟!

- إن عباس المحلاوي نفسه عمره ما كان أبوكي يا ناديا.. ولا حتى مدام پولا أمك!!

*****

27

«الأسد العجوز لا يخرج للصيد، لكنه قد يفترس مَن يدخل عرينه»

مراد الكاشف

هيّأ لي القدر الطريق ومهده، سقط عباس مريضًا ومطرودًا منبوذًا من الحزب الوطني، جرّدوه من كل أسلحته فجأة، فقبلها لم أكن أجرؤ على مجرد الاقتراب منه أو تهديده، كان لزامًا عليّ التفكير في طريقة تليق بدخول عرين الأسد العجوز عن طريق ناديا، طريقة تنفذ لتفكيرها وتلائم طباعها المتقلبة لتستفز مشاعرها، فلو اكتفيت بتهديدها بحقيقتها وحقيقة أسرتها دفعة واحدة بالمستندات التي تحت يدي والمعلومات التي أعرفها فربما تتمادى في العناد وتكفر بكل شيء وقد تنتحر فأخرج من المولد بلا حمص كما يقولون.. كان لا بد من جرحها قبل ذبحها.. تركها تنزف كل فترة لكن لا أتركها تموت، أداوي جروحها في آخر لحظة، بصيص من الأمل فرصة للنجاة عن طريق وحيد هو حبها لنفسها، لناديا الأرستقراطية، سيدة الزمالك الراقية التي عاشت حياتها على مدار أربعين عامًا مضت.

رغم ظني بأنني خطّطت جيدًا إلا أنها أتعبتني في البداية، لكن لا بأس لا يزال لديّ كارت أخير هو ياسمين ابنتها، راوغتني ناديا مرات عديدة حتى زرتها في فيلّتها بالزمالك ثم تعددت زياراتي من بعدها لتصبح طقسًا شبه يومي

فلا تكون عندها فرصة للتراجع إذا ما فكرت وحدها، ومع ذلك كانت لديها القدرة على إرباكي بنظراتها ودفع قطرات العرق للظهور على جبهتي، هي أشبه بمرآة أرى فيها ما لا أحب أن أراه، ربما ذلك دفعني للضغط عليها أكثر، انهارت في البداية ثم تماسكت وبعدها دارت في دائرة الشك، كذّبتني وحاولت تصنُّع اللا مبالاة لكنها في النهاية رضخت لمّا أخبرتها أن لديّ أيضًا كل الأوراق الرسمية المزورة والحقيقية وحكيت لها جانبًا منها فتخلخلت مقاومتها.

رتبت ملفًّا يحوي كل المستندات التي تحت يدي وما لم أتحصل عليه اعتمدت فيه على ذاكرتي، استخدمت ما وجدته في تسجيلات قديمة لأجهزة تنصُّت كنت وضعتها في فيلا قلب النخلة لسنوات ولا تزال تحت يدي، فرّغتها بخطي في أوراق كثيرة، رحت في كل لقاء أروي لها جانبًا منها لكنني لم أسلمها ورقة بعد، لم أُرد كشف أوراقي كلها مرة واحدة حتى لا تساومني من موقف قوة، أردت الحصول منها على أي شيء أولًا، فهي وأبوها وعمتها وغيرهم مجرد رعاع سرقوا ونهبوا في غفلة من الزمن مثلهم مثل كثيرين، ولو لم يكن تحت يدي ما يخيفهم لوضعوني بالسجن، ووقتها لن ينفعني مَن يقفون خلفي، سيتركونني أواجه مصيري وحدي، سيديرون وجوههم باعتبارها خلافات عائلية لها ضحايا.

عندما أخبرتها بالحقيقة وألقيت قنبلة أخرى في وجهها بأنها ليست ابنة عباس المحلاوي ولا أن أمها مدام پولا أرملة شيكوريل، ثم تلوت على مسامعها ببطء اسمها الحقيقي المدوّن في شهادة ميلادها الأصلية..

يومها أطلعتها عليها، ضغطت على كل حرف وأنا أتابع ملامحها وهي تقرأ شهادة الميلاد، بدا لي أن تشنجًا خفيفًا ضرب خدها الأيسر.. هي مجرد ابنة وحيدة يتيمة لعامل بالسكة الحديد أودعها أهل أبيها بدار للأيتام عندما كان عمرها عامين تقريبًا، ماتت أمها وهي تلدها ولحقها أبوها بعدها وضاق

بهـا الأقارب، بعدها اختارتهـا زينب مع عباس كي تكون ناديا ابنة شـيكوريل، لا لشـيء إلا لأن عمرهـا ربمـا كان ملائمًـا لمـا كانـوا يخططـون لـه، الحقيقة لا أعـرف بالتحديد مـا الذي فكروا فيه وقتهـا، ووافقت دار الأيتـام على تبنيها بشـرط احتفاظهم باسـمها الحقيقي، لكنهم بالطبع زوّروا الاسـم بمعاونة فهيم أفنـدي، أوراق وشـهادات تُفيـد نسـبها لعباس وپـولا ليرث فيلا قلـب النخلة والنقـود، حصلت أيضًا على صورة من شـهادة ميلادها المزورة، دونوا اسـمها بحرف الألف في نهايته إمعانًا في إثبات أن أمها الأجنبية پولا هي التي اختارت اسـم ناديا. نفس الطريقة التي كان يكتب بها شـيكوريل اسم ابنته ناديا وسجلها به فى شهادة الميلاد وجواز السفر وكانت معروفة لكل أهل الزمالك وقتها!

- صدقيني كلهم باعوكي وكل حاجة كانت بتمن، حتى جوازنا كان له تمن كبير كمان.

- إزاي يعني؟!

- أنا ضغطت على عباس باللي أعرفه عنه علشـان أحيّده لأنه بيخاف على صورتـه قـدام الناس، أما عمتـك زينب فكانـت بِجحة وفاجرة مـا اتهزتش من التهديـد لكن وافقت على كتب الكتاب بدل الخطوبة لما سـاعدتها في تهريب فلوسها لبيروت!

- بيروت؟!

- أيـوة.. الظـروف بتاعـة البلد وقتها كانـت صعبة ومفيش فلـوس بتخرج والتأميم والمصادرة خوّفوا ناس كتير فخرّجنالها خمسين ألف جنيه وحطناهم في حساب باسمها بمصرف لبنان.

فجـأة لمعت عيناهـا كأنها تذكرت أمـرًا قديمًا ثم قالت بنبـرة غريبة وكأنها فقدت صوابها:

- أنت اللي قفلت أتيليه مايسة هانم عمرو جارتنا وخليتها تسيب مصر وتسافر وقتها؟

- زينب اللي طلبت مني كده بسبب الخلافات اللي بينهم.. أنا مش طرف في الموضوع يا ناديا.

سالت دموع من عينيها وهي تسألني مرة ثالثة:

- هي مايسة هانم كانت تعرف حقيقتي دي يا مراد؟

- ما اعرفش لكن لما اتقدمت لك كانت الزمالك كلها بتتكلم عنكم وشاكين في نسَبِك، ده اللي خلاني أدور وأفتش، ماحدش كان مصدق إنك بنت عباس لأن پولا كانت كبرت ومريضة بالقلب، كان في إشاعات كتير وقتها إنك بنت الخواجة شيكوريل أو بنت زينب المحلاوي وإنهم مخبيين حقيقة أبوكي، ده طبعًا خلاني أتحرى أكتر وأعرف الحقيقة قبل ما نتجوز، لكن بعد ما عرفت كنتي عاجباني برضه يا ناديا.. أنا حبيتك حقيقي.. أنتي حب حياتي الوحيد يا ناديا.. صدقيني..

لم تفلح كلماتي في تليينها، التشنجات تزداد بوجهها، يتدلى فكها قليلًا، أصابعها ترتعش ممسكة بسيجارة لا تستطيع إشعالها فأعاونها، أناملها باردة للغاية كأنها ميتة، لم تعلق على كلامي، عدت أسترسل في سرد قصة آل المحلاوي، أخبرتها أنهم سجلوا الفيلا باسمها كي يغلقوا الطريق أمام أشقاء شيكوريل ومن بعدها أفلتتهم من المصادرة والتأميم، فناديا مواطنة مصرية مسلمة، حتى استرد عباس ملكية الفيلا منذ سنوات من جهاز الحراسة ليرهنها ويحصل على قروض من البنوك، قلت لها ما علمته من خلال تتبع سكرتيره فهيم أفندي وكيف نقل ملكية كل شيء مؤخرًا باسمه ليحرم زينب من كل أموال عباس، فعلوا ذلك كله ليستولوا على فيلا شيكوريل منذ أربعين عامًا والآن يكررها عباس مستعينًا بفهيم ليتخلص من زينب بنفس الطريقة، التزوير

في الأوراق الرسمية، مستند بيد زينب يحمل توقيعات مزورة لا تخص عباس، ففهيم هـو الذي وقعها بـدلًا منه، أمـا الأصـول الحقيقية فكلهـا بتوقيع عباس وبحوزتـه وحـده، اليوم حـان دوري لأرث نصيبي في ثـروة عباس المحلاوي والحاجـة زينب لا بالتهديد وإنما بالاتفاق مع ناديا، هذا حقي وحقها، ومكافأة نهاية خدمتنا.

- صدقيني مفيش وقت..دي أحسـن فرصة للضغط عليهـم في الظروف بتاعتهم دلوقتي وكمان هو كتب أملاك كتير وفلوس باسمك.. فاسمعي كلامي وبلاش تبقى عنيدة.

ظلت ناديا شاردة صامتة كأنها قطعة من الحجر، من داخلي كنت واثقًا أنها انهارت تمامًا من داخلها، مطمئنًا أن ثمرة الشك نضجت بداخلها وحان قطافها لتصـل إلـى اليقين وتسـلّمني بعدها نصيبـي، تركتها وانصرفت قرب السادسـة مسـاءً، ثـم اتصلت بها هاتفيًا بعدها بسـاعة من شـقتي حتى لا أتـرك لها فرصة للتفكيـر الهـادئ، جاء صوتهـا متثائبًا كسـولًا على الطرف الآخـر متصنعة اللا مبـالاة مثلما تفعل معي دائمًا كل مـرة، وددت إيقاظها من غفلتها فأخبرتها عمّا بوسعي فعله لو تقاعست أو غدرت بي، ما بين فرض شروطي والتهديد الظاهر المغلف برفق بترغيب مبطن يسـهل فضـه وفهمه لأتجنب غضبتها، لكنها فجأة استعادت عصبيتها بسرعة قائلة:

- بتهددني يا حيوان إنك تبلغ البوليس عن موضوع حصل من أربعين سنة، تفتكـر يعني حيحبسـوهم ولا حتى حيحاكموهم وهمة في السـن الكبيرة دي؟ حتـى موضوع أخويا اليهودي لغاية النهارده أنت ما قدمتش مسـتند واحد يؤكد كلامك وانا مش مصدقة أي حرف من اللي بتقوله حتى شـهادة ميلادي.. أنت بتحاول تدمرني لكن أنا مش حاسـيبك تعمـل كده وحابهدلك. أنا حابلغ عنك يا مراد وأوديك في ستين داهية!

أجبتها بهدوء:

- اهـدي يـا ناديـا.. أنا جنبك فـي الزمالـك وراجعلك حالًا، الـكلام ده ما ينفعش في التليفونات.

عدت بسرعة، جلست هذه المرة بمكتب عباس، وضعت ساقًا فوق أخرى، قلت لناديا وهي واقفة ينهشها التوتر بنهم:

- ميـن قال لك إني عاوز أحبس عباس باشـا أو زينب هانم لا سـمح الله؟ لكن لو البوليس أخد خبر بالموضوع، الحكومة حتحط إيديها على كل حاجة، كلـه كان بالتزويـر واللـه أعلم بقى عباس عمل فلوسـه الباقية منيـن؟ لكن أنتي لمـا تبلغي عنـي حتقولي إيه يا تـرى؟ ده غير الفضيحة يا مـدام ناديا والا تحبي أناديكي من النهارده باسمك الحقيقي؟

لـم أنتظر ردّها، ابتعـدت وتركتها حائـرة قلقة، اقتربت مـن النافذة البحرية المطلـة علـى النيـل وفتحتهـا علـى مصراعيهـا متأملًا مـن بعيد صيـاد بفلوكة صغيرة يقترب، يرمي شباكه وينتظر، أشعلت سيجارة رابعة وقلت دون أن أنظر ناحيتها:

- اعقلي وفكري كويس لأن البديل إنك تبقي في الشـارع حتى لو البوليس سـابك في حالك، أنا معايا أدلة كتير ومسـتندات أكتر فوق ما تتخيلي وياما في الجِراب يا حاوي!

انتظرت ردّها لكنها ظلت صامتة لفترة طالت فظننتها غادرت الغرفة، التفت فوجدتها سـاكنة كتمثال شمعي لدقائق طويلة شعرت معها أن ملامحها تغيرت وكأنها ممسوسة، بعد فترة نطقت بالكاد وبصوتٍ خفيض:

- بصراحـة أنـا مـش مصدقـة أي كلمـة، كلـه كلام في كلام لازم أشـوف بعيني كل حاجة، وريني كل الورق، ابعتلي صورة من المسـتندات ونسـخة من

التسـجيلات اللي عنـدك واحتفظ بالأصول علشـان تتطمـن، وبعدها نقعد مع بعض وأنا مسـتعدة وقتها أوافق على كل شـروطك وأديلك الفلوس اللي أنت عاوزها.

لـم أرد عليهـا وكأننا نتبـادل الصمت كل مرة، اسـتدرت ناحيـة النافذة مرة أخرى، رحت أملأ رئتاي بالهواء، وقعت عيناي على الصياد وهو يبتسم وينادي ابنه القابع بطرف الفلوكة ليعاونه، فقد امتلأت الشبكة بأسماك صغيرة.. كثيرة.

*****

28

«الكل خطط من البدايات ،والأقدار أرجات المفاجآت لنهاية الطريق»

نادیا

غـادرت الفيـلا قرب العاشـرة مسـاءً لحضور حفـل رأس السـنة، أنهكني التفكيـر، تـرددت فـي الخروج لكنـي وجدته المـلاذ الوحيد للفـرار من أفكار غريبـة تطـارد عقلـي بضـراوة، وددت لـو قتلـت مـراد وتخلصـت منـه للأبد، لا أعـرف كيف راودتني فكرة القتل تلك لأول مـرة في حياتي، لكنها تلح على رأسـي منذ سـاعات، سأخبر طارق بما قاله مراد، سـأطلب منه أن يُخلّصني من هذا الكابوس، ولا بد أنه سيفعلها من أجلي!

أفقـت مـن هواجسـي على يـد ياسـمين تلكزني برفـق وهي تُشير لعازف الكمـان وتهمـس بأنها الآلـة التي أحبها، صغيرتـي ذكية رغم عمرهـا الذي لم يتجاوز تسـعة أعوام، لدهشـتي كان يُشـبه طارق إلـى حد كبيـر، وكان مندمجًا فـي وصلـة عزف منفرد صفـق لها الحضور وأنـا لا أعي ما يـدور أمامي لكنني أُصفق معهم، ابنتي تصفق بحماس، سـألتني إن كنت متعبة فأومأت بالإيجاب، ظللت بعدها أسترق نظرات لوجهها وانفعالها مع الفقرة التالية وبدء الموسيقى اليابانية الصاخبة التي نسمعها لأول مرة، لكنني لا أعي شيئًا مما يُعزف حولي، دقـات طبول الغضب بداخلي أعلى وأصخب، لا يمكـن أن يكون مراد صادقًا

فيمـا قالـه، لكنـه قال إن لديه مستندات، هـل أنا ابنـة عباس فعلًا أم ابنة مسيو شـيكوريل أم ابنة عامل بسـيط أودعني أهله بالملجأ؟ لمـاذا أخفى عباس عني هـذه الحقيقة؟ ولماذا منحني اسـمه إذن؟ لماذا تدخلـت زينب أخته في حياتي ودمّرتها؟ مَن هما ولماذا ظهرا في طريقي ووجّهاني هكذا؟؟

شـردت فـي ملامح أخي إبراهيـم أو إبراهام كما قال مـراد، تخيلته بضفائر طويلة يضع طاقية سـوداء صغيرة على مؤخرة رأسـه، زفرت بضيق من تفاهتي وتفكيـري المضطـرب، تذكرت اسـمي الحقيقي وتضايقت أكثر، كدت أبكي لكنني تماسـكت في آخر لحظة، تأملت وجه ياسـمين الحالم الرائق مرة أخرى لأخرج من هواجسي التي تأكلني ببطء، لكنني غرقت في مخاوف أخرى، كلها أيام وتعرف ياسـمين وأهل الزمالك كلهم الحقيقة إذا نفّذ مراد تهديده، ستنهار ولا شك، لم يعُد لديّ الآن رفاهية التراجع، لكن كيف أحميها؟ ليته يكون كاذبًا فـي كل ما قاله، أعصابي تحترق كشـمعة الاحتفال الصغيـرة بيوم مولدي، ولم يعُـد متبقيًا منهـا الكثير، أتى مراد على غالبيتها. تظاهرت بأنني أشـعر برغبة في التقيؤ وغادرت مكاني أكثر من ثلاث مرات، كنت أبكي بحرقة في دورة المياه، تأملـت عينَيّ في المـرآة، كانتا حمراوين للغاية، للحظة راودني إحسـاس قوي بالتخلص من حياتي، لكن طرقات طابور المنتظرين بالخارج دفعتني للخروج من هواجسـي، غادرت دورة المياه وعدت مكانـي للمرة الثالثة منهكة، غصت في مقعدي وقد رسـمت ابتسـامة باهتة على شـفتَيّ كي أتجنب فضول ياسمين عن حالتي حتى انتهى الحفل.

خرج الحضور منتشين من الموسيقى والأجواء الاحتفالية، الألعاب النارية تـدوي كل برهة وأنتفـض كل مرة مع وميضها وفرقعاتها، بـدأ الجمهور يتدافع حـول باب الخروج، تباطـأت الحركة بسـبب التزاحم وانتظـارًا لمرور موكب الرئيـس أولًا والـذي كان يحضـر معنـا الحفل بـدار الأوبرا. بعد نصف سـاعة

وصلنا إلى ناصية شارعنا الذي تقع فيه فيلا قلب النخلة، رغم أن المسافة في المعتاد لا تستغرق سوى دقائق قليلة، كان الشارع مغلقًا فاضطررنا للترجُّل.

شققنا زحام المارة والسيارات المكدسة، على مرمى بصرنا فيلا قلب النخلة، النيران ترتفع منها، ألسنة اللهب ليست كبيرة لكنها تتراقص وتخبو مع المياه المندفعة نحوها في صرامة، بعض الجدران مسودة والنخلة الكبيرة تهاوت وقد احترق رأسها بالكامل، هشمت سيارتين في طريقها للأرض، الكاديلاك السوداء إحداهما والأخرى خاصة بجيراننا، النيران طالت فيلا شيكوريل المجاورة لنا، هدمت السور وأحدثت فجوة قرب البدروم، قطع زجاج وطوب تغطي الأرض بكثافة، سيارات أخرى كثيرة محطمة، عشرات من رجال الإطفاء يحاولون السيطرة على النيران التي عرفنا أنها اندلعت منذ ساعة، عربات إسعاف ورجال شرطة ومئات المتجمعين يشرئبون بأعناقهم كي يختلسوا نظرة على الكارثة ولو من بعيد، أشق طريقي متكئة على كتف ياسمين وسط الجموع البشرية، اقترب مني ضابط عرّفني بنفسه وبأنه من مباحث أمن الدولة قائلًا:

- البقية في حياتك يا مدام!!

انفجرت في البكاء وأنا لا أعرف مَن الذي مات، فجأة رأيت عمتي محوّلة على نقالة في طريقها لعربة الإسعاف، بالكاد أخرجوها من وسط النيران، لكنها لم تطل حجرتها حسبما سمعت منهم، تأخروا في العثور عليها لأنها زحفت من فراشها واختبأت خلف عمود كبير بالطابق الثاني، هرولت ناحيتها، كانت عيناها تشيان بفزعٍ مهول، كفّاها منقبضتان بشدة، ممسكة بشكمجيتها كأنها طوق نجاة، ظلت تنظر نحوي في ارتياب وخوف ولم تنطق، فقدت القدرة على الكلام كما قال أحد المسعفين، ربما لذلك لم تُنادِ عليهم ليعرفوا مكانها بسرعة.. لست أدري، انتزعت منها الشكمجية بصعوبة، بدا عليها أن حالة من

القيء الشديد قد أصابتها، أدخلوها العربة مسرعين والطبيب المرافق يطمئنني قائلًا:

- صدمة عصبية شديدة لكن ربنا كتب لها عمر جديد!!

لأكثر من نصف ساعة وقفت في الحديقة حتى انطفأت النيران، قالوا لي إنني فقدت الوعي مرتين، حاولت دخول البدروم عدة مرات ومنعوني، لم أعد أتذكر كل ما دار حولي وقتها حتى اقترب مني ضابط أمن الدولة مرة أخرى، لم أفهم سبب تواجد مباحث أمن الدولة في حريق فيلا، سألته عن أبي، أخبرني بأن الجثتين حتى الآن في البدروم ولا يزال خبراء المعمل الجنائي والطب الشرعي يفحصان مسرح الجريمة!!

- هو كان في حد مقيم عندكم في البدروم؟!

دار رأسي مرة ثالثة، ترنّحت فساعدني الضابط وأمسك بذراعي، أحضروا لي مقعدًا قرب المدخل وياسمين تمسك بيدي الأخرى وهي شبه منهارة باكية في صمت، لا مكان نجلس به داخل الفيلا، لم يسمحوا لي بالدخول ولا أعرف إذا ما كانت احترقت بالكامل أم لا، لمحت الخدم يبكون بالحديقة واقفين صفًّا واحدًا متجاورين، بعضهم مهوش الشعر وآخرون حفاة، ملابسهم طالها سناج، متجمعين في بقعة واحدة وعلى مقربة منهم جنديان مسلحان، علمت من ضابط المباحث أنه يشك فيهم فتحفظ عليهم، الجدران بها شقوق كبيرة وانهيار واضح في سلم المدخل الرئيسي، شرفة الطابق الأول نصفها غير موجود، ربما سقط تحت وطأة النيران وتحول لقطع حجرية متناثرة بالحديقة. وجدوا جثتين كما يقول الضابط، إذن طارق مات مع أبي، هل التقيا؟ ماذا قالا؟ لماذا هبط أبي للبدروم في تلك الليلة وكيف تمكن من النزول وهو مشلول؟! مَن الذي عاونه؟ فهيم لا يأتي في الليل أبدًا! أيكون طارق ساعده؟ رفعت بصري نحو الضابط، مسحت دموعي قليلًا كي أراه بوضوح، هززت رأسي

نافية وجود أحد بالبدروم. سألته مرة أخرى عن سبب هذا الحريق الضخم الذي كاد يهدم الفيلا كلها!

سكت قليلًا وهو يتفرس في وجهي، ثم قال ببطء:

- قنبلة نار يا مدام ناديا!

ضربت إجابته جنبات عقلي بعنف، في تلك اللحظة كان المسعفون مغادرين البدروم حاملين الجثتين على نقالتين كل منهما مغطاة بملاءة بيضاء لا يُرى منها شيء، انتفضت من مقعدي، رجوت الضابط إلقاء نظرة أخيرة فسمح لي، رفع أحدهم الملاءة من على وجه أبي، لم أحتمل رؤية المنظر، ملامحه منقبضة أما بقية جسده فعبارة عن أشلاء ممزقة متراصة بجوار بعضها بغير انتظام، اندفع الطعام من معدتي كالصاروخ لفمي، ترنحت بقوة، أمسكني الضابط وطلب مني الانسحاب، لكنني صمّمت على وداع طارق أيضًا، رفعوا الغطاء عن رأس الجثة الأخرى، لأجد أمامي وجه فهيم أفندي سكرتير أبي!!

*****

اليوم عرفت حقيقتي..

أنا باتيل يعقوب زنانيري!

أنا ابنة اليهودي تاجر الماس.. أنا التي مات أبي وأمي بعدما تركاني لعباس المحلاوي وأخته زينب من أجل ماسة!!

صرت مثل طائر قصّت الدنيا جناحيه، في مُقلتيه دموع متيبسة، يشتاق للرفرفة لكنه لا يقوى حتى على السير مرفوع الرأس، قلبي حيران الهوى يسأل عن الطريق فلا يدله أحد، أفتش في صناديق الذكريات فتنفتح جروحي وتتسع، مئات الصور القديمة مبعثرة أمامي لكنني لا أجد صورة واحدة لأمي وأبي الحقيقيين، وجدت صورًا لطفولتي بالفيلا، لقطات عديدة لزينب وعباس

مـع پـولا وغيرها، حتى فهيم أفندي وجدت صـورًا له، تعثرت في صور زفافي إلى مراد ومع صديقاتي في حديقة الفيلا وقرب المرسى، المصابيح تُزين قلب النخلة وتُنيرها، ها هي الآن بعد شـهر من الحادث معتمة.. مسـودة.. منطفئة.. كئيبة تكاد تنهار في أي لحظة بعدما صارت آيلة للسقوط!

ما أشـقى الإنسان الذي يعيش بعيدًا عن جذوره كل عمره ليظل يبحث فيما تبقى له من سنوات عن أصوله!

أصبحـت مثل ظل حزين منكسـر على صفحـة الماء الراكـد، رحت أفتش مرة ثالثة ورابعة وخامسة بين الصور والأوراق، توقف قطار الذكريات للأسف وأطلـق صافرة طويلة تُعلـن عن قرب النهاية، تظهر أمامي زينب بوجهها القبيح ويطـل عباس بابتسـامته المبتـورة من بين الصـور كأنهما يقولان لـي لا جذور لديـكِ غيرنـا، اقبلـي بوضعكِ وإلا تصبحيـن نكرة.. لقد محونـا كل تاريخك، رُحت أقرأ للمرة الثالثة ما كتبته زينب في الأوراق التي أعطتها لي بعد خروجها مـن المستشـفى غير مصدقـة، فعلت معي وشـقيقها مثلما فعلـت الحكومة مع يهود مصر كلهم عندما طردتهم وصادرت ممتلكاتهم ومحت تاريخهم.

أنا مثل سارة صديقتي القديمة التي فقدت أمها وهاجرت وتركت كل شيء وراءهـا، مثل كل عائـلات اليهود بالزمالك الذين كانوا جيراننا، كنت سـأصبح واحـدة منهم.. أذهب يوم السـبت للصـلاة في المعبد، أحمـل حقيبتي القطيفة الصغيـرة وبهـا شـال الصلـوات وكتـاب الترتيـل وأخـرج بعدها حاملـة العود الأخضـر مثل الـذي كان الحاخام يُعطيه لسـارة وتحتفظ به حتـى يزول عطره، كيـف أكره ابن عباس اليهـودي وأنا مثله يهودية؟ ربما لا أحـد يختار دينه لكن بأيدينا أن نختار إنسانيتنا!

اليـوم آلمتني حقيقتـي، وجوه عديدة تمر أمامي بسـرعة لأناس رحلوا ولن يعـودوا، لا شـيء الآن سـوى الضبـاب وصـوت الريـح، دقات الجـرس تعلو

ورقاص ساعة الحائط يترنح أمام عيني فيعيدني أربعين عامًا للوراء، يوم ماتت أمي وأبي في حادث الطائرة، لو لم يتركاني رهينة لأطماعهما لكنت في عداد الأموات الآن لا شك.. هل أدركا ذلك؟ هل فعلاها استجابة لهاجس اللحظة الأخيرة بقرب الخطر؟ هل ناداهما هاتف خفي لإنقاذ حياتي فتركاني أعيش مع عباس وزينب حتى أُقتل ببطء اليوم؟؟ لست أدري!!

ما أعرفه أنهما تركاني من أجل المال، ربما أمي كانت مرغمة تحت ضغوط أطماع أبي، ربما كان فقيرًا يحتاج لثروة كي يجعلني أعيش عيشة كريمة تليق بابنة وحيدة طال انتظارها، لا.. لم يكن فقيرًا وإلا ما كان عباس وزينب غنما من وراء ممتلكاته التي استوليا عليها، أبي كان طماعًا مثله مثل عباس لا يستحق حتى أن أُنسب إليه!!

بكيت بحُرقة، رأسي يكاد ينفجر لما ضاق بأسئلتي، عقلي رفع رايته البيضاء مبكرًا معلنًا يأسه من العثور على إجابة تُريح قلبي.

*****

بعد الحادث أعيش في شقة صغيرة من شقق عباس بالزمالك مع ابنتي ياسمين والحاجة زينب المحلاوي، على مدار شهر آخر كامل تم استدعائي أكثر من أربع مرات للتحقيقات، في نهايتها اكتشفت الصدمة الثانية، لا بل الفجيعة إن شئنا الدقة. في آخر جلسة من جلسات التحقيق وضح لي أن وكيل النيابة يشك فيّ، أسئلته كلها تدور حول شخص مسيحي يُدعى أمجد منير راضي وجدوا بطاقته في بدروم الفيلا، لكن الصورة التي عليها تخص طارق المصري، لم أكن أعلم أنه مسجل لديهم عضوًا ناشطًا في خلية إرهابية فعرفوه من صورة البطاقة ومن بصماته في البدروم، علمت أنه هو الذي أحرق محل توماس وفجّر واجهته الزجاجية قبل أن يختبئ عندي منذ أيام، من المؤكد أنه عرف أثناء أيام إقامته لدينا أن عباس لديه خزانة كبيرة في البدروم ومن السهل

استنتاج أنه طمع فيها لمّا رأى عباس المحلاوي يتردد على البدروم مع فهيم أفندي، لكنني لا أعرف سبب نزولهما تلك الليلة، فمنذ عام تقريبًا لم يهبط عباس البدروم، ومنذ أسابيع لم يأتِ فهيم للفيلا، لكن من المؤكد أنهما فتحا الخزانة أمامه وسمع منهما شيئًا فضغط عليهما ليتكلما وإلا ما كان قيّدهما وضربهما كما عرفنا فيما بعد، كان من الطبيعي أيضًا أن يضع قنبلة موقوتة من التي استخدمها في تفجير «توماس» وإحراقه وكان لا يزال يحتفظ بها في الحقيبة التي كانت معه، وينام محتضنًا إياها كل ليلة ويُخفي عني محتوياتها، دكّ الفيلا كلها على رؤوس مَن كنت أظنهم أهلي، وهو يعلم علم اليقين أنني لن أكون موجودة ليلتها، إذن اختار أن ينتقم من عباس وزينب ومن فهيم أفندي بالمصادفة لأنه وجده في طريقه فلا يعنيه بالتأكيد في شيء..

الغريب أن الضباط يومها قالوا إن طارق كان بإمكانه تفجير الفيلا وما حولها، لكنه وضع متفجرات قليلة جدًّا وغيّر من اتجاه الموجة الانفجارية لتصبح ضعيفة، لماذا فعل ذلك؟ لا أحد يعرف، لكن قلبي يحدثني أنه أراد نجاتي!!

ربما سرق ما تصور أنه ثروة عباس وقتله وهدم قلب النخلة وهرب، لكنه في النهاية لم يحصل إلا على فتات.. هذه الخزانة الصغيرة التي نجت من الحريق بسبب وجودها في قالب حديدي بتجويف حائط البدروم لا يمكن أن تحوي مالًا أبدًا، ولا بد أنها كانت تحوي مستندات، لكن أين هي وما بها ولماذا أخذها طارق ولماذا عثروا عليه مختبئًا قرب عزبة عباس في محلة مرحوم ولم يجدوا بحوزته شيئًا بعدما أحرق كل ما معه قبل مصرعه كما قالوا؟؟ ما الذي دفعه للذهاب إلى هناك ليتبادل إطلاق النار مع الخفر لما ظنوه لصًا، ويحرق أوراقًا ثم يُقتل ولا نعرف بقية القصة منه؟؟

ما الذي وجده طارق في خزانة عباس؟ أكانت حقيقتي؟ مذكرات عباس المحلاوي مثلا؟!! الخزانة كانت خاوية، لم أجد فيها ورقة، كل مستندات عباس وأوراقه في خزانة غرفة نومه، حتى هذه لم تكن بها سوى أوراق عادية، عدا واحدةعليها رسوم كروكية معقدة لم أفهم منها شيئًا سوى شكل النخلة ودوائر صغيرة كثيرة حولها!!

- معناها إيه الورقة دي يا مدام ناديا؟

- معرفش عنها حاجة.

- خط مين اللي عليها؟

أشعلت سيجارة وهززت رأسي بالنفي لوكيل النيابة، عدت لشرودي وأفكاري، يا ترى هل عرف طارق حقيقتي التي أخبرني بها مراد؟! ليته يكون عرف، ليته قال لي فعلتها من أجلك، لكن لماذا أتى؟ هل كان ينوي سرقتنا من البداية؟ دار رأسي في فراغ الأجوبة ومتاهة السؤال. لا أحد يملك الإجابة الآن، ما يزيد غضبي اشتعالًا أن نبرات صوته لا تزال لها وقع نايات الحنين على مسامعي، لكن في جنبات عقلي صارت مثل قرع دقات الطبول، تُحرضني لإعلان الحرب على الجميع!

الملفات والتحقيقات ما زالت مفتوحة، نفس الأسئلة لا بد وأنها تدور برؤوس المحققين وأنا لا أجرؤ على إبلاغهم عن سبب تواجده في بيتي، لم تعد هناك قيمة لخدش كبريائي وجرح مشاعري في أوراق رسمية، كفى ما لقيته من طارق وما عرفته من مراد ومن زينب، لكنهم متحيرون في سبب وجوده، لا يجدون خيطًا واحدًا يربط بينه وبين عباس وسكرتيره فهيم إلا أنا، ومع ذلك لا يعرفون بدايته أبدًا!!

أعلم علم اليقين أنهم يشكّون فيّ، ذلك واضح جدًا من أسئلتهم واستدعائي لأكثر من مرة، لكنهم لن يمسكوا طرف الخيط مهما فعلوا، لن ينفذوا إلى قلبي،

لن يعرفوا حقيقة مشاعري، لن يفطنوا أبدًا إلى أنني أحببت مرة واحدة وتلقيت صدمات عديدة فقدت معها الشعور بأنني حتى على قيد الحياة، أنا أتحرك كدُمية فقط لأحمي ياسمين ولا شيء أكثر، الوحيد الذي يعرف الحقيقة هو مراد، وهو الوحيد الذي يبتزني حتى ضعفت إرادتي. كل أسئلتي لا إجابة لها حتى أفقت من شرودي على صوت المحقق وهو يسألني:

- ياريت تكون عندك إجابة مقنعة المرة دي!

ظللت مطرقة ولا أجيب حتى كرر سؤاله عن صورة طارق لا عن اسمه المزيف، أخبرني بأن تحريات البوليس توصلت لأن والدته كانت تعمل خادمة لدى عمتي، قالها وكأنه يُفاجئني لأعترف، تعلقت بكلماته وأعدتها إليه مغلفة بدهشة تعمّدت أن تكون كبيرة قدر الممكن:

- الله يرحمها ماتت من خمسة وعشرين سنة ومن يومها ما شفتش طارق، الصورة دي غريبة عليا.. مش شبهه!

شعرت بعجز المحقق البادي على عينيه والذي فضحته ملامحه الغاضبة التي ضاقت بي وبصَمتي وإنكاري لكل شيء، زفر طويلًا ثم أخرج من بين أوراقه ملفًا صغيرًا أطلعني عليه، كانت الصدمة الأخيرة أشبه بمفاجأة سخيفة، لم يعُد لدى أعصابي رصيد لاحتمالها فتقبلتها على أنها خبر غريب عابر وكأنها تخص غيري، قرأت بالملف أن تشريح جثة عباس المحلاوي كشف عن تناوله جرعات محدودة من السموم، وقد تكون الجرعة الأخيرة التي تلقاها ليلة رأس السنة هي سبب وفاته قبل الانفجار، لكنهم غير متأكدين بعد!!

- الله يرحمه يظهر أن كان له أعداء كتير، أنا ماكنتش أعرف حاجة عن شغله أو معارفه، ياريت حضرتك لو وصلت للحقيقة تقولي.

لم يعُد يهمني مَن قتل عباس، فقد مات بالفعل بالنسبة لي يوم كشف مراد حقيقته، ثم مثلت زينب بجثته لمّا روت لي حقيقتي بعد الحريق وأنني باتيل ابنة الخواجة اليهودي يعقوب زنانيري!!

لم تمضِ ثلاثة أشهر على وفاة مَن كان أبي، وها هو مراد الكاشف يلح يوميًا تقريبًا لإنهاء الصفقة، يهددني بفضحي أمام البوليس وابنتي ثم أمام المجتمع كله بعدها، لم تستطع الفتاة الصغيرة احتمال الأجواء العصبية التي أعيشها هنا ولم تتقبّل وجود مراد ولا حتى ابنه اللزج طالب الكلية الحربية الذي زارنا مع أبيه مرة.

- تفتكري لو عمر سيف الدين طليقك عرف الحقيقة حياخد بنته ياسمين منك؟!

لم يكن سؤالًا من مراد بقدر ما هو تهديد صريح، لا شك عندي أن تلك هي خطوته القادمة، لا أعرف كيف وصل مراد لعمر ولا أدري رد فعل عمر نفسه، يعيش في باريس منذ طلاقنا، يتصل بياسمين كل بضعة أشهر ليطمئن عليها، رآها ثلاث مرات فقط لمّا سافرنا إلى هناك، الخيوط بيننا متقطعة لكنني أعلم سوء أحواله المالية بعدما ترك صديقته الفرنسية، ومع ذلك لا يرغب في العودة لمصر مرة ثانية، لا يمكن أن يفكر في أخذ ابنتي مني، لا يستطيع تحمل مسئوليتها أو الإنفاق عليها، لكن الخوف على اقتلاع ياسمين من قلبي أصابني بشلل في تفكيري، قدّمت له أوراقًا ببعض ممتلكات عباس في إنجلترا وطلبت منه السفر إلى هناك ليجد لي مشتريًا، كان هدفي إسكاته وطمأنته بأن حقه صار مضمونًا، كل ما أريده ألا يُبلغ أحدًا بحقيقتي.. فلن أسمح لمخلوق بأخذ ابنتي مني أبدًا.

ألحت ياسمين عليّ كي نسافر في إجازة بعض الوقت حتى أهدأ، فقد كنت أنهار عصبيًا بعد كل زيارة من مراد، لكنني لم أستطع ترك زينب بمفردها في

بيتي، فقد خرجت من المستشفى بعد الحادث بعشرة أيام وفقدت النطق، لم تعُد لديها رغبة للحياة، إشاراتها وإيماءاتها قليلة للغاية كأنها تنتظر نهايتها على فراشها، بل ربما تتعجلها. الغريب أنهم وجدوا بقايا لجرعة صغيرة للغاية من ذات السموم التي وجدوها بجثة عباس في معدتها!!

عادت الهواجس تنقر عقلي وتستدعي ما وجدوه بجثة عباس وقت التشريح، هل كانت تنوي الانتحار أم أن أحدًا دسّه لها مثلما فعل مع أخيها؟ مَن يكون؟ لم أجد إجابة من الأطباء، وبالطبع من زينب التي رفضت الكلام معي في هذا الموضوع، لكن شكوكي ذهبت في اتجاه واحد نحو طارق المصري.. ليزداد عقلي تحيّرًا!

*****

ما زالت أمامي ساعة ونصف على موعدي مع الطبيب النفسي الذي أصبحت أتردد عليه مؤخرًا بانتظام، لا أشعر بتحسن كبير لكنني بدأت في تقبُّل الواقع قليلًا، أخفيت عن مراد أنني باتيل، فهو لا يعرف بداية حكايتي، أعانتني الكتابة على تجاوز أحزاني مؤقتًا، لكن مراد ظل يضغط على أعصابي هو وابنه اللزج صاحب الابتسامة البلهاء والنظارة السوداء التي لا تفارق عينيه وطريقته الممحونة في الحديث!

تناولت حبة مهدئة ثالثة وأمسكت بالقلم، أخرجت مفكرتي الحمراء وكتبت:

«لم يكن اسمي ناديا أبدًا ولا أحد يريد إخباري بالحقيقة كاملة، أنا ألتقط الحكايات وأرتبها لأراها واضحة، لكن ما زالت هناك قطعة ناقصة لتكتمل صورتي الحقيقية، جميعنا نسبح فوق بحيرة من الأكاذيب، بعضنا جرفه التيار وغرق، وبعضنا الآخر لا يزال يتعلق بطوق التطهر متمنيًا الوصول لشاطئ الحقيقة ولو منهكًا، فربما تكون لديه فرصة نجاة ليبدأ من جديد... من يدري!!»

راجعت العبارات بدقة هذه المرة، الآن تبدو منطقية ومعبرة عن حالي بعدما كشف مراد كل أوراقه لي وأعطاني منها نسخة كاملة ومع خطاب زينب الأخير صارت الحقيقة عارية.. مريعة.. مفجعة.. لو سألني أحد عن رأيي لنصحته بأن الجهل بحقيقتنا أحيانًا يكون نعمة، لكن الدور عليّ الآن كي أكشف ورقتي الأخيرة لتكتمل الصورة، لنرى مَن منّا سيُغادر طاولة القمار رابحًا، وإن كنت أشك أن كلنا خاسرون!

للمرة الثانية فتحت الشكمجية التي تشبثت بها زينب وقت الحريق، بداخلها بعض مجوهراتها وورقة تنازل من عباس لها عن بعض أملاكه، تجويفها الخشبي متآكل بعضه، لاحظت لأول مرة طرف صورة تظهر منه، فشلت في إخراجها بأصابعي حتى نجحت بالملقاط، استخرجت ثلاث صور فوتوغرافية صغيرة قديمة لذات المشهد تقريبًا، رجال كثيرون يقفون في موقع بناء وجوال كبير في حفرة، ثم عربة كبيرة يبدو أنها تُلقي عليه برمال، الصور مهتزة قليلًا والإضاءة سيئة لكنني عرفت عباس من بين الواقفين، أطلعت زينب عليها فامتقع وجهها ولم ترد كعادتها، يبدو أنها قررت الاكتفاء بما كتبته لي في اعترافاتها الأخيرة، تظن أنها طهّرت نفسها لكنني لم أغفر بعد. أعطيتها الشكمجية وسألتها مرة ثالثة وأنا أقدم لها ورقة وقلمًا لتكتب لي ردها، أشاحت بوجهها بعيدًا وهي تمسك بالصور وتضعها بعناية في شكمجيتها.

تمددت على أريكتي، تأملت صورة كبيرة لعباس المحلاوي نقلها الخدم من بدروم الفيلا المحترقة لشقتي بالزمالك، يقف فيها شامخًا يرتدي ملابس صيد أنيقة من التويد الإنجليزي، وقبعة فاخرة بلون وبر الجمل، ممسكًا ببندقية ضخمة، لم أرَه بها من قبل أو حتى أسمع مرة واحدة أنه ذهب لرحلة صيد، لا أدري تاريخ الصورة تحديدًا، لا أتذكر حتى إنني رأيتها قديمًا، من ملامحه استنتجت أنها في الستينيات، لا إراديًا أمسكت بمطفأة السجائر الكريستال

وصوبتها بعنف نحو الصورة فشرختها بالطول، هشَّمت وجهه وفتّته، صار جسده بملابس الصيد فقط وبلا رأس، زفرت غاضبة وأشعلت سيجارة رابعة وأنا أفكر في عرض مراد بأخذ نصف ثروتي مقابل سكوته، بالطبع يريد ضمان مستقبله ومستقبل ابنه بثروة عباس المحلاوي التي ستؤول لي وحدي فزينب المحلاوي في طريقها للقبر قريبًا.. كما قال الأطباء!

- مش حنسافر برة يا مامي زي ما وعدتيني؟

نفثت دخان سيجارتي عاليًا، احتضنت ياسمين بقوة، قبّلتها وأنا أحاول الابتسام الذي يعاندني كالثور، أمسكت بسماعة الهاتف وأدرت الرقم من القرص المثبت بقاعدتها، انتظرت فترة حتى تلقيت ردًّا، أخبرت محدثي بشخصيتي فلقيت ترحابًا مبالغًا فيه، أمليت عليه كل البيانات المطلوبة وحجزت جناحًا، سألني في نهاية المكالمة:

- الإقامة محددة بمدة معينة والا تفضلي حضرتك إننا نجدد...

قاطعته بحسم:

- إقامة لمدة سنة.. سنة على الأقل!!

بعدها وضعت السماعة ونظرت لصورتها وبداخلي مرارة، شعرت بتقلص ملامحي فلا أعرف إن كنت أبتسم أم أتحسر على حالي، لكنني لم أبكِ بعد.

*****

29

«حزني يمتد من القلب للحلق، كلما تحسست رقبتي ضربت آلامه صدري»

زينب المحلاوي

طويت الجريدة ولا تزال صورة عباس تظهر واضحة أمام عينَيّ، نعيه احتل نصف صفحة بجريدة «الأهرام»، اسمه مكتوب ببنط عريض تسبقه آية قرآنية وبعدها ببنط أصغر انتقل إلى رحمة مولاه الشريف عباس بك المحلاوي!

أطرقت شاردة في مدى اهتمامه طوال عمره بالعزاء والنعي حتى إنه كتب نعيه بخط يده قبل سنوات قليلة، نفس اليوم الذي غادر فيه البرلمان والحزب، قديمًا تعلمت منه أن مواساة الناس في مصائبهم تشق أقصر الطرق لقلوبهم، تعرفت على عشرات السيدات بهذه الوسيلة البسيطة، مشاطرة وبرقية وزيارة للعزاء مع أخريات من معارفهن وبعدها تصير صداقة، فعلتها مع كل سيدة من سيدات الزمالك اللاتي ابتعدن عني في البدايات حتى صرن من صديقاتي المقربات اللاتي يتوددن إليّ، يحتجن شفقًا لأولادهن وبناتهن، لا بد وأن عباس كان يفعلها من أجل مصالحه الخاصة التي لم نعرف عنها شيئًا، فلم يكن له أصدقاء مقربون أبدًا!

عدت أنظر لصورته المطلة من الجريدة بالقبعة البيضاء ونصف الابتسامة المبتورة وجفنه المسدل قليلًا، تحجّرت دموعي، لم تُذرف بعد على عباس، شعرت وكأنه ينظر لي بشماتة، لسان حاله يكاد يقول موتوا بغيظكم، حرمتكم من كل شيء بعدي، زفرت في ضيق، مددت يدي نحو صورته، زحفت أصابعي على وجهه، ضغطتُ على عينيه بقوة بإحداها، مرّت إصبعي عبر الورقة آخذة عيني عباس ورأسه معها، تزحزحت أناملي مهتزة قليلًا نحو رقبته، قبضتُ كفّي بقوة، تكورت الصحيفة، ألقيتها بعيدًا لكنها تعلّقت بطرف الفراش ولم تسقط، هبّت نسائم خفيفة من الشرفة أطارت معها صفحات الجريدة، هدهدتها في فضاء الغرفة ثم هوت بها على الأرض أسفل السرير، إلا الصفحة التي تحمل صورته ظلت في مكانها قرب قدمَيّ مكرمشة!

انتهت الرحلة يا عباس أسوأ نهاية لكنك تستحقها، كنت أتمنى أن أقتلك بيدي، لكن القدر سبقني مثلما فعلها دائمًا ووقف بجوارك على مر سنين عمرنا، الآن سبقتنا وأخرجت لنا لسانك بعدما تركت ثروتك والماس والذهب لابنك الإنجليزي وأوصيت مكتب المحاماة بمتابعة أملاكك في القاهرة كي لا تؤول لنا، حتى البنوك تركت بها وصية كي لا نرث كل مالك إلا فيلا قلب النخلة وعزبة محلة مرحوم، حرمتني وناديا يا عباس من كل شيء تقريبًا، ألقيت لنا بالفتات، مع أننا كنا شركاءك في رحلتك ولولانا ما وصلت إلى ما كنت عليه، الله يلعنك في كل كتاب!

حتى الخريطة التي تركها في خزانة غرفته لم تفهم منها ناديا شيئًا، أنا نفسي احترت فيها في البداية لما أطلعتني عليها، ما كل هذه الدوائر التي رسمها بينما خزانة البدروم فارغة كما قالت لي؟! أعلم أنك أخفيت ثروتك في مكان ما مثل شيكوريل لكني لم أعرف أين بسهولة، لا بد وأن الشخص الذي أحرق الفيلا فك شفرتها وسرقها قبل هروبه، عباس لم يكن غبيًّا ليترك الماس بالبدروم،

لا بد أنه كان يُخفيه في مكان آخر له علاقة بسفره إلى لندن كل عام، لكن ما يحيّرني أكثر، لماذا وضع هذا الشخص قنبلة في فيلّتنا؟ ولماذا لا تريد ناديا الحديث معي في هذا الأمر وكأنها تعلم مَن فعلها؟! حتى الجرائد تخفيها عني، أعطتني فقط الجريدة التي نشرت نعي عباس ومن بعدها لا شيء!!

مَن الذي كان على خلاف مع عباس ليحاول قتلنا معه بهذه الوحشية؟ هل يا ترى سيظهر مرة أخرى أم اكتفى بالخلاص من شقيقي؟ لا أحد يجيبني!

عبثت بالشكمجية القريبة منْ سريري، أخرجت منها الصور القديمة، ابتسمت في مرارة، لو رأى عباس هذه الصور لما كنت الآن بالزمالك، من المؤكد سأكون راقدة بجوار حسانين المِصري أو على أحسن حال في دارنا بمحلة مرحوم منذ سنوات بعيدة مغضوبًا عليّ من عباس، تأملت صوره الفوتوغرافية التي تصوره وهو يلقي بالجوال وبداخله حسانين المصري في الحفرة، ثم يصب عليه رجال عبد النعيم خلطة الأسمنت، من وقتها وأنا أُهدده بتلك الصور بعدما طبعت الفيلم وحمضته، بحث عنها كثيرًا وأنا أحتفظ بها في مكان لم يخطر على باله، شكمجية پولا التي لم يفكر فيها أبدًا!

لم يدرك أنني عشت خائفة مع أنني التي تهدده، لو فعلتها وأطلعت الناس عليها لذهبت أنا للسجن وبأخي لحبل المشنقة، وأنا في أشد الحاجة لوجوده بجانبي وبقائي حرة! ليتني ما هدّدتك يا عباس.. ليتني ما فعلت!

الآن فقدته وفقدت صوتي وبعضًا من ذاكرتي، أنا منهكة للغاية وأشعر أنني مشوشة في أحيان كثيرة منذ الحادث، وربما قبله بأسابيع قليلة، حتى ناديا تغيرت معاملتها معي، باتت غريبة عني، نظراتها متشككة دائمًا وبها قدر لا تخطئه عيني من الاحتقار، لطالما نظرت أنا مثل هذه النظرة لسيدات كثيرات، وها هي تعود لي من أقرب الناس لقلبي، أو هكذا أحسست.. لست أدري!

عدت لحيرتي، تعب رأسي من تقلب أفكاري ودورانها به مثل الحلزونة التي كنت أركبها في مولد السيد البدوي وأنا صغيرة، أمي تقف بجوار أبي من بعيد يراقبانني، لكن عباس هو الوحيد الذي كانت عينه قلقة علينا أنا وشقيقتي كي لا نسقط من الأرجوحة التي نموج بها في الهواء عاليًا، تنهرني أمي بعينيها إذا ما طار طرف جلبابي وكشف ساقي!

أبعدت الغطاء قليلًا عن ساقي.. ورفعت قميص نومي.. كشفتها.. لا تزال آثار الحرق بها منذ يوم الحادث وقد تشوهت كثيرًا، لماذا لم تطلب ناديا من الأطباء أن يجروا لي عملية تجميل وقتها؟ لماذا تضعني في حرج إذا ما زارتني صديقاتي وجاراتي؟ سأوبخها في أقرب فرصة!

تلفتُّ يمينًا ويسارًا في حيرة، منذ خروجي من المستشفى وأنا لا أتذكر أشياء كثيرة، دائمًا أرى أمامي أمي وأبي وأختي المرحومة كوثر التي دفنت بمحلة مرحوم ولم نحضر أنا وعباس عزاءها، بل منع عباس زوجها من إقامة سُرادق أو نشر نعي بالجريدة وقتها، ربما لم يُرد أن يعرف أصولنا أحد وسايرته، كنا في بدايات الطريق والعيون كثيرة حولنا والكل يتمنى لنا الخطأ وصدقته وقتها.. بينما لما ماتت أمي أقام عزاء ثلاثة أيام بالقاهرة ومحلة مرحوم ومقر الحزب، كان المقرئ لا يُكمل خمس دقائق من تلاوة القرآن ليُفسح مكانًا للمئات الواقفين في طوابير خارج السرادق..

ربما تكون نهايتي قد اقتربت لكنني راضية عن نفسي، على الأقل أنا لست مجرمة كعباس، وفعلت لناديا ما لم يكن أهلها سيفعلونه لها، على ذكر أهلها، سأخبرها بأنني حاولت إثناءه عن فعلته وأخذها رهنًا لماسته لكن عباس منعني حتى علمت منه أنهما ماتا في حادث، الوحيد الذي ساعده في كل جرائمه هو فهيم أفندي، وها هو قد رحل مع سيده. تصعبت بشفتَيّ، ما كل هذا الإخلاص للباشا يا فهيم الكلب؟ حتى وقت الموت لم تشأ البقاء وحدك بعده!

اعتدلت برقدتي في فراشي، لم أخسر كل شيء بعد، على الأقل لا تزال ناديا معي، ستظل تدعو لي بعد مماتي وربما تنجب ابنتها ياسمين طفلة يومًا ما وتسميها زينب على اسمي، حتى لو حرمني عباس من ثروته وغشّني بعد مماته كما فعلها في حياته وزوّر أوراق ملكية الأراضي والشقق ليخدعني ويسكتني، إلا أن أهل الزمالك كلهم سيذكرونني أنا وينسون عباس، سيذكرون مَن كانت قريبة منهم، مَن ساعدتهم.. مَن فتحت بيتها لهم في الأعياد والمناسبات.. سأوصي ناديا من بعدي بأن تظل مائدة الرحمن التي تتسع لخمسمئة شخص تُقام في رمضان كل عام وتحمل اسمي.. مائدة سيدة الزمالك كلها.. سأجعلها تتسع لألف شخص من رمضان القادم.. هززت رأسي بالموافقة على كلامي!

أفقت من ذكرياتي على يد خادمتي الممتدة بكوب في اتجاه وجهي وهي تردد:

- الدوا يا زينب هانم..

تجرّعت نصف الكوب وشعرت بمرارة، أبعدته عن فمي، حاولت الخادمة تقريبه ثانية فأزحت يدها وأنا أنظر لها بحدّة فرضخت لرغبتي، لم تعُد لديّ رغبة في الحياة، أنا زاهدة في كل شيء الآن، أغمضت لأتذكر أمي مرة أخرى، أمي التي لم أرها أثناء مرضها الأخير قبل وفاتها مباشرة. احتضنت وسادتي وكفاي ترتعشان، منذ متى ترتعش يدي هكذا؟ لماذا لم أعد أتذكر أي شيء بدقة سوى أهلي، بالأمس شعرت أن أبي يناديني، ينهرني لبقائي في فراشي حتى الظهيرة، علا صوتي وأنا أجيبه بأني قادمة، طلبت منه إمهالي قليلًا، ثم أفقت فوجدت نفسي بحجرتي، ناديت على ناديا لكني اكتشفت ضياع صوتي!

احتضنت الوسادة بقدر ما استطعت، أشتاق لحضن أمي رغم قسوتها معي، أشعر بوحدة وهواجس غريبة بعد عباس رغم ابتعاده عني لسنوات قبل رحيله ورغبتي في قتله، لكنه أوحشني فجأة.. أشرت للخادمة أن تحضر

صورته الموضوعة على التسريحة البعيدة، ابتسمت وأنا أطبع قبلة على جبينه، وضعت أصابعي على رأسه، مسحت شعره، احتضنت الصورة وخبأتها في صدري وعدت للبكاء الصامت، تمنيت لو أنني أستطيع الكلام مرة واحدة الآن ثم أخرس بعدها للأبد، أريد أن تسمعني ناديا، أنا أحس بغربة معها لأول مرة في حياتي رغم قربها مني، أشعر أنها ستتركني فجأة، أشرت بيدي بالرفض لخادمتي، لكنها كانت منزعجة وهي تتفرس في ملامحي، راحت تقرأ قرآنًا في أذني وهي تمسح شعر رأسي فوق المنديل وتمسك بيدي في حنان!

لم أُجنّ بعد، أنا فقط أريد الكلام، أتمنى أن تسامحني ناديا، أطرقت يائسة ثم أجهشت بالبكاء، مسحت الخادمة دموعي بمنديلي الحريري الذي يحمل اسمي بحروف ذهبية مطرزة، تلك آخر هدية تلقيتها في عيد الأم من ناديا وياسمين العام الماضي، طويت المنديل ووضعته في صدري، تمتمت في صمت: أنا لم أُخطئ في حق ناديا، أنا ضحية لعباس مثلها، هل أخطأنا بإخفائنا الحقيقة عنها؟ ماذا كانت ستفعل لو عرفت؟ ربما كرهتنا وربما تركتنا، الآن أنا أخبرتها بكل شيء لكنها سكتت ولم ترد، عرفت أنها باتيل ابنة يعقوب زنانيري، لكنني لم أعرف رد فعلها على أن عباس أخذها رهنًا وضمانًا لماسة شيكوريل الكبيرة؟!

لما أخبرتها لم أجرؤ على قول الحقيقة كلها، كان لا بد أن أُخفي عنها أن عباس وفهيم زوّرا توكيلًا من زنانيري لصالح عباس وصالحي وعقودًا بالبيع والشراء وبمقتضى الأوراق المزورة أخذنا كل ثروة زنانيري بالقاهرة، نفس اللعبة التي ظل فهيم يلعبها على مدار السنين، الاستيلاء على أموال الأجانب الذين لا ورثة لهم بمصر حتى لا ترثهم الحكومة، ممتلكات يعقوب زنانيري هي الخميرة التي بدأنا بها أنا وعباس وعوضتنا عن فقد ماسة شيكوريل الكبيرة، هي ثروة ناديا في الحقيقة فهي وريثتهما الوحيدة لكننا ورثنا أباها

وأمها بدلًا منها، بعدما طلب عباس من فهيم إيداعها بالملجأ تحت اسم آخر كي لا ينكشف أمره وتزويره، ألححت عليه بعدها بشهور في تبنيها وتربيتها حتى وافق بالكاد، أخذتها من الملجأ لما هدأت عاصفة بلاغ الخطف ضدنا، اضطررنا لاستردادها من الملجأ باسمها المزور، لم تعد باتيل زنانيري، فباتيل مخطوفة والبلاغ صار ضد مجهول للأبد، لا يهم اسمها الحقيقي فقد غيّرناه إلى ناديا ونسينا كل أسمائها السابقة، نسبوها لعامل سكة حديد بسيط كان قريبًا لفهيم فحملت اسمه ولقبه لأشهر معدودات، ثم نسبها عباس لنفسه لكي تعيش معنا بالفيلا وتصير ابنته من پولا، تلك كانت فكرته كي نرث فيلا شيكوريل، حتى تكون لنا واجهة اجتماعية مقبولة أمام أهل الزمالك الذين لم يرحبوا بنا أبدًا وتشككوا كثيرًا وقت وفاة پولا وظهور ناديا، لكن مع الوقت نسوا أو تناسوا.

لا أعرف لماذا تعلقت بناديا منذ رأيتها لأول مرة لما كانت مجرد رهن، ربما شعرت بأن الله يعوّضني بها عن هانم ابنتي التي فقدتها، ربما شعرت بذنب أمها التي تركتها لنا رهنًا لماسة طمع فيها زوجها، أردتها نسخة مني فلم أفلح، عباس لم يكن يحب ناديا كما يتظاهر، إنما كان يمثل دور الأب حتى تقمّصه، يتظاهر به ولا يصل للذروة أبدًا، طلّقها من مراد بضغط مني ووافق على زواجها من عمر سيف الدين نكاية فيّ شخصيًّا، لم يحبّها بعمق أبدًا وكان مستعدًّا للاستغناء عنها في أي لحظة، ما زلت أذكر موقفه لما استولى على أملاك زنانيري وتركنا قلب النخلة، كان يريد إعادة ناديا للملجأ مرة ثانية مع أنه الذي اختار لها اسم ناديا تيمنًا ببنت شيكوريل، حتى في طريقة كتابة الاسم بحرف الألف في نهايته، قلده في كل شيء، وكان يريد أن يصبح صورة طبق الأصل منه، ولو أنني أشك في خبثه وأنه اختار الاسم ليقع الجيران في حيرة ويظنوا أنها ابنة شيكوريل الحقيقية، فقد عانينا كثيرًا بعد ظهور ناديا في حياتنا

ولـم يصـدق أحد أن عباس أنجبها مـن پولا قبل وفاتها بفترة قليلة.. لن أنسـى عبارتـه عـن ناديـا لما قال: «قدمهـا قدم نحـس.. الفيلا راحت وثـورة في البلد قامت».

لولاي لعادت ناديا مع فهيم أفندي في نفس اليوم للملجأ. هل بعد ذلك من حقها أن تعرف كل هذه الأمور؟!

لا.. لا.. هـذا كلـه لم يكن حقًّـا لها، نحن مَن صنع ناديـا ونحن مَن أكرمها حتـى عباس كان ودودًا معها ودلّلها بعـد ذلك من ورائي طوال حياته حتى ولو كان نكايـة فيّ فهي لم تكن تعـرف، ناديا هي الجاحدة وناكرة للجميل إن ظنت بنا سوءًا، لكن لو عرفت الحقيقة من أوراق عباس ستكرهني وربما تطردني لأنه لن يقولها كاملة، سيُظهر نفسه ملاكًا أمامها، إذن سأكتب لها كل ما أريد قوله.. سـأكتب الحقيقـة كلها الآن قبـل أن تتوه ذاكرتـي مني مرة أخرى. سـأكتب لها حتى تفهم وتسكت وترضى وتسامحني حتى ولو لم يكن هذا حقها، سأجعلها تعرف حقيقتها، أشـرت بسـرعة للخادمة لتُحضر لي ورقـة وقلمًا، كتبت كل ما تذكرته وشردت بعدها، ثم بكيت بحرقة!!

سـنوات العمر هربت مني وحشـود الخريف تتسلل وتحاصرني، عواصف الشـتاء تحيل ما تبقى من حياتي إلى جحيم مثل سحابات الصيف الساخنة التي تختفي بحـرص لتتربص بي وتحرقني بنارها، كل مـا عندي حكايات وقصص شـاخت مثل جسـدي وذاكرتي وراح منهـا تفاصيل كثيرة مثـل أوراق الخريف حتمًا ستسـقط في غياهب النسيان، وبعد فترة وجيزة لـن يتذكرها أحد، الناس لهـا الظاهـر كمـا يقولـون، حتى ناديـا سـتوجعها تلـك الحكايات أكثر وربما تنقلب عليّ لكنها سـتفهم، لا بد وأنها سـتُقدر موقفي ورعايتي لها طوال هذه السنين!!

رصيد الأحلام عندي يتراجع ورصيدي من الأمنيات والطموح نفد ولن يزيد الآن على موتي بفراشي نائمة حتى لا أتعذب أكثر، أجمل الأشياء أتت في أوانها، وأصعبها هو انتظار هذا الزائر الأخير، كمَن يطرق الباب في ليلة شتاء باردة وأنا تحت الغطاء.. لكنني سأُخبرها بالحقيقة، فلتعرف كل شيء قبل أن يباغتني هذا الضيف الثقيل والزائر الذي لا يأتي في العمر كله سوى مرة واحدة.

عندما انتهيت من الكتابة بخط كبير في أربع ورقات طويتها، انفتح باب الغرفة بقوة على مصراعيه، ظهرت ناديا كعاصفة ترابية هبّت على غير انتظار، متجهمة الملامح عصبية الحركات، أشارت بعينها للخادمة إشارة ما، فأومأت لها بالإيجاب وانصرفت مسرعة، يا ترى على أي شيء اتفقتا؟ هل ستتخلصان مني؟ هل ستقتلني ناديا؟ ربما تقيّدني الخادمة وتكتم ناديا أنفاسي بالوسادة، ارتعدت مفاصلي، انكمشت في فراشي، تدثرت بالغطاء لعله يحميني منها، شعرت بآلام شديدة في صدري وضاقت أنفاسي، خبأت الوسادة وراء ظهري ودسست تحتها الصور، لو كان عباس موجودًا ما جرؤت ناديا على أن تُعاملني بهذه الطريقة، نظرت نحوها بود محاولة الابتسام بصعوبة وكأن شفتَي ملضومتان بخيطٍ سميك، لعلها تفسّر لي ما يدور حولي وهي تجمع ملابسي من دولابي!!

تجاهلتني قبل أن توليني ظهرها ثانية، صفّقت لأنبهها بوجودي، أشرت لها بيدي مستفسرة عمّا تفعله فلم تردّ، قدمت لها الورقات التي كتبت فيها حقيقتها، التقطتها وقرأت سطورًا قليلة ثم توقفت لبرهة ورمقتني بنظرة غريبة لم أرَها منها من قبل، لم تطل نظرتها بعد ذلك وانشغلت بالقراءة مبتعدة عني.. لكنها أكدت لي كل مخاوفي بقرب النهاية، لن أخبرها الآن بأن الورقة التي تركها عباس هي خريطة لمكان الماس والذهب في بيتنا بمحلة مرحوم، أظن أنني خمّنت المكان بصورة صحيحة بعد طول تفكير، لكني لن أدلّها على بداية الطريق حتى أضمن عودتها لصفّي أولًا.

*****

30

«كُسرت بداخلي أشياء لم أسمع لكسرها صوتًا، فلا يمكنني جبرها أو تعويضها»

ناديا

- للأسف يا ناديا هانم مفيش حلول تانية، لازم تساعدي نفسك أكتر!

أصر الطبيب النفسي في الجلسات الخمس الأخيرة على ضرورة تقبل وضعي الحالي، يجب أن أظل ناديا عباس المحلاوي، سيدة الزمالك الراقية، ابنة عائلة عريقة ثرية، نصحني الطبيب أيضًا بعدم رفض عرض مراد كلية، إنما يتعين مجاراته ومحاولة إسكاته ولو بربع الثروة كما طلب، فالفضيحة التي سأتعرض لها لا تُقدر بمال ولا تعوّضها أموال مهما بلغ كبرها، لن أتحملها ولن يُجدي معها الدواء نفعًا!

- ليه رافضة تكوني ناديا؟ عباس وزينب علموكي أحسن تعليم، وصرفوا عليكي كتير وحتى لو كانوا فاسدين أو مزورين خلاص راحوا لحالهم، عباس مات وزينب لا بتتكلم ولا بتتحرك، أما طارق فهو مجرم إرهابي ومريض نفسي استغلك وانتهز الفرصة ومات، ما يستحقش مجرد التفكير فيه، المشكلة كلها في اللواء مراد الكاشف وأخوكي إبراهام وبنتك ياسمين لازم تتعاملي مع الواقع الجديد!

لا أجد ما أقوله ردًّا على مقولات الطبيب النفسي ونصائحه، حدثني في جلسات كثيرة عن الانتقام الإلهي وأنه سيظل قادرًا دون غيره على تحقيق القصاص من المجرمين معدومي الضمير الذين ساعدتهم الظروف في الهروب من فخ القبض عليهم ناسين أن العدالة الإلهية لا تعرف عبارة «ضد مجهول»، كلام إنشائي لا علاقة له بواقعي، فمراد وإبراهام ليسا مشكلة بالنسبة لي ولا حتى ياسمين، المشكلة كلها بداخلي، أنا أعيش حياة سيدة غيري، تلك ليست حقيقتي ولا تلك الحياة كانت تخصني، أنا عشت ناديا المحلاوي لا باتيل يعقوب، الآن تولدت لديّ مشاعر متباينة، لا أعرف نفسي ولا أستطيع التكيّف مع واقعي الجديد والكل يراني ناديا، لكن مَن قال إنه واقع جديد؟؟ بالعكس هو قديم، قِدَم عمري كله، الجديد هو ما سيأتي بعده، أنا كنت مجرد دُمية في أيدي آخرين، بعضهم استغلّها والبعض الآخر تسلّى بوجودها، وقليل منهم كان يرغبها بالفعل، لا يفهم الطبيب النفسي أبدًا أن ليست كل لوحة نرسمها ينبغي أن نلوّنها.. علينا أن نتركها بعض الوقت ونتأملها مليًّا، فقد يكون اكتمالها في كونها بالقلم الرصاص فقط!

فردت جسدي على الأريكة وتطلعت للجدران في شرود، مددت يدي لجذب سيجارة من علبتي فتعثرت أصابعي في برواز صغير، وقعت عيني على صورة أخرى قديمة بداخله وجدتها في البدروم لما هبطت إليه بعد الحريق بشهر فاحتفظت بها مع أشياء أخرى، صورة في بداية الشتاء، التقطها عباس أواخر عام 1939 حسبما دوّن على ظهرها، تظهر فيها زينب صغيرة لم تُكمل الثلاثين من عمرها، تبتسم في خبث ومكر وهي جالسة بالسيارة الكاديلاك السوداء بجوار مدام پولا الأنيقة الراقية التي تنظر للكاميرا في كبرياء، نهضت وأمسكت بالصورة وشعرت بمرارة غريبة، كأنها تُشخص محطة مهمة في تاريخ حياتي مهدت مجيئي لدنياهم، خمسون عامًا أو يزيد من الكذب والخداع تجسدها هذه الصورة.

دق الهاتف بجواري فأخرجني من شجوني، ذكّرني محدثي باتفاقنا المحدد سلفًا، وعمّا إذا كان هناك تغيير في الموعد، أكدت عليه أننا سنكون في موعدنا تمامًا، تنهدت وارتحت قليلًا لما دبرته بشأنها، لكني لم أخبر ياسمين بعد، لا أعرف ما الذي سأقوله لها، على كل حال ستتقبل الأمر أفضل مني، خلدت للنوم بعد تناول قرصين كالمعتاد رغم اعتراض طبيبي على كمية المهدئات التي أتناولها.. تمتمت في فراشي وعيناي تغفوان.. «نعم.. أعترف بأنني عنيدة كما كانت تصفني الحاجة زينب دومًا، فإذا نزلت بحرًا سأسبح فيه حتى شاطئ النجاة، أو أستسلم طوعًا للغرق.. هكذا أنا».

في الصباح ارتديت ملابسي وتوجّهت لحجرة زينب، كالعادة مع خادمتها التي ترتاح لها منذ سنوات ولا نرتاح لها جميعًا بسبب ميوعتها وتلصصها علينا، جلبتها من عزبة محلة مرحوم بمعرفتها لتعاونها على تغيير ملابسها وتُسليها كل يوم في وحدتها منذ كسر ساقها، اقتحمت الغرفة عليهما، وجدتها تناولها الدواء، أشرت للخادمة كي تستكمل تحضير الحقيبة الكبيرة الثانية وتوليت أنا إخراج بقية ملابسها من دولابها، راحت زينب تنقل بصرها بيننا في ذهول حتى انصراف الخادمة، ثم استفسرت بعينيها مني عمّا يدور حولها لكنني لم أُجبها، عادت تُشير لي بيديها طالبة ورقة وقلمًا لكنني رفضت بحسم، لا أريد أن أسمع منها المزيد ولا أريد معرفة حقائق أخرى، فلتذهب معها إلى مثواها الأخير ليُدفنا سويًّا!

أغلقت الباب واقتربت منها حتى شعرت بأنفاسها الواهنة تلفح أنفي على استحياء، سألتها للمرة الثالثة عمّن وضع السُّم لعباس المحلاوي لكنها أعطتني نفس الإجابة، هزّت رأسها بالنفي ثم أطرقت وأغمضت كعادتها مؤخرًا، ثم بدأت ترفع عينيها ببطء نحوي والخوف يطل منهما ولا شيء أكثر، عادت تطلب ورقة وقلمًا لكنني رفضت بإصرار، لم أعد أطيقها ولا أصدّقها

ولا أصدق دموعها التي تتحجر في عينيها الضيقتين، اعتبرت صمتها إجابة عن كل تساؤلاتي، رفعتها من على الفراش ووضعتها بمقعدها، نزعت من إصبعها الخاتم الألماس ذا الفص الأزرق الذي ترتديه منذ سنوات طويلة، وضعته في جيبي، دفعت كرسيها المتحرك نحو باب الحجرة لأجد الخادمة تتنصّت علينا من ورائه، رمقتها بنظرة فهمتها بالتأكيد، فحسابها مؤجل لم يحن بعد ولكنه اقترب!

في طريقنا للسيارة كانت زينب شبه مستسلمة، عاونتنا الخادمة في صمت كما أمرتها، نويت الخلاص منها بعد عودتي من مشواري، لكنها اقتربت مني مطرقة وخفضت صوتها حتى سمعت كلامها بالكاد وهي تقدم لي زجاجة دواء صغيرة قائلة:

- العلاج بتاع الست الكبيرة والمرحوم الباشا!!

قلبت زجاجة الدواء في كفّي، كانت بلا أي مُلصق أو علامة تشي بطبيعته، عرضته على زينب فتقلّبت ملامحها ورمت خادمتها بنظرة عتاب قاسية وقد جحظت عيناها في فزع غريب، أجلست زينب بالمقعد الخلفي وسحبت الخادمة من ذراعها بعيدًا عن السيارة لأسألها عن علبة الدواء بعدما ثارت شكوكي، أجابتني باكية بحُرقة كالمتورطين في مصيبة:

- الست الكبيرة قالت لي من فترة أحط منه لعباس باشا في العصير علشان يفرفش ويبقى كويس، ولما هي زعلت جامد من الباشا قبل الحريقة بأسبوع حطيت لها منه شوية. والله العظيم يا ست ناديا أنا كان قصدي أعمل الخير!!

صحيح شر البلية ما يُضحك، أطبقت على الزجاجة بقوة حتى كدت أهشمها، طلبت منها الجلوس بجوار زينب وألا تفتح فمها ثانية في هذا الموضوع، فلن أستطيع إبلاغ النيابة بأن زينب كانت تنوي قتل عباس بالسُّم البطيء، وضعت الكرسي المتحرك في صندوق السيارة وانطلقت، ظللنا طوال

الطريق نستمع للقرآن المنبعث من راديو السيارة، صامتين كأننا في مأتم، حتى وصلنا دار المسنين في المعادي!

ظلت تتأمل في ذهول اللافتة الكبيرة بمدخل الدار التي تحمل اسم عباس المحلاوي، ثم نقلت بصرها نحوي في خنوع واستسلام، شعرت لوهلةَ أنها ستنطق، تكاد تقول لي: «لماذا تُلقين بي هنا؟ وما هذا المكان الذي تتزين الجدران بصورته»، ولا أجد ما أقوله لها، بداخلي بركان من الغضب ومن الأفضل لنا أن يظل خاملًا، كدت أصرخ أمام نظراتها المتوسلة ودموع التماسيح المنسابة منها أنها تستحق ما يحدث لها، مثلما تسلمتني من دار أيتام وغيّرت اسمي مرتين، معتقدة أنها تهبني حياة جديدة لصالحها بعدما سرقت ثروة أبي وأمي..

ها أنا أرد لكِ الصنيع، أُعيدكِ لدار مسنين أقامها شقيقكِ الذي أردتِ قتله بالسم ليرعوكِ ويضمنوا لكِ نهاية كريمة، لعلها تُكفّر عن ذنوبكِ، فعلى الأقل سيهتمون بكِ باعتباركِ شقيقة صاحب الدار، أنا ضميري مرتاح الآن، تلك كانت بداية الحكاية الحزينة يا ست زينب، وها أنا ذا أُقدم لكِ نهاية القصة التي تليق ببدايتها.

كانت نظراتها حائرة ونحن نقطع الممر الطويل وسط حديقة الدار في طريقنا لمبنى الإدارة، تمثال نصفي لعباس يتوسط الحديقة، وخادمتها بوجهٍ باكٍ تدفع كرسيها المتحرك وتُتمتم بكلمات غير مفهومة كالمجاذيب وأنا أسير بجوارهما صامتة، مدّت زينب كفّها لتقبض على يدي، ضغطتُّ عليها بعنف، ربما ذات اليد كانت مقبوضة على كفي الصغيرة عندما أخذتني من الملجأ طفلة رضيعة واصطحبتني عنوة، اختارتني كقطعة أثاث جديدة تُجمّل منزلها وتصنع حياتها وتُكمل ما كان ينقصها، أريد مرة أخرى أن أصرخ في وجهها.. لماذا كذبتِ عليّ كل هذه السنين أنتِ وعباس؟ لماذا سرقتما ثروة أبي وأمي

وأجبرتموهما على رهني لكما؟ لماذا جعلتيني أتضايق من طارق وزوجتيني من مراد وحرمتيني من عمر؟ لكنني تراجعت أمام خرسها..

ربما رحمها ربها من الاسترسال في الكذب لو كانت تستطيع الكلام الآن، من المؤكد أنها كانت ستختلق لنفسها عشرات الأعذار وترمي بحمولة الأكاذيب كلها على رأس عباس المتوفى محروقًا، أخرسها القدر للأبد كي تُكفّر عن ذنوبها، أنا واثقة من ذلك، لم أتمالك نفسي أكثر أمام استعطافها وجذبها ليدي وكأنها تعتذر، لكنني لن أقبل الاعتذار أبدًا، سحبت كفي بصعوبة من بين أصابعها حتى لا تنهار أعصابي فلا فائدة مما تفعله، هناك أفعال تأتي في غير موعدها مثل قُبلة اعتذار على جبين ميت، انسابت مني دموع بطيئة فسبقتها بخطوة كي لا تراني، ومن داخلي لم أعُد أريد رؤيتها للأبد.

*****

- أظن أنك أخدتي وقت كفاية للتفكير والموافقة يا ناديا، أنا مش حاسافر لندن وحدي!!

ناديا؟! توترت من سماع اسمي، لكنني اكتفيت بأن هززت رأسي مبتسمة في مرارة، أشعر الآن كلما سمعت اسم ناديا أنه يخص سيدة أخرى في حياة ثانية، التفتُّ ناحية مراد وبدأت أُرتب كلماتي، لا أريد أن تفلت أعصابي كالمعتاد معه، بدأت الحديث بالسخرية من ابنه وأنه لا يُشبهه، لا يمكن أن تكون أمه قد ورّثته كل هذه السحنة اللزجة، كان كل هدفي من الثرثرة التي ضايقَته أن أسترد ثقتي، فلما استجمعتها أخبرته بأنني سوف أسافر لندن بعده بأيام لأبيع ممتلكات عباس المحلاوي هناك إذا ما وجد لي مشتريًا وأعطيه نصيبه.

- وهو كذلك، بس برضه أنا محتاج ضمانات.. أنا عرفت أنك بتبيعي ممتلكات عباس هنا وسايبك بمزاجي.

أجريت اتصالًا بشركة الطيران أمامه لحجز التذاكر، بدأ مراد يسمعني بهدوء واهتمام، وبدا عليه الارتياح مؤقتًا ثم ارتاحت ملامحه أكثر لما وافقت على طلبه رؤية خزانة عباس، فتحتها أمامه، كانت كما وجدتها يوم الحريق خاوية من الأوراق والمستندات، حتى الخريطة أطلعته عليها فلم يفهم منها شيئًا، أعطاني عنوان وأرقام هواتف مكتب المحاماة الإنجليزي الذي يتعامل معه لتسهيل أموري هناك خاصة مع أخي إبراهام ثم فاجأني بأن عرض عليّ الزواج مرة أخرى، بالغ مراد في إظهار مشاعره نحوي، قال إننا الآن نحتاج بعضنا أكثر من أي وقت مضى، زفرت بضيق ورجوته أن يخرس، فتوقف عن تشغيل أسطواناته المتهالكة، بعدها نهض وحاول أن يُقبّلني، ففردت ذراعي كي أبعده، طبع قبلة بصعوبة على رأسي وبدأ يتهيأ للخروج، لكنه قرب باب الشقة أبطأ قليلًا وأخرج جهازًا صغيرًا من جيبه قائلًا:

- اعذريني يا ناديا أنا سجلت كل كلامك معايا النهارده زي كل مرة، ماحدش يضمن حد اليومين دول.. أنا حاسافر بعد بكرة لندن وأنتظرك هناك لكن لو ما سافرتيش خلال أسبوعين واستلمت منك نصيبي، حارجع وافضحك عند عمر وابلغ البوليس.. وكله متسجّل هنا!!

بعد انصرافه بصقت خلفه، تمددت على أريكتي كأنها صارت موطني الجديد، لطالما أحببت الاستلقاء عليها وأنا صغيرة لكن عمتي كانت تنهرني، لذا حرصت على جلبها من فيلا قلب النخلة معي لما انتقلت لهذه الشقة، أشعلت سيجارة، نفثت دخانًا كثيفًا في فضاء الحجرة، ظللت أتأمل سحب الدخان وهي تتكون وتتشكل بأشكال غريبة بعضها يشبه وجهي وبعضها تخيلته لوجه مراد وأخرى لطارق، تابعتها وهي تكبر وتعلو ثم تتباعد حتى تبخّرت!

نمت في مكاني، وفي الصباح ارتديت ملابسي بسرعة وغادرت الشقة ومعي جواز سفري المسجلة عليه ياسمين، قدمت طلبًا للسفارة للحصول على

التأشيرة، قرب الظهيرة حصلت عليها، توجّهت بعدها لمكتب شركة الطيران، التقيت المدير الذي يعرف عائلتي منذ سنين، بعد كلمات الترحاب المعتادة طلبت منه تذكرتين لأسافر مع ياسمين بعد أسبوع.

– والسفر طبعًا على لندن زي ما بلغتيني بالتليفون يا مدام ناديا؟

– لأ إلغي تذاكر لندن.. السفر لباريس!!

لا أحد يعرف شيئًا عن شقة عباس الصغيرة بالعاصمة الفرنسية، أنا فقط التي معها نسخة من مفتاحها، فهي لا تزال باسمي كما كانت أشياء غيرها كثيرة لكن محاها طمعه مع مرور الزمن، ربما عباس لديه ممتلكات أخرى في بلدان كثيرة لا أحد يعلم عنها شيئًا أيضًا، سره دُفن معه بوفاة سكرتيره فهيم أفندي في نفس اللحظة.

في باريس لم أُضع وقتًا، ذهبت للبنك بعد يومين من وصولي، تأكدت من دخول التحويل المالي لحسابي هناك والذي أجريته قبل سفري بيومٍ واحدٍ بعدما بعت كل أملاكي بمصر خلال الشهور الماضية تباعًا من خلال أحد المحامين الكبار، بعيدًا عن تلصص مراد ونصيب زينب المحلاوي، كانت الأمور سهلة، فلم يترك لنا عباس الكثير، وحصلت على المقابل نقدًا، فالمصريون يحتفظون بنقود في بيوتهم أكثر ممّا يودعونه بالبنوك، لا بد وأن تعبير تحت البلاطة مصري مئة في المئة، صحيح أن العقارات بيعت بنحو نصف قيمتها لتعجُّلي البيع، لكنها على الأقل أفضل من الخروج من اللعبة خاسرة كل شيء. كل شيء بعته بدم بارد إلا فيلا قلب النخلة، ترددت ثلاث مرات قبل التوقيع على العقد، شعرت أنني أبيع عمري كله دفعة واحدة، ذكرياتي.. طفولتي.. حياتي كلها.. بحلوها ومرّها، كلهم عاشوا هنا معي، كلهم مروا من هذا المكان، ليتني كنت أستطيع الاحتفاظ بها، خوفي من مراد وتعجلي السفر جعلاني أبيعها

بأثاثها وما تبقى فيها من كراكيب بالبدروم كما أنها صارت آيلة للسقوط في أي لحظة!

ما زلت أذكر تعبيرات الدهشة على وجه المشتري لصالح أحد البنوك الكبيرة الذي اشترى فيلا قلب النخلة أولًا، ثم بيت العزبة بمحلة مرحوم، نظرته وهو يتفحّص عشرات الإطارات القديمة المتراصة فوق بعضها بالمخزن وكأنها جدار عالٍ قبل الوصول لثلثه الأخير، أنا نفسي لا أعرف ما سبب احتفاظ عباس بكل هذه الإطارات القديمة مع أنه لم يكن بخيلا، يومها سألني الرجل باهتمام بالغ لا ينقصه الفضول:

- هو المرحوم عباس باشا كان بيتاجر زمان في الكاوتش يا مدام؟! مخزن العزبة مليان إطارات قديمة!!

هززت رأسي بما لا ينفي ولا يؤكد، ظهرت علامات الضيق على وجهي من سؤاله عن كراكيب لا أكثر، فشعر الرجل بأنني قد أتراجع عن البيع بهذا السعر البخس أمام أسئلته السخيفة عن إطارات بالية تغطيها الأتربة؛ لذلك صمت وقبل سكوتي باعتباره إجابة، كان يتجنّب عصبيتي الظاهرة، لكنه بعد توقيع العقد أكله فضوله مرة أخرى فسأل عن الإطارات القديمة قبل مغادرتنا العزبة في طريق العودة للقاهرة.

- يعني نتصرف فيهم يا ناديا هانم ونبيعهم خردة والا حضرتك محتاجاهم؟

- أنت حر إن شالله تحرقهم.. قلت لك أنا مش محتاجة لأي حاجة هنا!!

في اليوم الثالث من وصولي إلى باريس تفرّغت لخطوتي الأهم قبل أن تنقضي مهلة الشهر التي حدّدها مراد، أجريت اتصالًا هاتفيًا مع دار النشر ببيروت التي اتفقت معها منذ شهور، أبلغني الناشر أن مراجعتي الأخيرة

لمذكراتي قد وصلتهم، الكتاب الآن في المطبعة وبعد أيام ستكون الطبعة الأولى كلها على مكتبه، أكدت عليه أن يُرسل لي أول نسخة فور صدورها وألا يوزعه على المكتبات إلا بموافقة كتابية مني كما اتفقنا، التفتُّ إلى ياسمين وطلبت منها أن تتفرّغ تمامًا لي هذا اليوم كي نخرج في نزهة طويلة على الأقدام لنتحدث في أمر شديد الأهمية، وأمام دهشتها وبراءة نظراتها قلت وأنا أحاول لملمة شتات نفسي:

– في حكاية مهمة لازم أحكيها لك عن كتاب جديد حانشره قريب واسمه.. «لم يكن اسمي ناديا!»

الليلة الأخيرة من ديسمبر 1990 كانت ميلادًا جديدًا لي، تخلّصت من كل مخاوفي وتغلبت على ضعفي، وصلتني من الناشر بالبريد السريع النسخة التجريبية من الطبعة الأولى، فتحت الظرف ببطءٍ وقلبي يخفق بسرعة، تأمّلت صورتي على الغلاف، نصف وجه فقط وكأنني نصف امرأة بالفعل، تصفحت الكتاب ويدي ترتعش قليلًا حتى وصلت إلى الجزء الأخير منه والأهم فيه.. «ملحق الوثائق»، الذي يحتل مساحة ثلثه تقريبًا، به كل الخطابات التي كتبها اللواء مراد الكاشف الخبير الأمني والاستراتيجي المعروف بخط يده. كل المستندات التي كان أرسلها لي بالفاكس، وروى فيها تاريخه وبطولاته في كيفية وضع أجهزة التسجيلات لعائلات كثيرة ومن بينها عائلتي، به أيضًا صور ضوئية من المستندات التي سلّمني مراد نسخة منها لأصدّقه تحوي تاريخ عباس وزينب المحلاوي كما ذكره بالتفصيل، بعض الصور الفوتوغرافية لهما التي لديّ، شهادة ميلادي المزورة وبطاقتي التي زيفهما فهيم أفندي باسم ناديا المحلاوي وشهادتي الوحيدة السليمة الصادرة عن الحكومة لما أودعوني بلمجأ الأيتام و التي أرسلها لي بالفاكس، تفريغ لمحتوى الشرائط بخط مراد، شهادة ميلاد إبراهام بن عباس وصورة له مع أمه وأبيه، ووصية خاصة به أحضرها مراد من مكتب المحاماة في لندن وشهادة قيد ميلاد قديمة خاصة

بناديا سولومون ابنة الخواجة شيكوريل وجدتها بأوراق عباس ولا أعرف كيف حصل عليها مراد، صور أخرى لأوراق بخط اليد دوّن فيها عباس ملاحظات كثيرة غالبًا كي لا ينسى.

شعرت بخفقان شديد في قلبي، ابتلعت حبة مهدئة بسرعة بدون ماء، وقفت قرب النافذة أراقب خيوط الثلوج البيضاء الهابطة على استحياء وهي تتناثر على الطريق، تبدو مثل لفائف صغيرة من القطن تتهادى من السماء ثم سرعان ما تلتصق بالأرض لتذوب بعدها بقليل، لا تقوى على الصمود ولا تبقى طويلًا لتكسو الأسفلت الممتد على مرمى بصري بلونها الأبيض، لن تفلح تلك النقاط البيضاء الصغيرة المؤقتة في محو كل هذا السواد الطويل، انتفضت فجأة، انتبهت للألعاب النارية التي تومض بقوة حول برج إيفل وفوقه، أراه مضيئًا وبعيدًا من نافذتي، لكنه واضح، خفتت الأنوار ليسود الظلام ثواني بدت طويلة، ثم عادت مرة أخرى مصحوبة بفرقعة عالية..

مرت ثلاثون دقيقة بطيئة وأنا أفكر فيما سأدوّنه، تمالكت أعصابي حتى استطعت الإمساك بالقلم وكتبت إهداءً في أول صفحة بيضاء من الكتاب: إلى سيادة (اللواء) مراد الكاشف.. سأقول لك سرًّا عندما تصلك نسخة من الطبعة الأولى لكتابي.. «لم يكُن اسمي ناديا.. مذكرات سيدة من الزمالك».. اقرأها جيدًا لعلها تُسلّي وحدتك في أيامك الأخيرة.

وقّعت بخط مائل قليلًا لكنه واضح، لم أستطع كتابة اسمي الحقيقي «باتيل»، إنما لأول مرة في حياتي وضعت اسمي الذي اخترته من بين أسمائي الثلاثة كي يبقى معي للأبد، ضغطت على رقبة القلم كي لا ترتعش يدي وكتبت «إلهام محمد حسين»، تنهّدت بضيق وانحدرت دموعي رغمًا عني، ثم وقّعت مرة ثانية أسفلها بخط صغير لا يكاد يُرى: «ناديا».

«تمت»

7 يناير 2018